Al dente 2

CORSO D'ITALIANO

LIBRO DELLO STUDENTE + ESERCIZI

AUTORI

Marilisa Birello

Simone Bonafaccia

Franca Bosc

Giada Licastro

Albert Vilagrasa

REVISIONE DIDATTICA

Maddalena Bartacchini

Elena Tea

Al dente 2

L'italiano al punto giusto!

Il corso di italiano per stranieri *Al dente* propone un apprendimento dinamico e significativo della lingua, seguendo le direttive del QCER che considera gli studenti "attori sociali" e prevede che gli atti linguistici si realizzino all'interno di compiti inseriti in un contesto sociale, «l'unico in grado di conferir loro pieno significato» (QCER, p. 11).

Ciò comporta che i contesti comunicativi proposti siano autentici, che gli input stimolino l'interesse e la partecipazione necessari perché si generino, in maniera naturale e spontanea, l'azione e l'interazione.

La varietà di attività, che prevedono l'alternarsi di un lavoro autonomo a un lavoro di tipo collaborativo, favorisce uno sviluppo equilibrato delle competenze linguistico-comunicative e un apprendimento consapevole della lingua.

Per accompagnare al meglio insegnanti e studenti, abbiamo concepito una sequenza didattica chiara, che risulti il più efficace possibile a lezione: la progressiva presentazione dei contenuti linguistici è guidata da una struttura agevole, di facile consultazione e supportata da esercizi di sistematizzazione; il forte orientamento lessicale riserva una particolare attenzione al lessico senza, però, trascurare gli aspetti più propriamente grammaticali evitando, così, di spezzare il binomio forma-significato, punto cardine nell'apprendimento di una lingua.

Ogni unità è costituita da differenti sezioni che formano un unicum coerente e, al tempo stesso, adattabile alle molteplici situazioni di classe. Proprio per andare incontro a questa diversità, abbiamo articolato il nucleo d'apprendimento in unità di lavoro - tre doppie pagine in cui si presentano e analizzano i contenuti principali e fondamentali - arricchite da materiale che prepara, rafforza, amplia e conclude il percorso della singola unità didattica. Il manuale si configura tanto come percorso guidato quanto come fonte di innumerevoli spunti, rivelandosi un valido supporto per l'insegnante, che potrà quindi adattare i contenuti proposti alle proprie esigenze e necessità.

La scelta di tematiche originali, la selezione di documenti autentici e la proposta di attività coinvolgenti mirano a uno stimolo costante della motivazione, altro elemento fondamentale per un apprendimento intelligente e significativo della lingua.

A questo progetto hanno partecipato insegnanti e professionisti del settore glottodidattico provenienti da differenti contesti, e il manuale ha preso forma proprio amalgamando e intessendo le fila di un'ampia varietà di contributi e riflessioni. Con *Al dente* ci poniamo l'obiettivo di accompagnare nel bellissimo e impegnativo lavoro di insegnare e apprendere una lingua.

Gli autori e Casa delle Lingue

Struttura del libro dello studente

- 8 unità didattiche di 16 pagine ciascuna e 1 unità di primo contatto (unità 0)
- 8 schede per lavorare con i video del DVD
- 24 pagine di allegati culturali
- 14 pagine dedicate agli Esami ufficiali
- 32 pagine di esercizi relativi alle unità
- riepilogo grammaticale e tavole verbali
- cartina fisica e politica dell'Italia

PAGINE DI APERTURA
Una doppia pagina per entrare in contatto con l'unità propone attività di tipo lessicale per attivare conoscenze socio-culturali e linguistiche pregresse e strategie d'apprendimento.

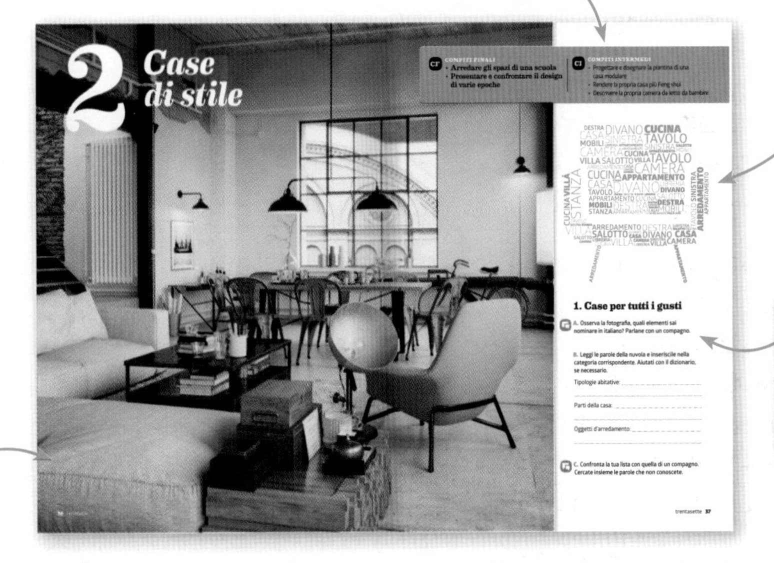

UNITÀ DI LAVORO
Tre doppie pagine che corrispondono ad altrettante unità di lavoro in cui, a partire da documenti autentici, si presentano e analizzano i contenuti linguistici e culturali dell'unità.

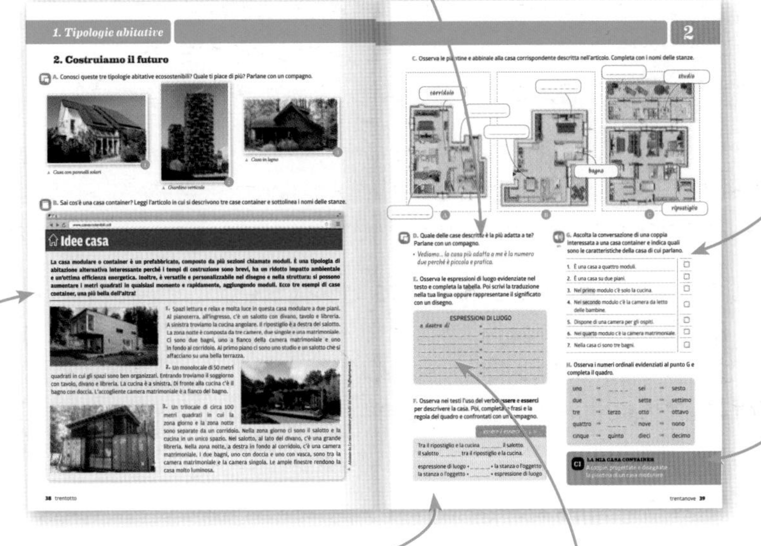

Come funziona

GRAMMATICA
Una doppia pagina di grammatica per sistematizzare le risorse linguistiche attraverso schemi riassuntivi ed esercizi.

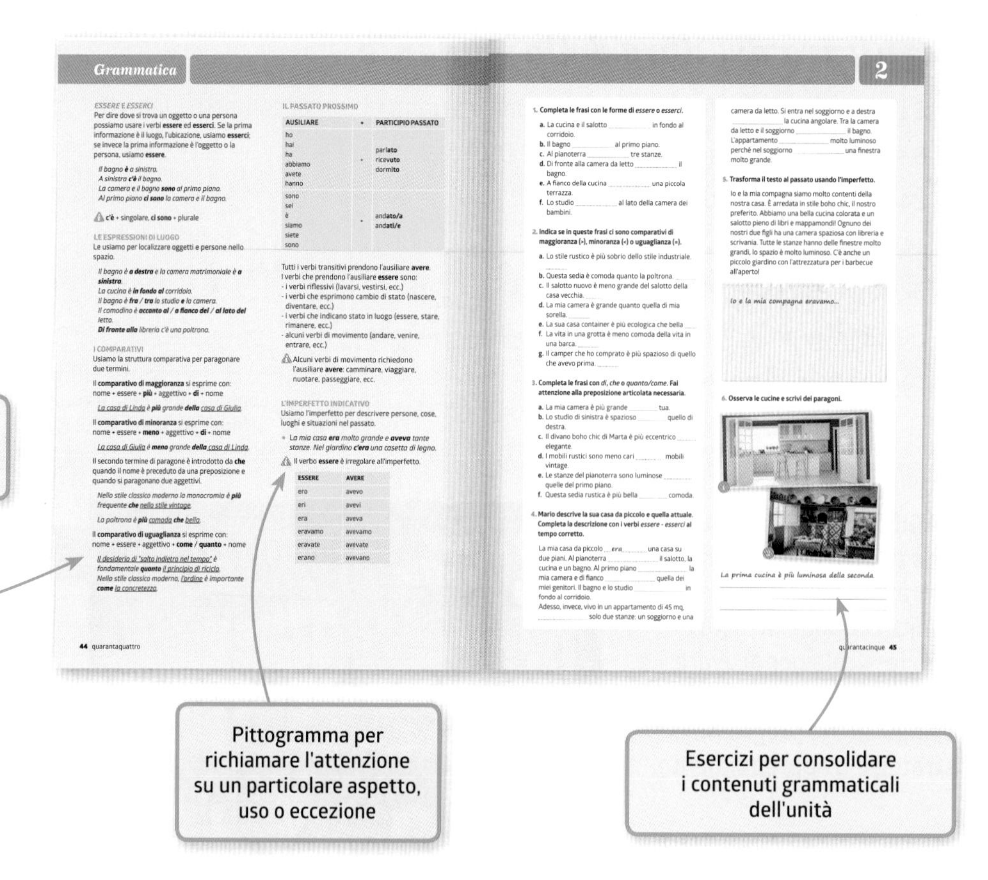

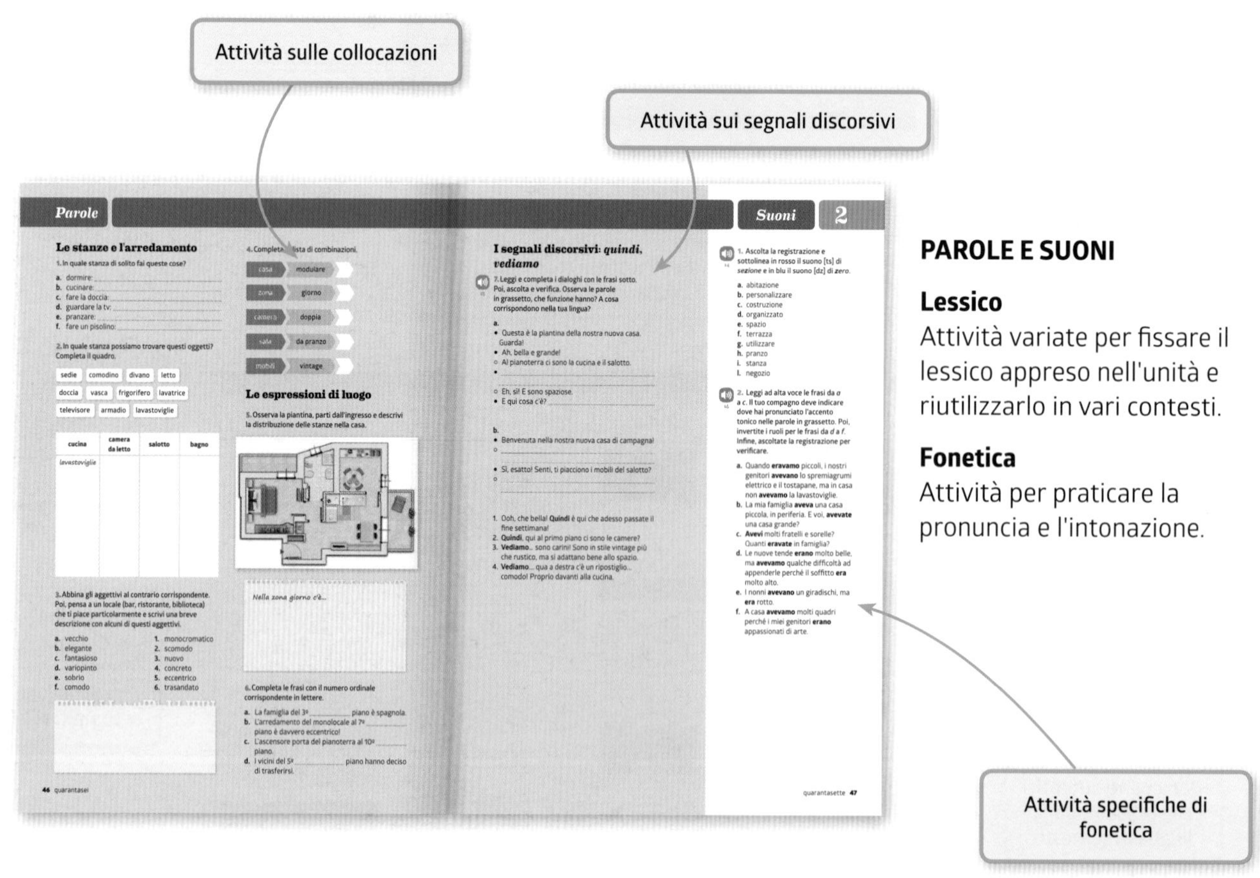

PAROLE E SUONI

Lessico
Attività variate per fissare il lessico appreso nell'unità e riutilizzarlo in vari contesti.

Fonetica
Attività per praticare la pronuncia e l'intonazione.

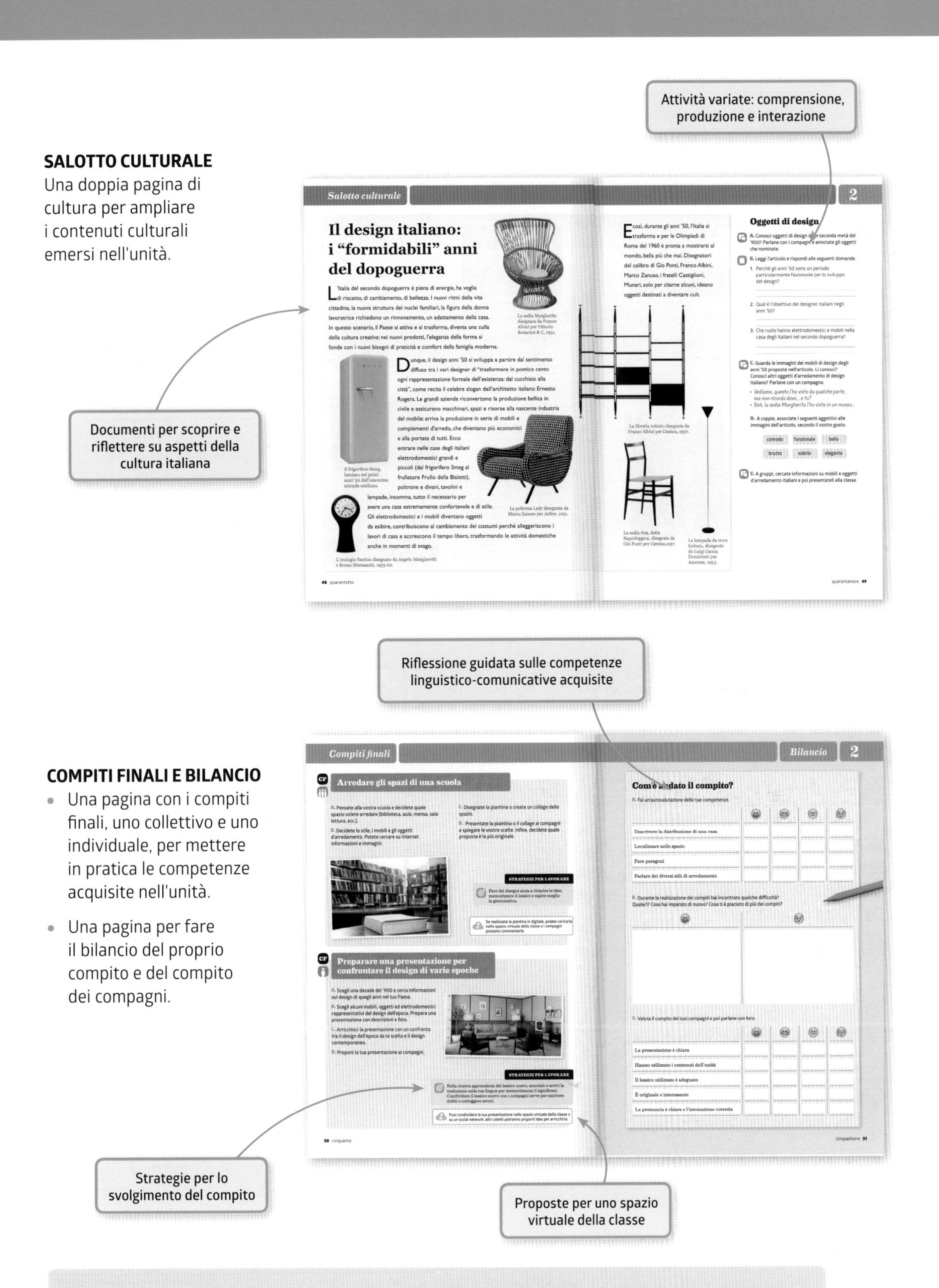

SALOTTO CULTURALE
Una doppia pagina di cultura per ampliare i contenuti culturali emersi nell'unità.

COMPITI FINALI E BILANCIO

- Una pagina con i compiti finali, uno collettivo e uno individuale, per mettere in pratica le competenze acquisite nell'unità.
- Una pagina per fare il bilancio del proprio compito e del compito dei compagni.

Documenti orali interessanti che riproducono in maniera autentica la lingua parlata in vari contesti d'uso. Varietà di accenti (italiano standard e italiani regionali).

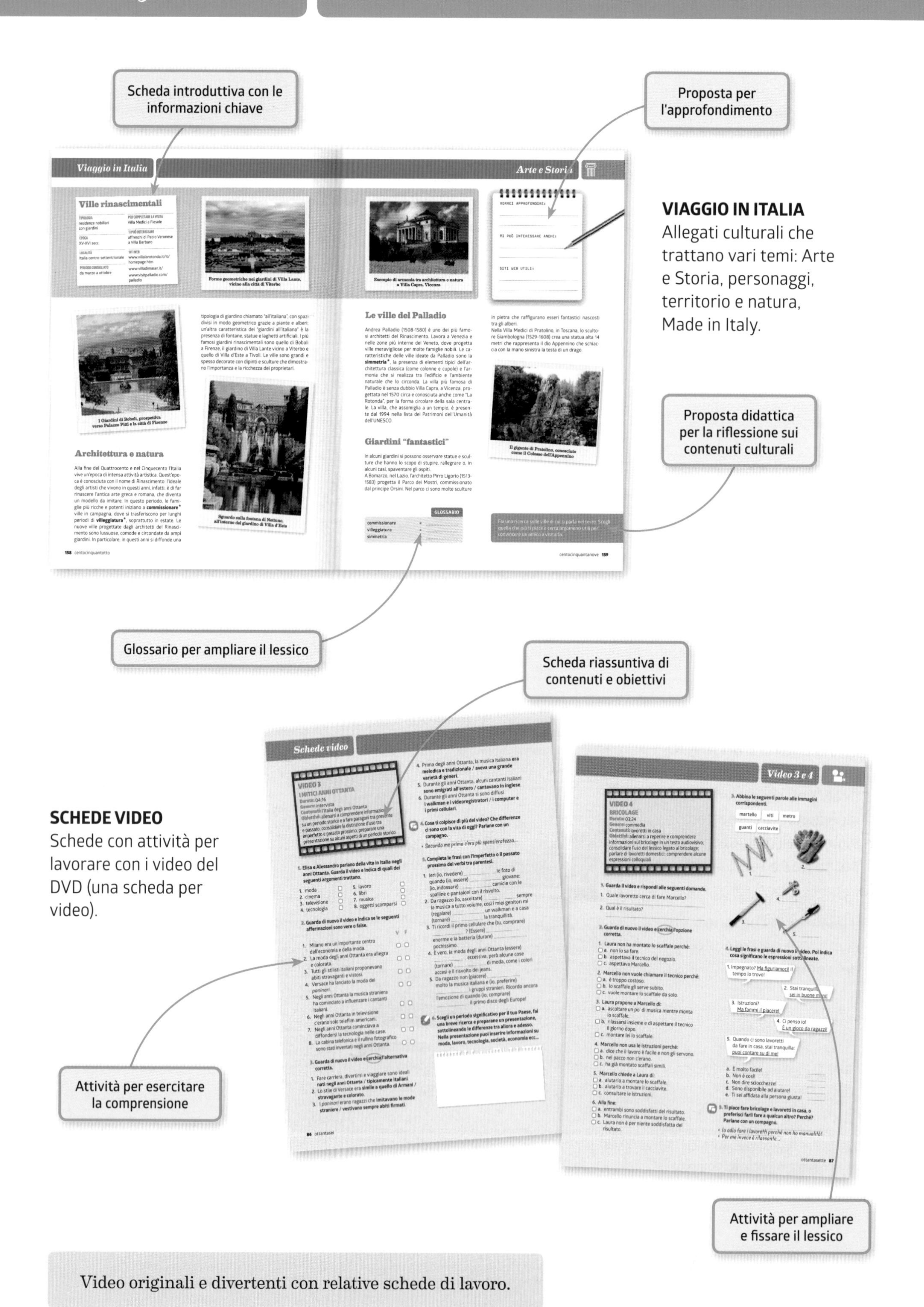

VIAGGIO IN ITALIA
Allegati culturali che trattano vari temi: Arte e Storia, personaggi, territorio e natura, Made in Italy.

SCHEDE VIDEO
Schede con attività per lavorare con i video del DVD (una scheda per video).

Video originali e divertenti con relative schede di lavoro.

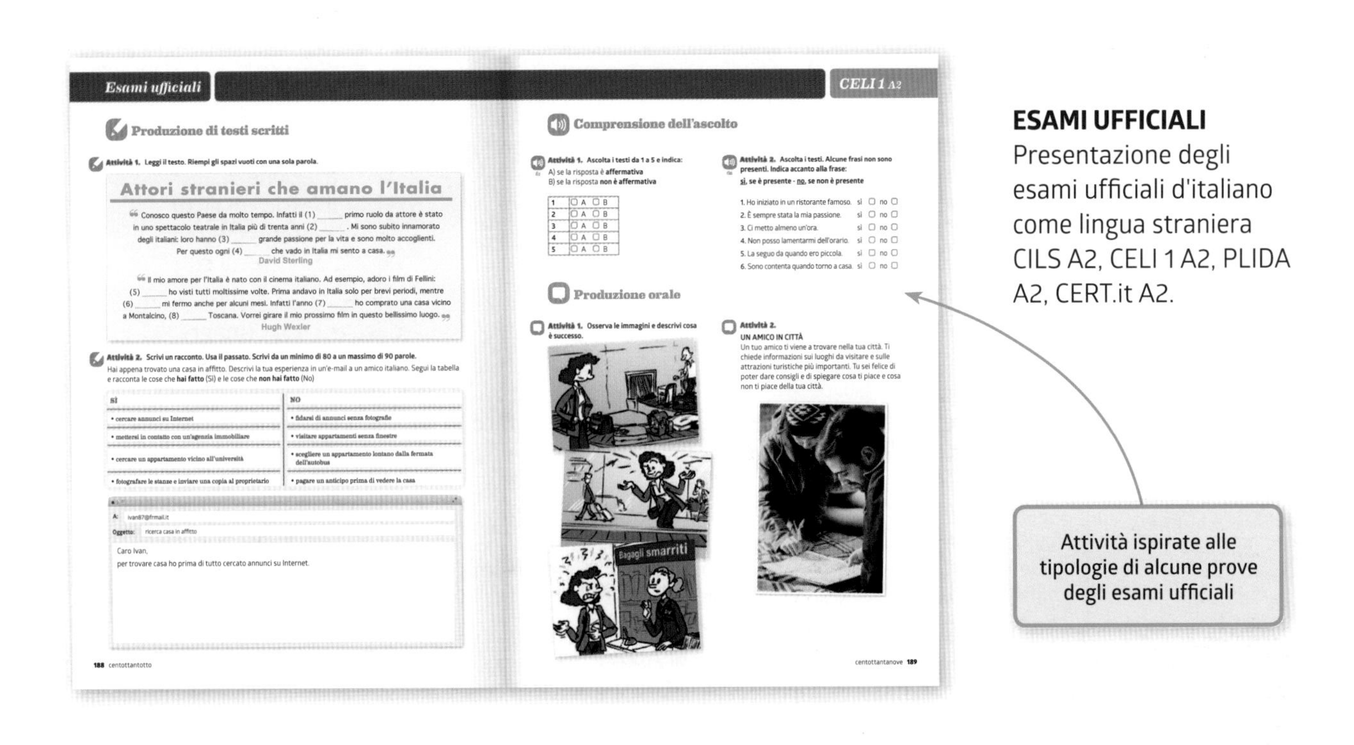

ESAMI UFFICIALI

Presentazione degli esami ufficiali d'italiano come lingua straniera CILS A2, CELI 1 A2, PLIDA A2, CERT.it A2.

Attività ispirate alle tipologie di alcune prove degli esami ufficiali

Pagina per allenare le abilità di comprensione scritta e orale e di produzione scritta

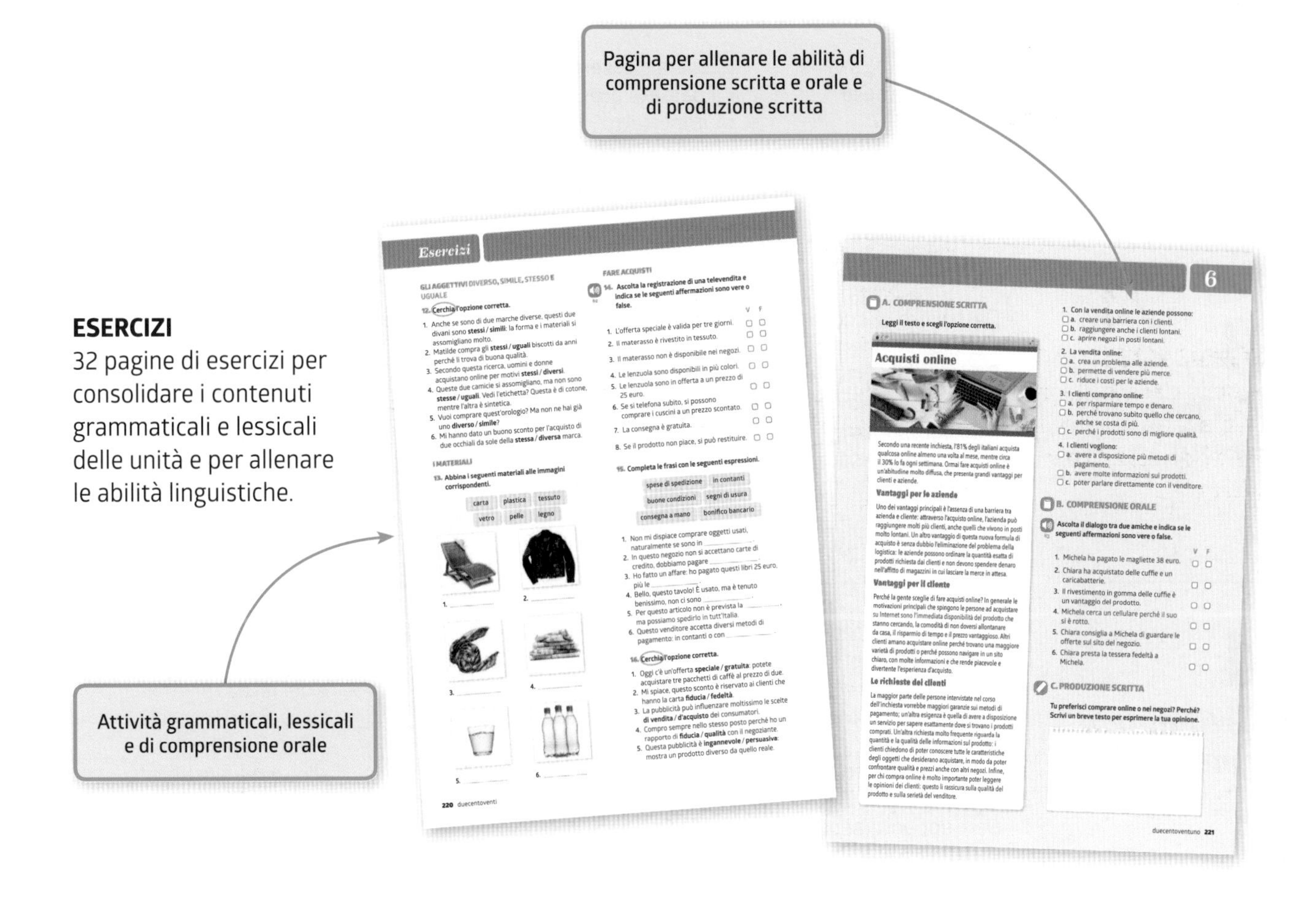

ESERCIZI

32 pagine di esercizi per consolidare i contenuti grammaticali e lessicali delle unità e per allenare le abilità linguistiche.

Attività grammaticali, lessicali e di comprensione orale

Soluzioni e trascrizioni scaricabili gratuitamente da **www.cdl-edizioni.com**

Indice dei contenuti

UNITÀ	COMUNICAZIONE	GRAMMATICA	LESSICO
0 *Musica per le mie orecchie!*	• Comunicare in classe • Chiedere e dare informazioni personali • Parlare delle strategie d'apprendimento	• Ripasso generale dei contenuti del volume A1	• Il lessico da usare a lezione • Il lessico di gusti e interessi
1 *Siamo così*	• Esprimere emozioni • Parlare di problemi e difficoltà • Esprimere accordo e disaccordo • Descrivere oggetti che si usano e possiedono • Esprimere azioni anteriori e posteriori	• I verbi per esprimere difficoltà ed emozioni • I verbi con preposizione • I pronomi diretti (ripasso) • Il **ne** partitivo • La costruzione **ce** + **pronome diretto** (ripasso) • L'infinito passato • **Prima di / dopo** • Gli indefiniti (ripasso)	• Gli aggettivi per descrivere il carattere e gli stati d'animo • I colori • I verbi della comunicazione • I segnali discorsivi: **come dire?, diciamo, cioè**
2 *Case di stile*	• Descrivere la casa • Localizzare nello spazio • Esprimere opinioni e preferenze • Fare paragoni	• **Essere** e **esserci** (ripasso) • Il passato prossimo (ripasso) • L'imperfetto (I) • I comparativi di uguaglianza, maggioranza e minoranza (I)	• Il lessico della casa e dell'arredamento • Le espressioni di luogo • I segnali discorsivi: **quindi**, **vediamo**
3 *Correva l'anno...*	• Descrivere abitudini e situazioni passate • Parlare della propria infanzia • Fare paragoni tra presente e passato • Parlare del sistema educativo	• L'imperfetto (II) • L'uso dell'imperfetto e del passato prossimo • Il contrasto presente / passato • Gli indicatori temporali: **prima, dopo, sempre, tutti i giorni, ogni giorno, poi, ora, adesso**	• I verbi e il lessico di lavoro e istruzione • Il lessico del sistema educativo e della società • **A 20 anni / Da giovane... Prima / adesso** • I segnali discorsivi: **ora, poi, allora**
4 *Artigianato e mestieri*	• Parlare delle proprie competenze e offrire un servizio • Parlare di guasti e riparazioni • Offrire e chiedere di fare qualcosa • Dare appuntamento	• Il condizionale presente (I) • Il presente indicativo dei verbi **sapere**, **potere** (ripasso) • **Stare** + gerundio • I pronomi con gli infiniti • L'accordo del participio passato con i pronomi diretti e con il pronome **ne** • **Ti andrebbe, hai voglia di...**	• Il lessico dei lavori domestici, degli attrezzi e del fai da te • Le espressioni per accettare, rifiutare, scusarsi e giustificarsi • I segnali discorsivi: **a proposito**, **comunque**

TIPOLOGIA TESTUALE	CULTURA	FONETICA	COMPITI	
• Test • Conversazione • Definizioni brevi	• Domande di cultura generale sul patrimonio storico, artistico e culturale d'Italia	• Ripasso generale di intonazione e pronuncia		*14*
• Test • Racconto • Post • Podcast • Testo informativo	• Gli oggetti più importanti nella vita quotidiana degli italiani	• La pronuncia della **i** nei nessi consonantici *gia*, *gio*, *giu*, *cia* • L'intonazione: affermare, esclamare, domandare • L'intonazione: delusione, sorpresa, interesse, preoccupazione	**Compiti finali** • Presentare un compagno di classe • Presentare tre cose indispensabili nel tuo Paese	*20*
• Articolo • Conversazione • Intervista	• Il design italiano negli anni '50 • Stili di arredamento	• La differenza tra [z] sorda e [ʒ] sonora • La posizione dell'accento nella coniugazione dell'imperfetto	**Compiti finali** • Arredare gli spazi di una scuola: biblioteca, mensa, cucina, sala lettura, aule • Presentare e confrontare il design di varie epoche	*36*
• Questionario • Racconto • Blog • Intervista • Infografica • Articolo	• La scuola italiana ieri e oggi • L'italia che cambia: dalla metà del '900 a oggi • L'evoluzione della moda italiana	• Le consonanti scempie e doppie • Velari e palatali: [k], [g], [dʒ], [tʃ]	**Compiti finali** • Fare un cartellone con i ricordi della scuola primaria • Preparare la presentazione di una decade della moda nel tuo Paese	*54*
• Annuncio • Conversazione • Articolo • Chat • Blog • Telefonate	• Artigiani e prodotti artigianali italiani	• I suoni [ɲ], [ʎ] e doppia [n] • L'intonazione: proporre, accettare, rifiutare	**Compiti finali** • Creare uno spazio virtuale della classe in cui offrire servizi • Presentare un'attività fai da te che ti piace o che ti piacerebbe imparare	*70*

Indice dei contenuti

UNITÀ	COMUNICAZIONE	GRAMMATICA	LESSICO
5 *Società del benessere?*	• Parlare della gestione del tempo • Parlare di disturbi e sintomi • Chiedere e dare consigli • Fare ipotesi	• Il futuro semplice • I verbi con preposizioni: **provare a**, **cercare di**, **smettere di**, **cominciare a** • Il periodo ipotetico della realtà • **Stare per** + infinito • Alcuni plurali irregolari	• Il lessico della salute (farmaci e disturbi) • Le parti del corpo • Le espressioni per descrivere sintomi • Il segnale discorsivo **magari**
6 *Lo compriamo?*	• Chiedere e dare informazioni su oggetti da acquistare o vendere • Esprimere preferenze e opinioni • Fare acquisti: prezzo, caratteristiche, forme di pagamento e spedizione, ecc.	• L'imperativo formale affermativo e negativo • L'imperativo con i pronomi (ripasso) • Il comparativo e il superlativo di **buono**, **bene**, **grande** e **piccolo** • Il superlativo assoluto e relativo • Il **si** impersonale • I pronomi relativi **che**, **cui**	• Il lessico degli acquisti • Gli aggettivi per descrivere gli oggetti (materiali, colori, ecc.) • Le preposizioni **di, da, in** • Le espressioni **diverso, simile, uguale, stesso/a** • I segnali discorsivi: **insomma, dunque, allora**
7 *Andata e ritorno*	• Raccontare un viaggio • Confrontare varie tipologie di viaggiatori • Dare e chiedere indicazioni stradali	• Il passato prossimo dei verbi **cominciare, finire, potere, dovere, volere** (ripasso) • I verbi con due ausiliari • **Metterci** e **volerci** • Gli avverbi in **-mente** • **Pensare di** + infinito • **Avere bisogno di** + infinito / sostantivo • I nomi e gli aggettivi alterati • I connettivi causali • I connettivi temporali	• Il lessico del viaggio e dei servizi turistici • Il lessico delle indicazioni stradali • Il lessico del tempo meteorologico • Il segnale discorsivo **proprio**
8 *Fatti e misfatti*	• Esprimere ipotesi e opinioni • Organizzare un discorso • Esprimere obbligo e necessità all'educazione civica • Parlare di patrimonio e senso civico	• Il condizionale presente (II) • Le espressioni d'obbligo e necessità: **è necessario, si deve, bisogna** • Il congiuntivo presente • **Penso, credo che** + congiuntivo presente	• Il lessico dell'educazione civica • Le espressioni **secondo me, io al tuo posto...** • I connettori: **in primo luogo, innanzitutto, infine...** • I segnali discorsivi: **va beh, chiaro, guarda**

SCHEDE VIDEO
VIDEO 1-2 52 | VIDEO 3-4 86 | VIDEO 5-6 120 | VIDEO 7-8 154

VIAGGIO IN ITALIA
ARTE E STORIA 156 | PERSONAGGI 162 | TERRITORIO E NATURA 168 | MADE IN ITALY 174

TIPOLOGIA TESTUALE	CULTURA	FONETICA	COMPITI	
• Test • Articolo • Lettera • Telefonata • Chat	• Dieta mediterranea e longevità • I centenari sardi	• Intonazione: futuro e ipotesi • Intonazione: *magari* • Le consonanti scempie e doppie	**Compiti finali** • Scambiarsi consigli sulla gestione del tempo • Immaginare e presentare una società del futuro funzionale e sana	*88*
• Infografica • Annuncio • Articolo • Blog • Conversazione • Intervista	• I prodotti più acquistati dagli italiani • Il potere degli *influencers*	• I monosillabi • La consonante muta **h** • L'intonazione: consigli e istruzioni	**Compiti finali** • Fare un'infografica sulle abitudini d'acquisto e i prodotti più comprati della classe • Preparare l'annuncio di un oggetto usato da vendere online	*104*
• Intervista • Articolo • Programma radiofonico • Racconto • Itinerario • Email	• I programmi televisivi italiani dedicati al viaggio	• Il raddoppiamento sintattico • L'intonazione: affermare, esclamare, domandare • La differenza tra [kw] e [gw]	**Compiti finali** • Descrivere varie tipologie di turisti • Raccontare un'esperienza di viaggio particolare o memorabile	*122*
• Campagna di sensibilizzazione • Articolo • Tweet • Intervista • Decalogo	• Il patrimonio artistico-culturale italiano • L'educazione civica e il vandalismo • L'arte di strada	• L'intonazione: ipotesi e indignazione • La **d** eufonica • Le parole omografe (vocali aperte e chiuse)	**Compiti finali** • Redigere il decalogo civico della classe • Scrivere la propria opinione su un tema di civismo	*138*

ESAMI UFFICIALI
INTRODUZIONE 180 | CILS 182 | CELI 186 | PLIDA 190 | CERT.IT 194

ESERCIZI
UNITÀ 1 198 | UNITÀ 2 202 | UNITÀ 3 206 | UNITÀ 4 210 | UNITÀ 5 214 | UNITÀ 6 218 | UNITÀ 7 222 | UNITÀ 8 226

EHM... SCUSA... PERMESSO...
... PERMESSO... CAPISCI L'ITALIANO?
EH? AH SÌ, LO CAPISCO! HO STUDIATO PER TRE ANNI A NEW YORK.
AH INFATTI LO PARLI BENE... POSSO VEDERE LA BACHECA?
SÌ, CERTO! CI SONO TANTE ATTIVITÀ CULTURALI INTERESSANTI.
SCUSATE IL RITARDO...
CIAO HANS! SIEDITI PURE LÌ, DIETRO JOHN.
AH CIAO!
A CHE PAGINA SIAMO?
A PAGINA 23.
SCUSA, CHE PAGINA HAI DETTO?
PAGINA 23.
NON HO IL LIBRO. POSSIAMO FARE L'ESERCIZIO INSIEME?
SÌ, CERTO! AVVICINATI!
MI PRESTI IL DIZIONARIO, PER FAVORE?
SÌ... CERTO, ECCOLO!
HAI UNA PENNA, PER FAVORE?
E ANCHE UNA MATITA...
E UNA GOMMA...
E UN EVIDENZIATORE. GRAZIE!
EHM... MI DATE UN FOGLIO, PER FAVORE? HO DIMENTICATO IL QUADERNO...

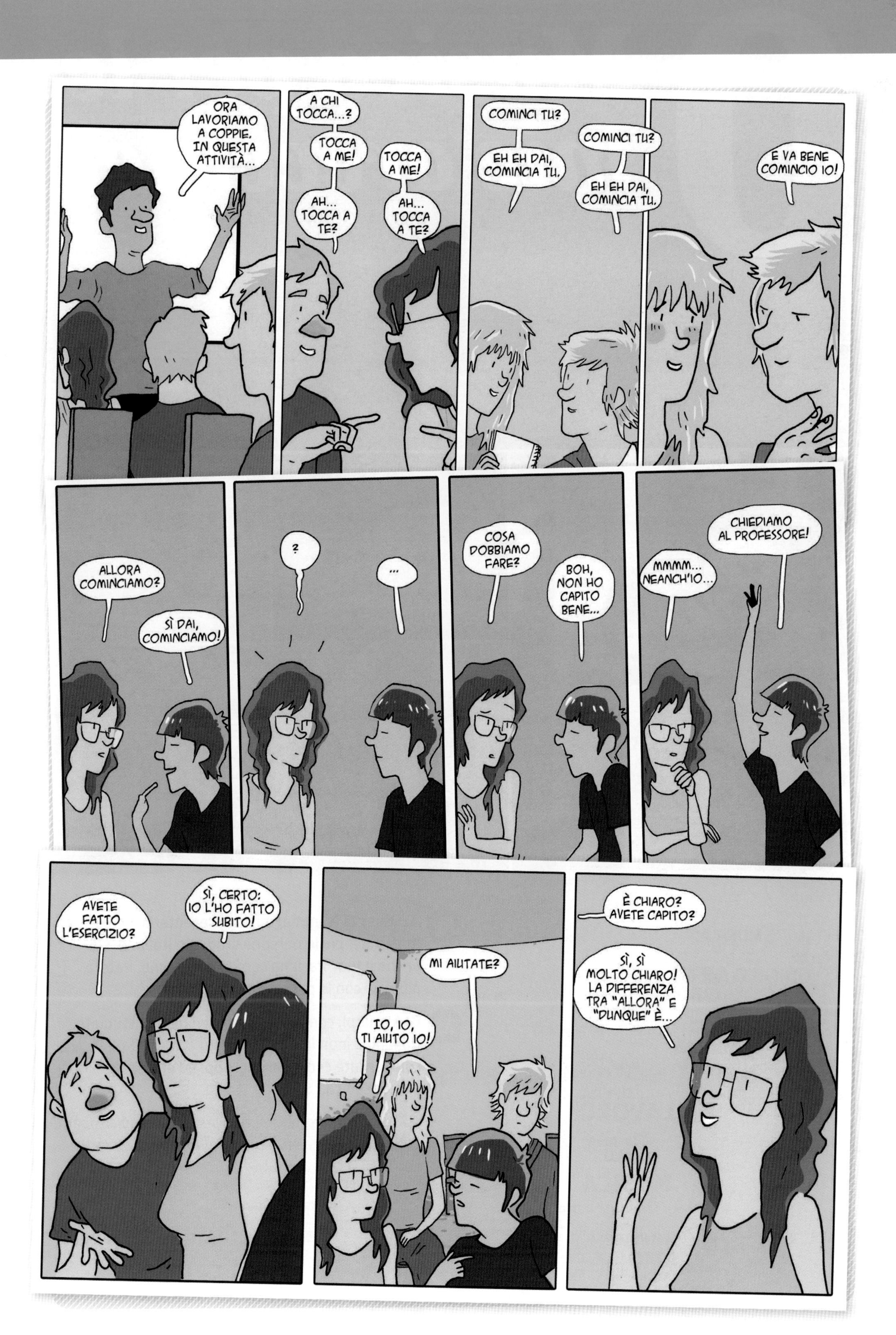
ORA LAVORIAMO A COPPIE. IN QUESTA ATTIVITÀ...
A CHI TOCCA...?
TOCCA A ME!
AH... TOCCA A TE?
TOCCA A ME!
AH... TOCCA A TE?
COMINCI TU?
EH EH DAI, COMINCIA TU.
COMINCI TU?
EH EH DAI, COMINCIA TU.
E VA BENE COMINCIO IO!
ALLORA COMINCIAMO?
SÌ DAI, COMINCIAMO!
?
...
COSA DOBBIAMO FARE?
BOH, NON HO CAPITO BENE...
MMMM... NEANCH'IO...
CHIEDIAMO AL PROFESSORE!
AVETE FATTO L'ESERCIZIO?
SÌ, CERTO: IO L'HO FATTO SUBITO!
MI AIUTATE?
IO, IO, TI AIUTO IO!
È CHIARO? AVETE CAPITO?
SÌ, SÌ MOLTO CHIARO! LA DIFFERENZA TRA "ALLORA" E "DUNQUE" È...

0 Musica per le mie orecchie!

CIBO BELLO ARTE ODIO MUSICA ARTE ODIO
LETTERATURA OPERA AMO
AMORE CUCINA CUCINA AMO AMO MUSICA BELLO
LAVORO ODIO LAVORO BELLO ARTE
ARTE MUSICA OPERA CIBO
BELLO LAVORO CUCINA CIBO AMO
LETTERATURA LAVORO ODIO
MI PIACE CUCINA AMORE
CIBO MUSICA FAMIGLIA
CUCINA OPERA LETTERATURA
ODIO MUSICA LAVORO ARTE AMO
AMORE MI PIACE ARTE OPERA
LAVORO
LETTERATURA
CUCINA AMO
BELLO
MUSICA
LAVORO AMORE
LETTERATURA ODIO
AMO MI PIACE MUSICA
ODIO AMO BELLO
OPERA ARTE CUCINA LAVORO
LETTERATURA MUSICA CIBO ARTE

A. Osserva le immagini, rappresentano alcuni motivi per cui le persone studiano italiano. C'è anche il tuo? Parlane con un compagno. Potete aiutarvi con le parole della nuvola.

B. A gruppi, condividete i motivi per cui studiate italiano e individuate quelli più comuni. Poi, confrontate con gli altri gruppi ed elaborate una classifica.

- *Noi due studiamo italiano perché amiamo l'opera!*
- *Ah, sì!? Noi tre studiamo italiano per amore!*

► ....

► ....

► ....

1. Sai che...

A. Quanto conosci l'Italia? Fai questo test, poi confronta le tue risposte con quelle di un compagno.

Quante regioni ci sono in Italia?

a. tredici
b. venti
c. diciotto

2

Chi è il regista del film *La dolce vita*?

a. Michelangelo Antonioni
b. Federico Fellini
c. Pier Paolo Pasolini

Dove si trova il Ponte di Rialto?

a. Venezia
b. Pisa
c. Palermo

Chi è Andrea Bocelli?

a. un pittore
b. uno scrittore
c. un tenore

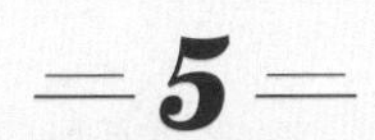

Qual è il giorno di chiusura dei musei?

a. il lunedì
b. il martedì
c. il giovedì

6

Chi sono i paparazzi?

a. giornalisti
b. fotografi
c. cuochi

Quale isola italiana ha la superficie più vasta?

a. Sicilia
b. Sardegna
c. Lampedusa

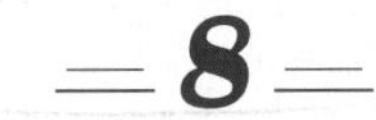

Che cos'è il "Rosso Valentino"?

a. un film di Fellini
b. un colore
c. un piatto siciliano

B. Scrivi altre due domande sull'Italia e verifica se il tuo compagno conosce le risposte.

9

....

a. ....
b. ....
c. ....

10

....

a. ....
b. ....
c. ....

2. Mi piace!

A. A coppie, leggete le parole e chiedete al compagno quali corrispondono ai suoi gusti e interessi. Fate delle domande per approfondire. Poi, in base alle informazioni raccolte, disegnate il vostro compagno.

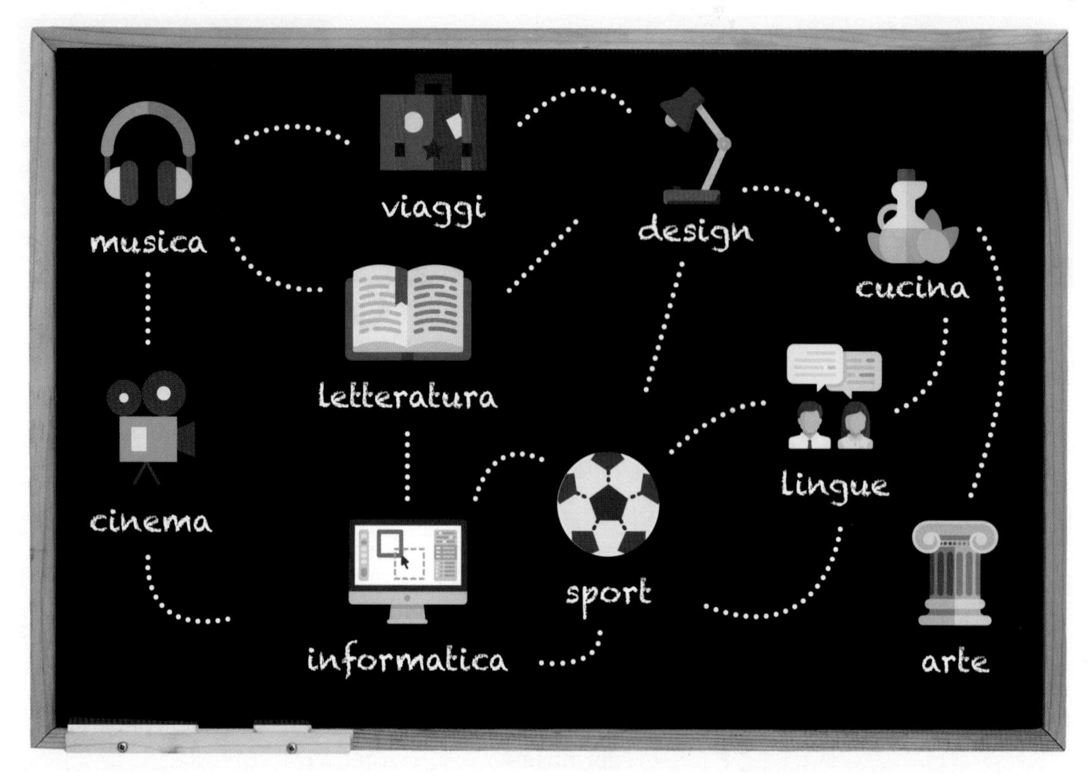

- ○ *Ti piace la musica?*
- • *Sì, mi piace molto!*
- ○ *Che tipo di musica preferisci? Rock, pop, classica...?*
- • *Classica, amo il pianoforte!*

- ○ *Fai sport?*
- • *Sì, vado a correre due volte alla settimana? E tu?*
- ○ *Io no, non mi piacciono gli sport, sono una persona sedentaria.*

- ○ *Quali lingue parli?*
- • *Parlo inglese, francese e un po' di italiano.*

B. Che cosa ti piace? Completa la seguente scheda. Poi, a gruppi, confrontate le schede e scoprite con chi avete affinità.

- ▶ un film: ....
- ▶ una parola o espressione italiana: ....
- ▶ uno scrittore: ....
- ▶ una città: ....
- ▶ una lingua: ....
- ▶ un piatto: ....
- ▶ un monumento: ....
- ▶ un hobby: ....
- ▶ una canzone: ....
- ▶ una serie tv: ....
- ▶ un social network: ....
- ▶ altro: ....

3. Studiare una lingua

A. Quali lingue hai studiato? Cos'è più difficile per te? Parlane con i tuoi compagni.

- ☐ capire le conversazioni
- ☐ scrivere un testo
- ☐ parlare con i compagni
- ☐ leggere il giornale / un libro
- ☐ pronunciare alcune parole
- ☐ imparare parole nuove

- *Ho frequentato un corso di cinese e per me parlare è molto difficile.*
- *Per me scrivere in italiano è difficile, ho sempre dubbi di grammatica...*

01

B. Ascolta due ragazzi che parlano della loro esperienza di apprendimento di una lingua. Indica a chi corrispondono le seguenti informazioni.

	Giorgia	Luca
Ha studiato inglese.	....	....
Ha imparato con le canzoni.	....	....
Ha studiato russo.	....	....
Parla spesso con un madrelingua.	....	....
Ha difficoltà di pronuncia.	....	....
Guarda film con i sottotitoli.	....	....
Si registra e riascolta per migliorare la pronuncia.	....	....
Scrive la traduzione vicino alla parola.	....	....
Legge i giornali.	....	....
Memorizza liste di parole.	....	....

C. Che cosa fai per imparare una lingua? A gruppi, discutete sulle seguenti attività. Quali vi piace fare e quali no?

- *Io scrivo sempre le parole nuove.*
- *Anch'io. E faccio anche delle liste di parole.*
- *Io invece preferisco disegnare mappe mentali.*

- prendo appunti ☐
- ☐ disegno mappe mentali
- ☐ leggo giornali / libri / fumetti
- guardo film con / senza sottotitoli ☐
- vedo video con sottotitoli ☐
- memorizzo liste di parole ☐
- parlo con i compagni ☐
- ascolto canzoni ☐
- ☐ scrivo le parole che non conosco
- faccio esercizi grammaticali ☐
- ☐ faccio disegni per capire il significato
- uso un dizionario monolingue ☐
- faccio confronti con altre lingue che conosco ☐

D. Condividete con la classe i risultati del lavoro di gruppo. Qual è la strategia più usata e quale la meno usata? Usate delle strategie che non sono nella lista? **Parlatene.**

STRATEGIE PER LAVORARE

Riflettere sulle strategie di apprendimento ci aiuta a scegliere quelle più adatte a noi.

4. Il gioco dell'oca

Si gioca a gruppi, tutti i gruppi hanno una pedina. Lanciate i dadi e spostate la pedina sulla casella corrispondente. Rispondete alla domanda o eseguite l'ordine. Se sapete rispondere, vi fermate sulla casella raggiunta e aspettate il vostro turno per tirare nuovamente i dadi. Se non sapete rispondere, tornate alla casella in cui eravate prima di tirare i dadi. Vince chi arriva per primo alla casella 44.

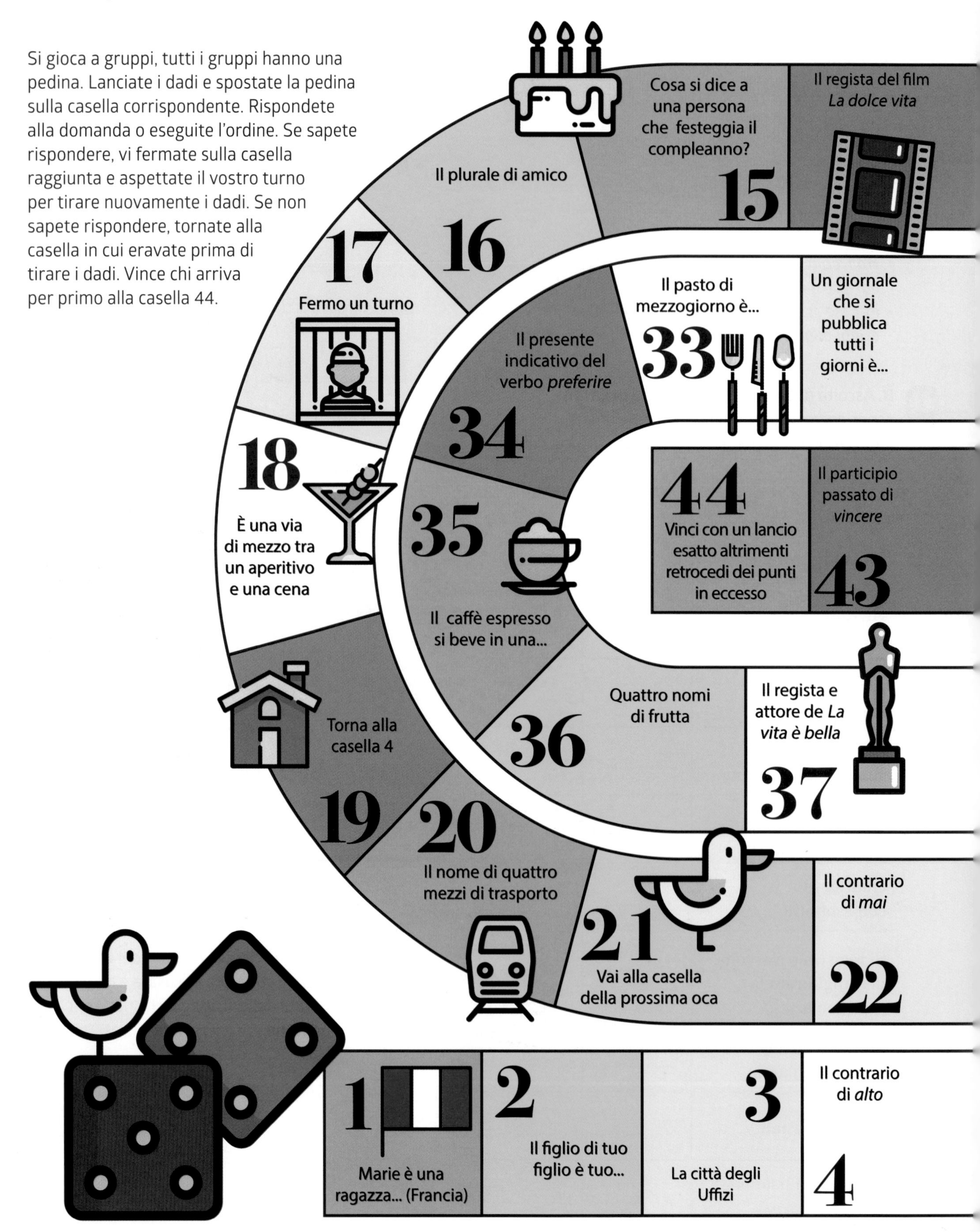

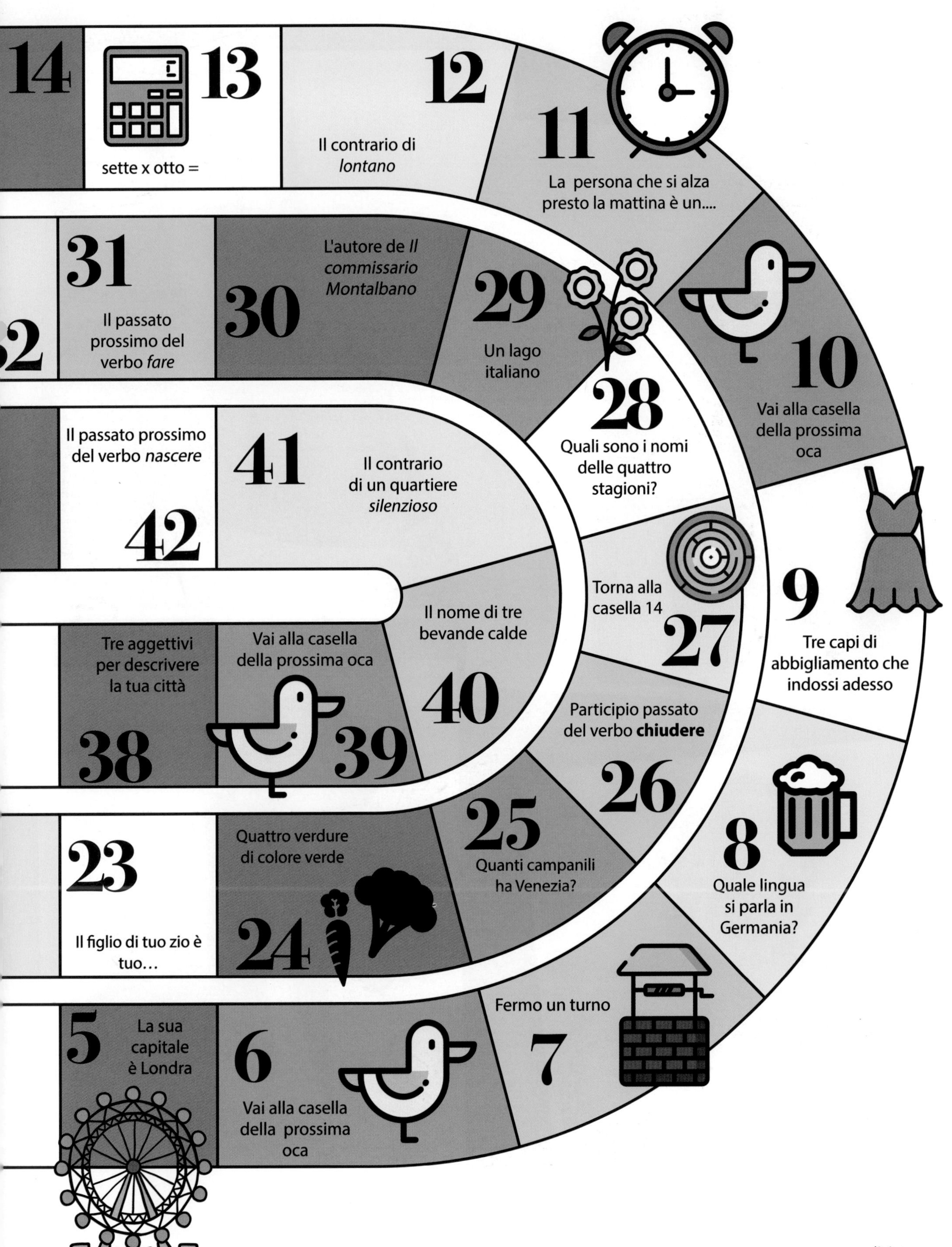
5
La sua capitale è Londra
6
Vai alla casella della prossima oca
7
Fermo un turno
8
Quale lingua si parla in Germania?
9
Tre capi di abbigliamento che indossi adesso
10
Vai alla casella della prossima oca
11
La persona che si alza presto la mattina è un....
12
Il contrario di *lontano*
13
sette x otto =
14
23
Il figlio di tuo zio è tuo…
24
Quattro verdure di colore verde
25
Quanti campanili ha Venezia?
26
Participio passato del verbo **chiudere**
27
Torna alla casella 14
28
Quali sono i nomi delle quattro stagioni?
29
Un lago italiano
30
L'autore de *Il commissario Montalbano*
31
Il passato prossimo del verbo *fare*
38
Tre aggettivi per descrivere la tua città
39
Vai alla casella della prossima oca
40
Il nome di tre bevande calde
41
Il contrario di un quartiere *silenzioso*
42
Il passato prossimo del verbo *nascere*

1 *Siamo così*

CF COMPITI FINALI
- **Presentare un compagno di classe**
- **Presentare tre cose indispensabili nel tuo Paese**

COMPITI INTERMEDI
- Dare suggerimenti per migliorare la comunicazione
- Presentare due oggetti importanti
- Descrivere la propria generazione

A MIO AGIO
CONNESSO CE L'HO
MI VERGOGNO
CREATIVO NERVOSO RIBELLE
INDISPENSABILE RIDICOLO ESTROVERSO
GENERAZIONE TRANQUILLO
AFFIDABILE RIBELLE A DISAGIO
CE L'HO AFFIDABILE CONNESSO
CREATIVO CONNESSO A MIO AGIO
TRANQUILLO CREATIVO INDISPENSABILE
ESTROVERSO NERVOSO A DISAGIO
GENERAZIONE SODDISFATTO TRANQUILLO
MI VERGOGNO NERVOSO
A DISAGIO RIDICOLO A DISAGIO
CREATIVO GENERAZIONE ESTROVERSO
DENUNCIARE SODDISFATTO
NERVOSO SODDISFATTO AFFIDABILE INDISPENSABILE
A MIO AGIO CONNESSO A MIO AGIO
RIDICOLO MI VERGOGNO CE L'HO
MI VERGOGNO
RIDICOLO

1. Emozioni in parole

A. Osserva le fotografie: cosa ti comunicano queste persone? Aiutati con il dizionario.

B. Osserva la nuvola di parole, quali parole ed espressioni puoi abbinare alle immagini? Poi completa le seguenti liste.

Aggettivi: ....

....

....

Espressioni: ....

....

....

C. Infine fai una lista con le parole e le espressioni nuove.

D. Se vuoi, alla fine dell'unità fai una proposta alternativa per questa doppia pagina.

2. Sei quello che comunichi

A. Leggi le definizioni di questi verbi e poi cerca gli equivalenti nella tua lingua.

parlare articolare suoni, pronunciare parole
esprimersi manifestare con chiarezza le proprie idee
comunicare far conoscere, trasmettere informazioni
spiegare far capire un concetto

B. Sei d'accordo con queste opinioni? Qual è per te la più vera? Aggiungi anche la tua opinione e parlane con un compagno.

- Sei quello che comunichi.
- Le parole possono cambiare la vita.
- Esprimersi bene significa conoscere bene sé stessi.
- Parlare bene è uno snobismo.
- Non è importante parlare troppo, ma ascoltare.
- ....

- *Io ho scritto: "È importante esprimersi bene per comunicare con efficacia".*
- *Sì, è vero. E sono anche d'accordo che "Le parole possono cambiare la vita".*

C. Sei comunicativo? Fai il test e leggi il tuo profilo. Poi confronta le tue risposte con quelle di un compagno.

1. A una festa...
A Mi piace parlare con tutti gli invitati.
B Parlo con le persone che conosco e provo a conoscere persone nuove.
C Faccio fatica a parlare con persone che non conosco.
D Non vado a feste. Mi sento a disagio in posti con tanta gente.

2. Quando devo parlare in pubblico...
A Mi sento a mio agio perché tutti mi ascoltano.
B Sono un po' nervoso, ma non faccio fatica a comunicare.
C Mi sento ridicolo e arrossisco.
D Assolutamente no! Non riesco a dire una parola!

3. Come ti senti quando stai in silenzio con un'altra persona?
A Sto male. Devo parlare per riempire i vuoti.
B Dipende dalla persona e dipende dal momento.
C Sto bene perché a volte non si deve dire niente.
D Mi sento a mio agio.

4. Quando discuti su un tema...
A Sono soddisfatto quando do la mia opinione. Mi piace discutere.
B Ascolto cosa dicono gli altri e poi dico quello che penso.
C Ho paura di dare la mia opinione.
D Mi vergogno e rimango zitto.

5. La gente che mi conosce dice che...
A Sono un chiacchierone.
B Sono un buon interlocutore.
C So ascoltare ma sono molto silenzioso.
D Sto sempre zitto.

RISULTATI PER MAGGIORANZA DI RISPOSTE
A *Non ti manca mai la parola! Sei decisamente estroverso.*
B *Complimenti sei un comunicatore equilibrato!*
C *Sei timido e silenzioso. Cerca di esprimerti più apertamente.*
D *Non riesci a comunicare... Prova a risolvere il problema con un corso di teatro, per esempio.*

D. Osserva le espressioni evidenziate nel test: esprimono emozioni positive o negative?

😊	😕
....	....
....	....
....	....
....	....

E. Osserva le espressioni evidenziate nei risultati del test e poi completa questi esempi.

verbi con preposizioni ► p. 28

- Non ***riesco a*** parlare con le persone che non conosco: sono troppo timido!
- .... **di** leggere di più: ti aiuta ad esprimerti meglio.
- Parli sempre tu! .... **ad** ascoltare gli altri.

F. In quali situazioni ti senti così? Parlane con i compagni.

- ho le mani sudate
- divento rosso
- parlo a voce alta/bassa
- (non) guardo negli occhi l'interlocutore
- (non) mi esprimo bene
- (non) trovo le parole giuste
- sono tranquillo/nervoso

- *Io divento rosso quando devo parlare in pubblico.*
- *A me invece piace parlare in pubblico, sono tranquilla.*

02

G. Luca, iscritto al corso Comunichiamo! racconta la sua esperienza. Ascolta la registrazione e completa il quadro.

problema	
come si sente	

03

H. Quale soluzione ti sembra più adatta per Luca? Parlane con un compagno e poi verificate le vostre risposte con la registrazione.

- fare esercizi di rilassamento
- fare un corso di teatro
- usare tecniche di respirazione
- usare tecniche di memorizzazione
- leggere molto
- fare schemi

3. Cosa dicono i colori

A. Esiste il colore adatto a ogni situazione? Leggi i testi e abbinali al colore corrispondente, poi confronta le tue risposte con un compagno.

arancione

1. Rappresenta energia, amore e passione. È l'ideale per parlare in pubblico e per mantenere alta l'attenzione di chi ascolta.
2. Rappresenta vitalità, creatività ed entusiasmo. Chi vuole trasmettere vivacità può, dunque, usare questo colore.
3. È un colore calmante e riesce a comunicare sobrietà ed eleganza. È perfetto per il lavoro e per gli appuntamenti professionali.
4. Colore tradizionalmente associato alla femminilità.
5. È il colore della natura, della freschezza. Trasmette empatia e amicizia. Deve essere usato se si vuole entrare in connessione con le persone.
6. Trasmette forza, potere ed eleganza. È perfetto per quasi tutte le occasioni, ad eccezione dei matrimoni e degli appuntamenti mattutini.

▲ *Adattato da* Qual è il significato dei colori che indossiamo? La tonalità adatta ad ogni situazione *di Valeria Paglionico, www.donna.fanpage.it*

B. Quali colori ti piace indossare? Perché? Parlane con i compagni.

- *Io mi vesto molto di grigio perché è un colore neutro e adatto a tutto.*
- *A me piace portare colori forti, come giallo, arancione, rosso, perché trasmettono forza e vitalità.*

CI **ESPERTI IN COMUNICAZIONE**
Prepara cinque domande per sapere che tipo di comunicatore è il tuo compagno.
Poi dagli dei suggerimenti per migliorare la sua comunicazione.

4. Psicologia della scrivania

A. Cosa c'è sulla tua scrivania? Indica quali di questi oggetti hai sul tuo tavolo e aggiungine altri, se vuoi. Poi confronta i tuoi oggetti con quelli di un compagno.

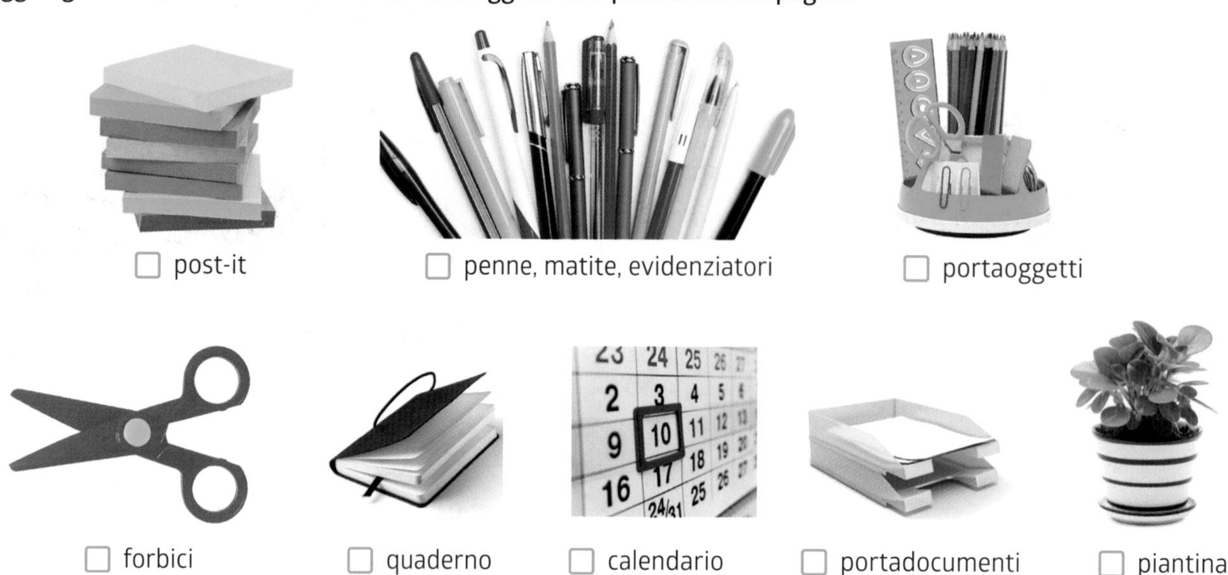

☐ post-it ☐ penne, matite, evidenziatori ☐ portaoggetti

☐ forbici ☐ quaderno ☐ calendario ☐ portadocumenti ☐ piantina

B. Leggi questo post pubblicato sulla pagina Facebook di una radio. Cosa dice la tua scrivania della tua personalità? Sei d'accordo?

La nostra scrivania può parlare dei nostri interessi e delle nostre inclinazioni: gli oggetti e il modo in cui sono disposti raccontano qualcosa di noi.

Un team di psicologi dell'Università del Minnesota (Stati Uniti) ha dimostrato che le persone che lavorano a un tavolo ordinato e organizzato tendono a essere più convenzionali e inclini a una vita regolare. Invece un piano di lavoro caotico è più tipico di personalità anticonformiste, libere, originali. E secondo il professor Gosling, una persona affidabile ha una scrivania organizzata, una persona creativa preferisce disordine e oggetti originali, e chi è socievole ed estroverso ha uno spazio di lavoro accogliente. **Ascolta il podcast della trasmissione!**

126 35 commenti 67 condivisioni

▲ *Estratto e adattato da Psicologia della scrivania: dimmi com'è e ti dirò chi sei, di Brunella Gasperini (www.d.repubblica.it)*

- *Io sono d'accordo, la mia scrivania è... e io sono...*
- *Mah, io invece non sono tanto d'accordo perché...*

C. Ascolta il podcast della trasmissione e annota gli oggetti che senti per ciascun profilo.

04

affidabile	creativo	estroverso

E. Secondo te, cos'altro ci aiuta a capire qualcosa della personalità?

- *Secondo me si può capire dalla borsa, cioè cosa porti nella borsa...*

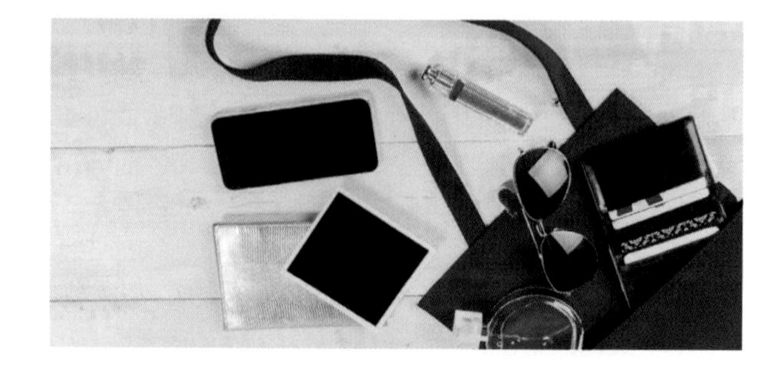

5. Non esco di casa senza...

A. Leggi i testi: neanche tu esci di casa senza questi oggetti? Perché?

Alessia Mugambi
Il mio computer portatile! Lo uso per lavorare, per ascoltare musica, vedere film e serie... Ce l'ho da cinque anni e funziona ancora benissimo!

Alberto Bianchi
Non esco di casa senza occhiali da sole! Ce li ho sempre perché mi dà fastidio la luce e perché mi piace portarli. Li cambio spesso, ne ho tanti, almeno dieci!

Dario Gherardi
Mai senza bicicletta! La uso per andare al lavoro, uscire con gli amici... Ce l'ho piegabile, quindi la posso portare anche sui mezzi pubblici.

Patrizia Soriani
Le scarpe da ginnastica: ce le ho di tanti modelli differenti e le metto anche per andare al lavoro... Mi piace stare comoda e odio i tacchi!

- *Neanch'io esco di casa senza computer perché...*
- *Ah sì? Io invece posso uscire di casa senza computer.*

B. Leggi le seguenti frasi: a quali frasi del punto A corrispondono. Qual è la differenza?

i pronomi diretti e il pronome ne ▸ p. 28

- Uso il computer per lavorare. → *lo uso per lavorare*
- Cambio spesso gli occhiali. → ....
- Ho tanti occhiali. → ....
- Posso portare la bicicletta anche sui mezzi pubblici. → ....
- Metto le scarpe da ginnastica anche per andare al lavoro. → ....

C. Traduci nella tua lingua le frasi al punto A che contengono le forme evidenziate: cosa osservi?

D. E tu senza quale oggetto non esci di casa? Perché? Parlane con i compagni.

CI
I MIEI OGGETTI
Pensa a due oggetti che usi spesso e che rappresentano il tuo stile di vita, cerca o fai una foto a ciascuno e appendile in bacheca con il tuo nome. Che oggetti hanno appeso i tuoi compagni? Parlate delle vostre scelte.

6. Di che generazione sei?

A. Come si definisce una generazione? Quali aspetti sono importanti, secondo te?

B. Conosci le diverse generazioni? Sai a quali anni di nascita si riferiscono? Leggi i testi e inserisci i titoli corrispondenti, poi confronta con un compagno.

Generazione Z | Generazione C | Generazione X | Generazione baby boomers | Generazione Y (o Millennials)

....

1946-1964. È la generazione "on the road", del pacifismo e del femminismo, dei grandi festival rock. Dopo aver fatto importanti rivoluzioni culturali, tanti hanno trovato lavoro e hanno avuto una vita regolare, alcuni hanno continuato ad essere ribelli.

....

1965-1980. È la prima generazione che ha conosciuto i cartoni animati, i videogiochi, i computer domestici. È una generazione con tanti sognatori. I più giovani dopo essere cresciuti con un'idea del mondo, si sono ritrovati in una realtà molto diversa. Nessuno sembrava preparato.

....

1980-2000. Sono i figli delle nuove tecnologie, sempre connessi a Internet, abituati a vivere in un mondo precario. Sono ricettivi, interessati alla politica solo in qualche occasione, attenti all'immagine e piuttosto pigri... prima di lasciare la casa dei genitori, fanno passare tanto tempo.

....

Dal 2000 in poi. Sono i figli della Rete, dei tablet, degli smartphone. Tutti sono multimediali, sono veloci, globalizzati e capaci di vivere bene in un mondo con troppe informazioni.

....

Connessione 24 ore al giorno, in ogni momento, questo è l'importante. Gli appartenenti a questa generazione sono molto informati, prima di fare qualsiasi cosa cercano recensioni sul web e dopo aver fatto un'esperienza condividono opinioni, pubblicano video e scrivono nei blog.

C. Di che generazione sei? Ti riconosci nella descrizione? Parlane con i compagni.

- *Io sono della generazione X e mi riconosco perfettamente.*
- *Io sono della generazione Y e non sono d'accordo con la descrizione: io non sono pigra...*

D. Sottolinea nei testi al punto B le parole ed espressioni chiave per descrivere le generazioni. Poi confronta con un compagno e, insieme, trovate degli aggettivi per definire le persone che appartengono a ciascuna generazione.

E. Rileggi i testi al punto B e osserva le parole evidenziate: inserisci gli esempi nella colonna corrispondente.

gli indefiniti ▶ p. 28

▶ Interessati alla politica solo in ***qualche*** occasione. ▶ .... ▶ .... ▶	indefiniti + un nome
▶ Si sono ritrovati in una realtà ***molto*** difficile. ▶	indefiniti + un aggettivo
▶ ***Tanti*** hanno trovato lavoro. ▶ .... ▶ .... ▶	indefiniti senza nome né aggettivo

F. Leggi queste frasi estratte dai testi al punto B e indica l'ordine di successione delle azioni. Poi cerchia l'opzione corretta per completare la regola d'uso.

azioni anteriori e posteriori ▶ p. 28

▶ Dopo aver fatto importanti rivoluzioni culturali (**1**), tanti hanno trovato lavoro (**2**).
▶ Dopo aver fatto un'esperienza (.....), pubblicano video (.....).
▶ Prima di lasciare la casa dei genitori (.....), fanno passare tanto tempo (.....).
▶ Prima di fare qualsiasi cosa (.....), cercano recensioni sul web (.....).

Prima di infinito presente / infinito passato
Dopo infinito presente / infinito passato

05

G. Ascolta la presentazione di un personaggio famoso: fai attenzione a cosa ha fatto e quando lo ha fatto. Chi è?

H. Adesso scegli un personaggio famoso e presentalo ai compagni senza dire chi è. Segui il modello della registrazione.

CI **LA MIA GENERAZIONE**
Scrivi un breve testo sulla tua generazione: indica le caratteristiche, descrivi la mentalità e il modo di vivere, specifica cosa è importante per voi. Aggiungi delle immagini per illustrare.

Grammatica

ESPRIMERE EMOZIONI

Mi sento a mio agio / a disagio
Mi sento ridicolo/a
Sono nervoso/a *quando / se parlo in pubblico.*
Sono soddisfatto/a
Sto male / bene
Mi vergogno

Ho paura di *non ricordare cosa devo dire.*
Faccio fatica a *parlare con persone che non conosco.*

VERBI CON PREPOSIZIONE

Provare a + infinito

Prova a usare *tecniche di respirazione se sei nervoso.*

Riuscire a + infinito

*Tu **riesci a comunicare** bene in situazioni formali?*

Cercare di + infinito

Cercate di leggere *di più, se volete scrivere bene.*

I PRONOMI DIRETTI

Usiamo i pronomi diretti **lo**, **la**, **li**, **le** per riferirci a persone o cose che sono chiaramente identificate. Concordano in genere e numero con il nome che sostituiscono nella funzione di complemento diretto.

*Adoro il mio computer! **Lo** uso tutti i giorni.*
*La bicicletta? **La** uso per andare al lavoro.*
*Ho tante scarpe da ginnastica, **le** metto anche al lavoro.*
*Gli occhiali da sole **li** trovo molto eleganti.*

IL *NE* PARTITIVO

Usiamo **ne** per indicare una certa quantità o una parte di qualcosa che è chiaramente identificato.

*Uso spesso le matite colorate, **ne** ho tante.*

CE L'HO, CE LI HO, CE LE HO

La costruzione **ce** + **avere** + pronome diretto **lo**, **la**, **li**, **le** si usa per esprimere possesso.

*Il mio computer è un Mac, **ce l'ho** da tanti anni.*

- *Hai la bicicletta?*
- *Sì, **ce l'ho** pieghevole, è comodissima.*

*I trucchi **ce li ho** sempre in borsa.*
*Sì, uso matite colorate. **Ce le ho** sulla scrivania.*

INFINITO PASSATO

L'infinito passato si forma con gli ausiliari **essere** o **avere** all'infinito presente + il participio passato del verbo.
Di solito, **avere** perde la vocale finale:
aver(e) fatto
essere andato/a

AZIONI ANTERIORI E POSTERIORI

Prima di + infinito

Prima di finire *l'università, ho trovato un buon lavoro.*
(= Ho trovato un buon lavoro e poi ho finito l'università.)

Dopo + infinito passato

Dopo aver finito *l'università, ho fatto un lungo viaggio.*
(= Ho finito l'università e poi ho fatto un lungo viaggio.)
Dopo essere stata *all'estero, ho cercato lavoro in Italia.*
(= Sono stata all'estero e poi ho cercato lavoro in Italia.)

GLI INDEFINITI

Danno un'informazione generica. Si possono usare con un nome (come aggettivi) per indicarne la quantità, con un aggettivo o un verbo per indicarne l'intensità (come avverbi di quantità) e per sostituire un nome (come pronomi).

Come aggettivi concordano in genere e numero con il nome che accompagnano.
Come pronomi concordano in genere e numero del nome che sostituiscono.
Come avverbi di quantità sono invariabili.

AGGETTIVO	PRONOME	AVVERBIO
ogni		
qualche		
alcuni, alcune	alcuni, alcune	
nessun, nessuno, nessun', nessuna	nessuno, nessuna	
tanto, tanta, tanti, tante (molto/a/i/e)	tanti, tante (molti, molte)	tanto (molto)
tutto, tutta, tutti, tutte	tutti, tutte	
troppo, troppa, troppi, troppe	troppi, troppe	troppo

1. Completa le frasi con le seguenti espressioni.

ti senti a tuo agio | fanno fatica a | è soddisfatto | si sente a disagio | ci sentiamo ridicoli | vi vergognate | ha paura di | sono nervoso

a. Michele .... quando si esprime bene in pubblico.
b. Perché .... quando dovete dare la vostra opinione?
c. Daniela .... dimenticarsi qualcosa quando fa presentazioni formali.
d. Quando devo parlare in pubblico ....
e. Tu .... quando parli davanti a tante persone?
f. Loredana e Giuseppe .... parlare con persone che non conoscono.
g. Jacopo .... quando parla con il suo capoufficio.
h. Noi .... quando non troviamo le parole giuste.

2. Completa le frasi con la forma dei verbi provare, cercare **e** riuscire **coniugati alla persona corretta.**

a. Quando devo parlare in pubblico .... di preparare bene il discorso.
b. Da quando uso tecniche di memorizzazione, ... a ricordare tutto quello che devo dire.
c. Se diventi rosso in situazioni formali, ... a fare un corso di teatro. Aiuta molto.
d. Se non .... a organizzare bene il discorso, ... di fare degli schemi.
e. Quando dovete dare un esame e siete nervosi, ... a rilassarvi.

3. Completa le frasi con ce l'ho/hai, ce le ho/hai, ce li ho/hai.

a. Io non posso fare a meno degli occhiali da sole. .... sempre con me!
b. Tu .... una piantina sulla tua scrivania?
c. Sono golosa e mi piacciono molto le caramelle, ... sempre in borsa.
d. Sei pronto? Le chiavi della macchina ....?
e. Non posso vivere senza motorino, ... da tanti anni, è indispensabile per me!
f. Viaggio tantissimo e quindi il passaporto e la valigia .... sempre a portata di mano.
g. Io uso il tappetino per il mouse con poggiapolso. Tu ....?

4. Riscrivi le seguenti frasi secondo l'esempio.

Mi sono laureata e poi ho trovato lavoro.
→ *Dopo essermi laureata, ho trovato lavoro. / Prima di trovare lavoro, mi sono laureata.*

a. Ho avuto un figlio e poi mi sono sposato.
→ ....
b. Ho studiato italiano e poi sono andato a vivere in Italia.
→ ....
c. Ho fatto un corso di teatro e ho migliorato la mia comunicazione.
→ ....
d. Ho fatto degli schemi e poi ho scritto il testo.
→ ....
e. Mi sono trasferita in Olanda e poi ho conosciuto mio marito.
→ ....

5. Completa le frasi con i pronomi lo, la, li, le **o** ne.

a. Il computer .... uso solo per lavorare.
b. Adoro la mia moto, non .... presto a nessuno.
c. La mia passione sono i libri. .... ho tantissimi.
d. La mia casa è piena di fumetti. .... ho troppi!
e. In borsa ho sempre una penna, e a casa .... ho molte, anche colorate.
f. Mi piacciono molto le scarpe, ... compro quasi sempre su Internet.

6. Cerchia la forma corretta.

a. **Alcuni** / **Qualche** dicono che parlo bene ma altri non mi capiscono.
b. **Ogni** / **Tutto** giorno devo riordinare la mia scrivania.
c. Ho dipinto **alcune** / **qualche** stanze di verde perché è un colore rilassante.
d. **Ogni** / **Alcune** mattina mi connetto a Facebook.
e. **Nessuno** / **Qualche** si veste sportivo per una riunione formale di lavoro.

7. Completa con tutti, troppo, qualche, ogni, nessuna, alcune.

a. Oltre al computer, sulla mia scrivania ho qualche foglio e alcune penne.
b. Non ho nessuna piantina sulla scrivania.
c. Annoto tutti i miei contatti sull'agenda.
d. C'è troppo disordine sulla tua scrivania, usa un portadocumenti.
e. ogni giorno scrivo almeno 20 post-it!

Parole

Come siamo, come ci sentiamo

1. Abbina gli aggettivi della colonna di sinistra ai loro contrari.

1. ridicolo
2. nervoso
3. soddisfatto
4. timido
5. chiacchierone
6. estroverso

a. introverso
b. socievole
c. silenzioso
d. serio
e. insoddisfatto
f. tranquillo

2. Completa le frasi con i seguenti aggettivi.

indispensabile | affidabile | ribelle | sognatore/trice | creativo/a

a. Mi piace lavorare con Bruno, quando dice una cosa poi la fa. È una persona ....
b. Ada non ama avere regole da seguire, contesta molto l'autorità, è una ragazza ....
c. Devi essere più realista e vedere le cose come sono, non puoi essere sempre un ....
d. Monica ha sempre tante idee e anche molto originali. È davvero ....
e. Non esco mai senza orologio, lo porto sempre. Per me è ....

3. Completa secondo la tua esperienza.

Mi sento a mio agio: ....

Mi vergogno: ....

Sono nervoso/a: ....

Sono soddisfatto/a: ....

Mi sento ridicolo/a: ....

Colori e oggetti

4. Cosa comunicano generalmente questi colori?

viola | verde | rosso | blu | nero | rosa | arancione | giallo

1. passione → ....
2. sobrietà → ....
3. femminilità → ....
4. freschezza → ....
5. eleganza → ....
6. ottimismo → ....
7. creatività → ....
8. meditazione → ....

5. Che oggetti di questi colori ti piace usare?

1. **viola** → ....
2. **verde** → ....
3. **rosso** → ....
4. **blu** → ....
5. **nero** → ....
6. **rosa** → ....
7. **arancione** → ....
8. **giallo** → ....

6. Scrivi i tuoi oggetti indispensabili e annota la traduzione nella tua lingua.

al lavoro/per studiare: ....

a casa: ....

in borsa/in tasca: ....

I verbi della comunicazione

7. Completa la lista di combinazioni.

sentirsi → a disagio → a mio agio → ridicolo

essere → soddisfatto → nervoso → tranquillo

parlare → in pubblico → troppo → bene → male

I segnali discorsivi: *cioè, diciamo, come dire?*

06

8. Leggi queste frasi e traducile nella tua lingua: a cosa corrispondono le parole in **grassetto**?

a. Quando devo parlare in pubblico divento nervoso, **cioè** mi sudano le mani, arrossisco...

.... = ...

b. Sì, Mauro è simpatico però non riesco mai a fare un discorso serio con lui... **cioè** mi sembra superficiale.

.... = ...

c. Cinzia parla con tutti, racconta sempre un sacco di cose, dà sempre la sua opinione. **Diciamo** che è una chiacchierona.

.... = ...

d. Hai un cellulare vecchio, non usi social network, non hai il tablet... **diciamo** che non sei un figlio delle nuove tecnologie!

.... = ...

e. Mi piace parlare in pubblico, vedere che tutti mi ascoltano, stare al centro dell'attenzione... **come dire?** Mi sento a mio agio!

.... = ...

f. Parlare con persone nuove? Beh, non so mai cosa dire, come iniziare la conversazione. **Come dire**? Faccio fatica.

.... = ...

07

1. Leggi le seguenti parole e indica se la **i** si pronuncia (✓) o no (✗). Poi ascolta la registrazione per verificare.

a. disagio
b. giusto
c. tecnologia
d. associare
e. grigio
f. magia
g. bugia
h. giallo
i. Lucia
l. simboleggiare

08

2. Ascolta la registrazione e inserisci il punto fermo **(.)**, il punto interrogativo **(?)** o il punto esclamativo **(!)**.

a. Hai una scrivania molto ordinata
b. Susanna arrossisce facilmente
c. Alberto è a disagio quando parla in pubblico
d. Per me il cellulare è indispensabile
e. Quanti evidenziatori hai
f. I giovani della mia generazione sono sempre connessi

09

3. Ascolta la registrazione e indica se le frasi esprimono delusione **(D)**, sorpresa **(S)**, interesse **(I)** o preoccupazione **(P)**.

a. Quali sono le caratteristiche tipiche della generazione X?
b. Davvero l'oggetto di cui non puoi fare a meno è la bicicletta? Ma dai!
c. Non ci sono più biglietti per lo spettacolo. Peccato!
d. Ieri Clara è stata molto socievole con tutti. Proprio lei che è sempre così timida!
e. Devo fare un discorso in pubblico? Proprio io? Non lo può fare qualcun altro?
f. Raccontami: il corso di teatro ti ha aiutato a comunicare meglio?
g. Non vieni alla festa? Mi mandi da solo? Ma io non conosco nessuno!
h. Il corso sta per finire e a me non sembra di aver migliorato la mia comunicazione.

Gli italiani non vivono senza...

MACCHINA *non solo mezzo di trasporto*

È un bene di grande importanza, un oggetto da amare, uno status symbol: la macchina è un mezzo per spostarsi ma dice anche "chi siamo" e "cosa amiamo". E poi è una questione di abitudini legata al pendolarismo: molti italiani vivono e lavorano in città diverse, e l'auto è una buona compagna di viaggio. Comunque, il Bel paese è ai vertici delle classifiche europee per numero di veicoli circolanti: ben 38 milioni!

OLIO EXTRAVERGINE D'OLIVA *sapore di casa*

Indiscutibile protagonista della cucina mediterranea, è presente sulla tavola degli italiani fin dall'antichità come elemento indispensabile per cucinare e come condimento per eccellenza. A crudo o in cottura, non manca mai nelle ricette italiane perché esalta i sapori e completa i piatti. Impossibile cucinare e mangiare senza!

PIANTINA DI BASILICO *ingrediente italiano*

È l'erba aromatica per eccellenza, ingrediente basilare di tante ricette come la classica "pasta pomodoro e basilico", il pesto o la caprese. È il sapore dell'Italia, completa tante ricette di pasta e verdure e fa coppia fissa con il pomodoro. È così imprescindibile che ogni italiano ha in casa almeno una piantina di basilico (sul balcone, in cucina, in giardino, nell'orto...), l'abitudine è così diffusa che le piantine si trovano in tutti i supermercati. La varietà Basilico Genovese è un prodotto DOP ed è coltivata in Liguria.

OCCHIALI DA SOLE *l'accessorio indispensabile*

"C'è chi si mette degli occhiali da sole per avere più carisma e sintomatico mistero..." canta Franco Battiato in uno dei suoi grandi successi (*Bandiera Bianca*), ma molti italiani assicurano di usare questo accessorio non solo per ragioni di glamour: gli occhiali da sole sono un ottimo alleato per nascondere imperfezioni e per proteggere gli occhi dalla luce del sole. Di sicuro il binomio estetica + utilità ha convinto tantissimo gli italiani, che non possono fare a meno di questo oggetto: lo portano sempre, in tutte le epoche dell'anno e a tutte le ore del giorno (o quasi). Non un semplice accessorio, ma un elemento indispensabile per un tocco in più di stile ed eleganza.

Oggetti indispensabili

A. Osserva le immagini senza leggere i testi: nel tuo Paese usate questi oggetti? Quanto sono importanti?

- *Noi non usiamo la moka.. perché ....*
- *Nel mio Paese la macchina... non è importante perché ...*
- *Anche per noi è importante l'olio...*

B. Leggi i testi e completa. Poi confronta le tue risposte con un compagno.

Informazioni conosciute: ....

....

Informazioni nuove per me: ....

....

Informazioni che mi sorprendono: ....

....

C. Per ogni oggetto scrivi perché è indispensabile per gli italiani.

Moka: ....

....

Macchina: ....

....

Bidet: ....

....

Olio extravergine d'oliva: ....

....

Piantina di basilico: ....

....

Occhiali da sole: ....

....

D. In base alla tua esperienza (sei stato in Italia, conosci degli italiani, ecc.) pensa a qualcos'altro che ti sembra indispensabile per gli italiani. Che cosa hanno scelto i tuoi compagni?

MOKA *il rito della macchinetta casalinga*

La buona, vecchia cara moka è una tradizione irrinunciabile, proprio come il caffè. Per gli italiani l'immagine della caffettiera sul fornello significa casa, ecco perché la mettono in valigia quando partono per un lungo viaggio. È difficile rinunciare al piacere del rumore del caffè che esce e svegliarsi senza il suo profumo che si diffonde.

BIDÈ *essenziale!*

È uno degli argomenti favoriti degli italiani all'estero e la domanda è sempre la stessa: ma tu ce l'hai il bidè a casa? Eh sì, perché, molto spesso, nei bagni all'estero manca qualcosa che, per gli italiani, è essenziale: il bidè! Nato in Francia tra XVII e XVIII secolo, in Italia ottiene un successo enorme e diviene un oggetto di uso comune perché è pratico e funzionale. È presente in tutte le case ed esiste anche un decreto ministeriale secondo cui è obbligatorio.
(Decreto ministeriale Sanità 5 luglio 1975, art. 7).

Presentare un compagno di classe

A. A gruppi, preparate 10 domande da fare a un compagno su questi temi: comunicazione con gli altri, oggetti che usa tutti i giorni, cose indispensabili.

B. Intervistate il vostro compagno, prendete appunti e preparate una scheda con le informazioni raccolte.

C. Preparate una presentazione e condividetela con gli altri compagni.

STRATEGIE PER LAVORARE

Per un buon lavoro di gruppo è importante organizzarsi bene: dividete i diversi compiti e assicuratevi che tutti facciano qualcosa.

Preparate una presentazione originale, scegliete il vostro stile (intervista, documentario, film, ecc.) e condividetela sul social network della classe.

Presentare tre cose indispensabili nel tuo Paese

A. Pensa alle cose che usate di più nel tuo Paese.

B. Fai una selezione delle cose che usano quasi tutti e poi scegline tre, quelle che ritieni indispensabili nella vostra vita quotidiana.

C. Scrivi dei brevi testi in cui spieghi perché sono importanti per la vostra cultura. Aggiungi delle immagini per illustrare.

D. Appendi in bacheca la tua presentazione e osserva quelle dei compagni: ci sono oggetti ricorrenti?

STRATEGIE PER LAVORARE

Prima di redigere i testi, leggi bene i modelli a pp. 32-33.

Scrivi un post su un blog o su un forum e dai inizio a una discussione.

Com'è andato il compito?

A. Fai un'autovalutazione delle tue competenze.

	😁	😊	😕	😥
parlare di problemi e difficoltà				
esprimere emozioni				
dire che oggetti si usano e si possiedono				
esprimere azioni anteriori e posteriori				

B. Durante la realizzazione dei compiti hai incontrato qualche difficoltà? Quale/i?
Cosa hai imparato di nuovo? Cosa ti è piaciuto di più dei compiti?

😁	😥

C. Valuta il compito dei tuoi compagni e poi parlane con loro.

	😁	😊	😕	😥
La presentazione è chiara.				
Hanno utilizzato i contenuti dell'unità.				
Il lessico utilizzato è adeguato.				
È originale e interessante.				
La pronuncia è chiara e l'intonazione corretta.				

2 Case di stile

COMPITI FINALI

- **Arredare gli spazi di una scuola**
- **Presentare e confrontare il design di varie epoche**

COMPITI INTERMEDI

- Progettare e disegnare la piantina di una casa modulare
- Rendere la propria casa più Feng shui
- Descrivere la propria camera da letto da bambini

DESTRA DIVANO CUCINA
CASA SINISTRA TAVOLO
MOBILI LIBRERIA APPARTAMENTO SINISTRA SALOTTO
CAMERA ARREDAMENTO CUCINA APPARTAMENTO MOBILI
VILLA SALOTTO VILLA TAVOLO
ARREDAMENTO CASA CAMERA LIBRERIA CAMERA
CUCINA APPARTAMENTO
CASA STANZA DIVANO LIBRERIA
TAVOLO CUCINA SINISTRA DIVANO LIBRERIA DIVANO
APPARTAMENTO CUCINA SALOTTO
MOBILI DESTRA DESTRA CAMERA DIVANO DESTRA
STANZA APPARTAMENTO CASA MOBILI ARREDAMENTO VILLA CASA
CUCINA VILLA STANZA TAVOLO SINISTRA ARREDAMENTO APPARTAMENTO
TAVOLO
DESTRA STANZA ARREDAMENTO DESTRA SINISTRA SALOTTO DESTRA
VILLA SALOTTO DIVANO CASA DIVANO CASA
SALOTTO CAMERA LIBRERIA CAMERA SINISTRA
CUCINA VILLA LIBRERIA VILLA CAMERA
ARREDAMENTO APPARTAMENTO

1. Case per tutti i gusti

A. Osserva la fotografia, quali elementi sai nominare in italiano? Parlane con un compagno.

B. Leggi le parole della nuvola e inseriscile nella categoria corrispondente. Aiutati con il dizionario, se necessario.

Tipologie abitative: ....

....

Parti della casa: ....

....

Oggetti d'arredamento: ....

....

C. Confronta la tua lista con quella di un compagno. Cercate insieme le parole che non conoscete.

D. Se vuoi, alla fine dell'unità fai una proposta alternativa per questa doppia pagina.

2. Costruiamo il futuro

A. Conosci queste tre tipologie abitative ecosostenibili? Quale ti piace di più? Parlane con un compagno.

1 ▲ *Casa con pannelli solari*

2 ▲ *Giardino verticale*

3 ▲ *Casa in legno*

B. Sai cos'è una casa container? Leggi l'articolo in cui si descrivono tre case container e sottolinea i nomi delle stanze.

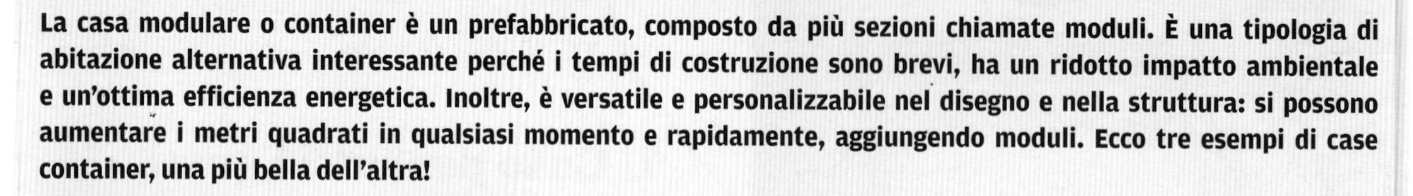

La casa modulare o container è un prefabbricato, composto da più sezioni chiamate moduli. È una tipologia di abitazione alternativa interessante perché i tempi di costruzione sono brevi, ha un ridotto impatto ambientale e un'ottima efficienza energetica. Inoltre, è versatile e personalizzabile nel disegno e nella struttura: si possono aumentare i metri quadrati in qualsiasi momento e rapidamente, aggiungendo moduli. Ecco tre esempi di case container, una più bella dell'altra!

1. Spazi lettura e relax e molta luce in questa casa modulare a due piani. Al pianoterra, all'ingresso, c'è un salotto con divano, tavolo e libreria. A sinistra troviamo la cucina angolare. Il ripostiglio è a destra del salotto. La zona notte è composta da tre camere, due singole e una matrimoniale. Ci sono due bagni, uno a fianco della camera matrimoniale e uno in fondo al corridoio. Al primo piano ci sono uno studio e un salotto che si affacciano su una bella terrazza.

2. Un monolocale di 50 metri quadrati in cui gli spazi sono ben organizzati. Entrando troviamo il soggiorno con tavolo, divano e libreria. La cucina è a sinistra. Di fronte alla cucina c'è il bagno con doccia. L'accogliente camera matrimoniale è a fianco del bagno.

3. Un trilocale di circa 100 metri quadrati in cui la zona giorno e la zona notte sono separate da un corridoio. Nella zona giorno ci sono il salotto e la cucina in un unico spazio. Nel salotto, al lato del divano, c'è una grande libreria. Nella zona notte, a destra in fondo al corridoio, c'è una camera matrimoniale. I due bagni, uno con doccia e uno con vasca, sono tra la camera matrimoniale e la camera singola. Le ampie finestre rendono la casa molto luminosa.

▲ *Adattato da Le case container più belle del mondo, Huffingtonpost.it*

C. Osserva le piantine e abbinale alla casa corrispondente descritta nell'articolo. Completa con i nomi delle stanze.

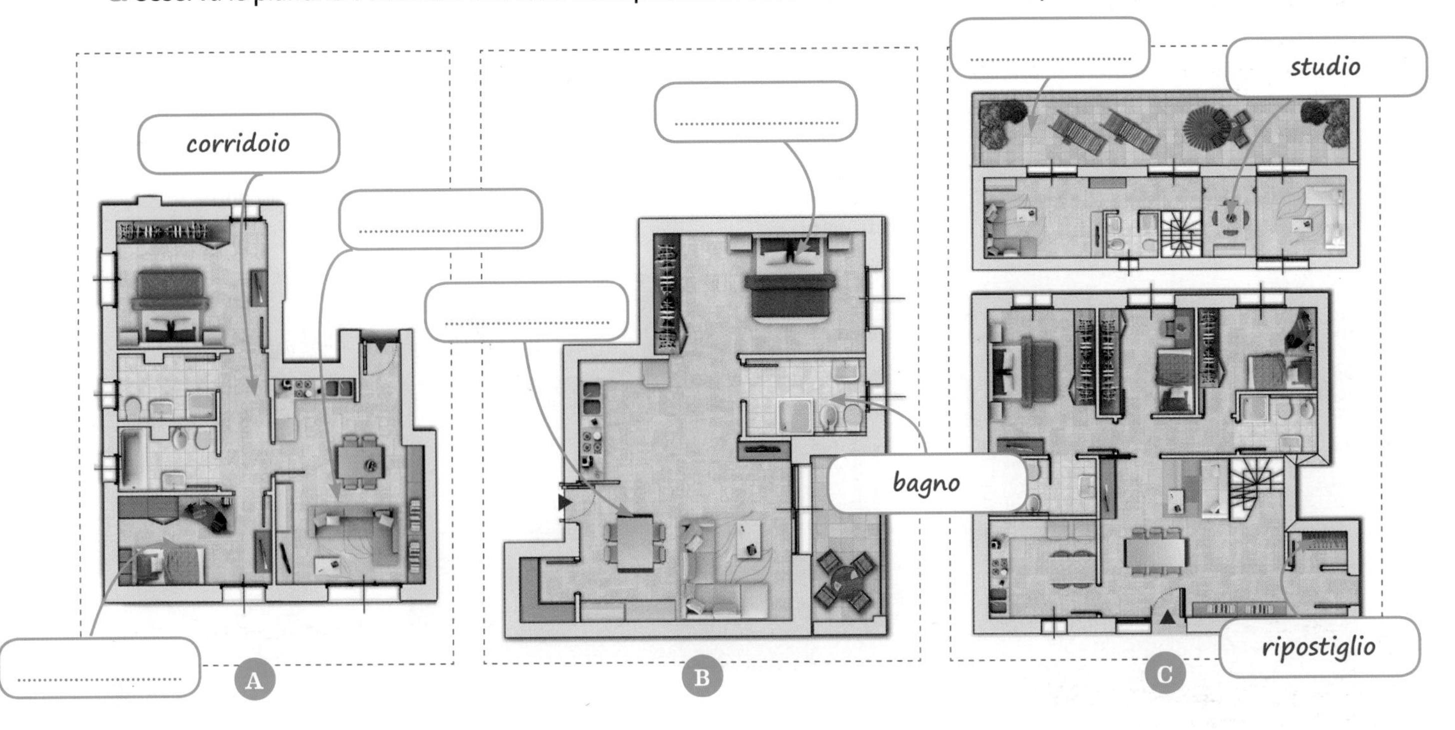

D. Quale delle case descritte è la più adatta a te? Parlane con un compagno.

- *Vediamo... la casa più adatta a me è la numero due perché è piccola e pratica.*

E. Osserva le espressioni di luogo evidenziate nel testo e completa la tabella. Poi scrivi la traduzione nella tua lingua oppure rappresentane il significato con un disegno.

a destra di	=	....
....	=	....
....	=	....
....	=	....
....	=	....
....	=	....
....	=	....
....	=	....

F. Osserva nei testi l'uso dei verbi **essere** e **esserci** per descrivere la casa. Poi, completa le frasi e la regola d'uso e confronta con un compagno.

essere / esserci ▸ p. 44

Tra il ripostiglio e la cucina .... il salotto.
Il salotto .... tra il ripostiglio e la cucina.

espressione di luogo + ... + la stanza o l'oggetto
la stanza o l'oggetto + ... + espressione di luogo

10

G. Ascolta la conversazione di una coppia interessata a una casa container e indica quali sono le caratteristiche della casa di cui parlano.

1. È una casa a quattro moduli.	☐
2. È una casa su due piani.	☐
3. Nel primo modulo c'è solo la cucina.	☐
4. Nel secondo modulo c'è la camera da letto delle bambine.	☐
5. Dispone di una camera per gli ospiti.	☐
6. Nel quarto modulo c'è la camera matrimoniale.	☐
7. Nella casa ci sono tre bagni.	☐

H. Osserva i numeri ordinali evidenziati al punto G e completa il quadro.

uno	→	....	sei	→	sesto
due	→	....	sette	→	settimo
tre	→	terzo	otto	→	ottavo
quattro	→	....	nove	→	nono
cinque	→	quinto	dieci	→	decimo

CI **LA MIA CASA CONTAINER**
A coppie, progettate e disegnate la piantina di un casa modulare.

3. Stili a confronto

A. Quali stili d'arredamento conosci? Come definiresti l'arredo di casa tua? Parlane con un compagno.

- [ ] moderno
- [ ] vintage
- [ ] rustico

B. Osserva le immagini e leggi le descrizioni di alcuni stili di arredamento. Abbina ciascuna immagine allo stile corrispondente e confrontati con un compagno.

1

2

3

4

5

6

Classico moderno • Presenta linee sobrie e arredi funzionali. Divani, tende e quadri sono generalmente monocromatici. Lo stile classico moderno prevede pochi soprammobili e decorazioni: l'ordine è essenziale come la concretezza.

Shabby chic • Traducibile letteralmente come "vissuto o trasandato elegante". Gli oggetti d'arredamento, dai tavoli ai divani alle cornici dei quadri, sono rigorosamente in tonalità pastello: bianco, beige, verde e grigio. Contrariamente a quanto si pensa, gli oggetti nuovi invecchiati sono meno frequenti degli oggetti realmente vecchi e usurati.

Vintage • In questo stile il desiderio di "salto indietro nel tempo" è fondamentale quanto il principio di riciclo e riutilizzo. I suoi punti di forza? Lampade, poltrone, giradischi e altri dettagli di seconda mano, rigorosamente del secolo scorso.

Boho chic • Il boho chic ha reinterpretato lo stile bohemienne, in un'ottica hippie in cui i tappeti, le poltrone e le lenzuola sono colorate e fantasiose. Ricordate: i tessuti variopinti sono l'ingrediente più importante di tutti!

Rustico • Autentico e accogliente, le linee sono morbide e le tonalità calde. Per l'arredamento interno il protagonista è il legno e nel salotto è immancabile il camino. Attenzione nella scelta delle sedie perchè spesso sono più belle che comode. Nel caso, cercate cuscini in una qualche sfumatura del beige.

Industriale • In questo stile i materiali mostrano la loro natura autentica, il cemento o i mattoni delle pareti sono a vista. Gli oggetti spesso sono consumati, graffiati. Mobili e soprammobili hanno linee geometriche ed essenziali. Oggi, lo stile industriale è comune nei negozi e locali quanto negli appartamenti cittadini.

C. Nelle descrizioni al punto B, individua i mobili e gli oggetti d'arredamento. In quale stanza della casa possiamo trovare ciascuno?

OGGETTO	→	STANZA/E
soprammobili	→	*salotto, camera*
....	→	....
....	→	....
....	→	....
....	→	....
....	→	....
....	→	....
....	→	....
....	→	....

D. Osserva i comparativi evidenziati nel testo e completa il seguente quadro. Poi confronta con un compagno.

I comparativi ► p. 44

maggioranza	*più ... di / che*
minoranza	....
uguaglianza	....

E. Quale stile d'arredamento tra quelli proposti al punto B ti piace di più e quale meno? Confrontati con un compagno. Poi osserva le immagini: a quale stile appartengono i mobili rappresentati?

- *A me piace lo stile rustico, è accogliente e semplice.*
- *Io preferisco lo stile boho chic perché è più fantasioso dello stile rustico!*

▲ *Stile shabby chic o vintage?*

▲ *Stile boho chic o industriale?*

▲ *Stile rustico o classico moderno?*

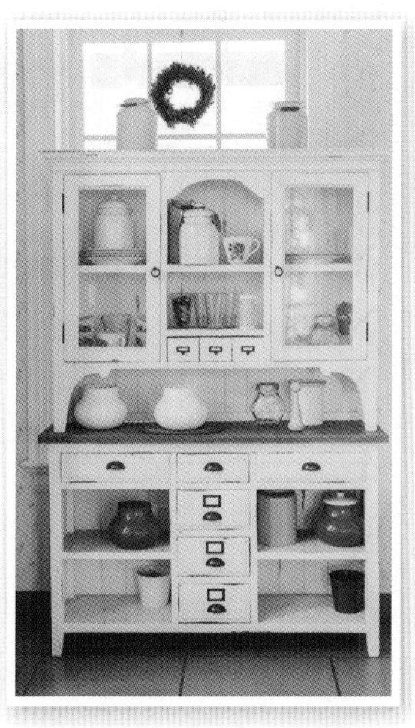

▲ *Stile classico moderno o shabby chic?*

- *Dunque... questa dispensa è in stile classico moderno perché è monocromatica.*
- *Ma è trasandata e vecchia! E poi, lo stile classico moderno è più essenziale. Secondo me è shabby chic.*

F. Ascolta i consigli per arredare una casa secondo i principi del Feng Shui e completa il quadro. 11

stanza	mobili
....	....
....	....
....	....
....	....
....	....

CI **UNA CASA FENG SHUI**
A coppie, descrivete la vostra casa al compagno. Definite a che stile corrisponde ciascuna e pensate a come cambiare la disposizione dei mobili secondo i principi del Feng Shui.

4. Modi di vivere

A. Hai mai immaginato di vivere in un camper? Scrivi una lista dei possibili vantaggi e svantaggi di questa scelta di vita. Poi parlane con un compagno.

- *Vediamo, secondo me, un vantaggio è che puoi andare dove vuoi.*
- *Per me uno svantaggio è che non c'è molto spazio.*

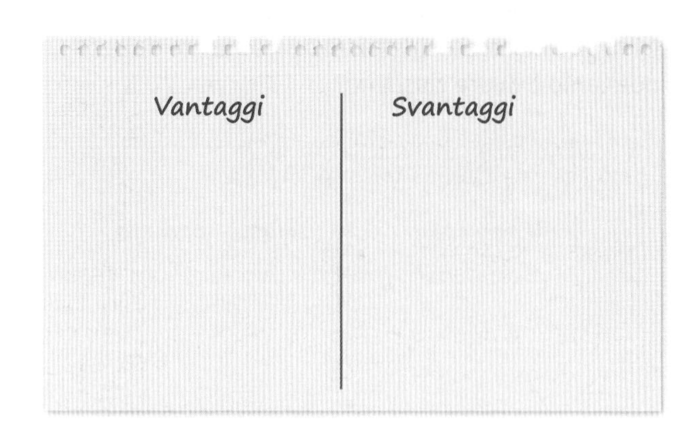

B. In questa intervista Luna racconta la sua storia. Leggi il testo e rivedi la tua lista di vantaggi e svantaggi.

LIFESTYLE - INTERVISTE

La mia casa a quattro ruote

Luna, una ragazza di Ferrara, ci racconta la sua storia, la storia di una donna che ha deciso di lasciare tutto e vivere in un camper.

di Giulia Scarpati

➤ Luna, come mai hai deciso di vivere in un camper?

• Beh, un giorno mi sono alzata e ho capito che non avevo più voglia di prendere uno stipendio per pagare una casa non mia, in affitto. Ero stufa di contratti, di bollette, di relazioni forzate con proprietaria e vicini. Dopo un periodo pieno di riflessioni e di domande, ho deciso che era tempo di cambiare.

➤ Com'è il tuo camper?

• Il mio camper è del 1979, l'anno del punk più furioso! Capita spesso che delle famiglie camperiste mi dicano "tu lo sai che hai in mano un pezzo di storia?". Sì, lo so, è un Fiat 238! Però, quando l'ho visto per la prima volta, prima di acquistarlo, ero perplessa. Molto perplessa... Era un mezzo così grande, un po' ammaccato e il motore aveva alcuni problemi di funzionamento. Eppure in un mese ho ultimato il lavoro di riparazione ed eccolo qua, fiammante e bellissimo!

➤ Com'è lo spazio in un camper?

• Per dire la verità, ridotto. Prima avevo una casa abbastanza grande con due camere, una cucina, un bagno e un salotto, ora ho un camper e ho dovuto rinunciare a molte cose. Nella mia vecchia casa c'erano molti scaffali con i libri, soprammobili, armadi, poltrone... In cucina c'erano un frigorifero con il congelatore e una lavastoviglie. Con la scelta del camper, sono cambiate molte cose, adesso ho solo un piccolo armadio, tre mensole, un tavolo per due e un piccolo frigorifero (senza congelatore). La lavastoviglie e la lavatrice? Neanche parlarne, non c'è spazio! Ma devo dire che tutti gli oggetti, che ho lasciato dietro di me, non mi mancano. Ti adatti alla cucina piccola e minimal e alla doccia non sempre calda.

➤ Quali sono i vantaggi di vivere in camper?

• Dal mio punto di vista, il grande vantaggio è la libertà. Posso spostarmi quando voglio, andare dove voglio e avere sempre le mie cose con me. Indubbiamente poi il bello del camper è che conosci gente. Il camper ha proprio la naturale capacità di accomunare persone.

➤ Qual è il programma di oggi?

• Scaldare il motore perché sono in partenza... Io e il mio camper abbiamo tanti mondi da scoprire!

Adattato liberamente da La mia casa a quattro ruote, www.listonemag.it

C. Nell'articolo cerca e osserva i verbi al passato prossimo. Quando si usa l'ausiliare ***avere*** e quando l'ausiliare ***essere***? Parlane con un compagno.

D. Per cosa si usa il passato prossimo? Scegli l'opzione corretta.

a. Raccontare un fatto passato terminato

b. Descrivere situazioni, persone o luoghi nel passato

E. I verbi evidenziati nel testo sono al tempo imperfetto. Osservali e completa il quadro. Poi indica quale delle due opzioni al punto D si riferisce all'uso dell'imperfetto. Esiste questo tempo verbale nella tua lingua?

l'imperfetto ▶ p. 44

ESSERE	AVERE
....	....
eri	avevi
....	....
eravamo	avevamo
eravate	avevate
....	avevano

F. Nell'intervista, Luna descrive i mobili e gli elettrodomestici che aveva nel vecchio appartamento e quelli che ha adesso. Cercali e completa il quadro. Quali di questi mobili hai anche a casa tua? Poi, confronta la tua lista con quella di un compagno.

nel vecchio appartamento	nel camper

- *Vediamo... a casa mia ci sono il frigorifero, la lavatrice e la lavastoviglie, ma non ci sono scaffali.*
- *Non ci sono scaffali?! A casa mia ne ho tantissimi e tutti pieni di libri.*

G. Nel testo sono presenti le seguenti parole, sai cosa significano? Parlane con un compagno. Poi, scrivi la traduzione nella tua lingua.

stipendio = ...
affitto = ...
contratto = ...
bolletta = ...
proprietario = ...
vicino = ...

H. 12 Alcune persone vengono intervistate sulle tipologie abitative che hanno scelto e descrivono cosa avevano prima e cosa hanno adesso. Completa il quadro con le informazioni corrispondenti ai tre intervistati.

	prima	adesso
1		
2		
3		

I. Ti piacciono le scelte abitative degli intervistati? Parlane con un compagno.

- *Vivere in una barca?! Bellissimo! Sei libero di spostarti da un porto all'altro e cambiare sempre panorama.*
- *Mah, a me invece non piace l'idea di vivere sull'acqua...*

CI **LA MIA CAMERA ERA...**
Pensa alla camera da letto che avevi da piccolo e scrivi 5 cose che c'erano o avevi nella camera e che adesso non ci sono o non hai.

Grammatica

ESSERE E *ESSERCI*

Per dire dove si trova un oggetto o una persona possiamo usare i verbi **essere** ed **esserci**. Se la prima informazione è il luogo, l'ubicazione, usiamo **esserci**; se invece la prima informazione è l'oggetto o la persona, usiamo **essere**.

*Il bagno **è** a sinistra.*
*A sinistra **c'è** il bagno.*
*La camera e il bagno **sono** al primo piano.*
*Al primo piano **ci sono** la camera e il bagno.*

 **c'è** + singolare, **ci sono** + plurale

LE ESPRESSIONI DI LUOGO

Le usiamo per localizzare oggetti e persone nello spazio.

*Il bagno è **a destra** e la camera matrimoniale è **a sinistra**.*
*La cucina è **in fondo al** corridoio.*
*Il bagno è **fra** / **tra** lo studio **e** la camera.*
*Il comodino è **accanto al** / **a fianco del** / **al lato del** letto.*
***Di fronte alla** libreria c'è una poltrona.*

I COMPARATIVI

Usiamo la struttura comparativa per paragonare due termini.

Il **comparativo di maggioranza** si esprime con:
nome + essere + **più** + aggettivo + **di** + nome

*La casa di Linda è **più** grande **della** casa di Giulia.*

Il **comparativo di minoranza** si esprime con:
nome + essere + **meno** + aggettivo + **di** + nome

*La casa di Giulia è **meno** grande **della** casa di Linda.*

Il secondo termine di paragone è introdotto da **che** quando il nome è preceduto da una preposizione e quando si paragonano due aggettivi.

*Nello stile classico moderno la monocromia è **più** frequente **che** nello stile vintage.*

*La poltrona è **più** comoda **che** bella.*

Il **comparativo di uguaglianza** si esprime con:
nome + essere + aggettivo + **come** / **quanto** + nome

*Il desiderio di "salto indietro nel tempo" è fondamentale **quanto** il principio di riciclo.*
*Nello stile classico moderno, l'ordine è importante **come** la concretezza.*

IL PASSATO PROSSIMO

AUSILIARE	+	PARTICIPIO PASSATO
ho hai ha abbiamo avete hanno	+	parl**ato** ricev**uto** dorm**ito**
sono sei è siamo siete sono	+	and**ato/a** and**ati/e**

Tutti i verbi transitivi prendono l'ausiliare **avere**.
I verbi che prendono l'ausiliare **essere** sono:
- i verbi riflessivi (lavarsi, vestirsi, ecc.)
- i verbi che esprimono cambio di stato (nascere, diventare, ecc.)
- i verbi che indicano stato in luogo (essere, stare, rimanere, ecc.)
- alcuni verbi di movimento (andare, venire, entrare, ecc.)

 Alcuni verbi di movimento richiedono l'ausiliare **avere**: camminare, viaggiare, nuotare, passeggiare, ecc.

L'IMPERFETTO INDICATIVO

Usiamo l'imperfetto per descrivere persone, cose, luoghi e situazioni nel passato.

- *La mia casa **era** molto grande e **aveva** tante stanze. Nel giardino **c'era** una casetta di legno.*

 Il verbo **essere** è irregolare all'imperfetto.

ESSERE	AVERE
ero	av**evo**
eri	av**evi**
era	av**eva**
eravamo	av**evamo**
eravate	av**evate**
erano	av**evano**

1. Completa le frasi con le forme di *essere* o *esserci*.

a. La cucina e il salotto .... in fondo al corridoio.
b. Il bagno .... al primo piano.
c. Al pianoterra .... tre stanze.
d. Di fronte alla camera da letto .... il bagno.
e. A fianco della cucina .... una piccola terrazza.
f. Lo studio .... al lato della camera dei bambini.

2. Indica se in queste frasi ci sono comparativi di maggioranza (>), minoranza (<) o uguaglianza (=).

a. Lo stile rustico è più sobrio dello stile industriale. ....
b. Questa sedia è comoda quanto la poltrona. ....
c. Il salotto nuovo è meno grande del salotto della casa vecchia. ....
d. La mia camera è grande quanto quella di mia sorella. ....
e. La sua casa container è più ecologica che bella ....
f. La vita in una grotta è meno comoda della vita in una barca. ....
g. Il camper che ho comprato è più spazioso di quello che avevo prima. ....

3. Completa le frasi con *di*, *che* o *quanto/come*. Fai attenzione alla preposizione articolata necessaria.

a. La mia camera è più grande .... tua.
b. Lo studio di sinistra è spazioso .... quello di destra.
c. Il divano boho chic di Marta è più eccentrico .... elegante.
d. I mobili rustici sono meno cari .... mobili vintage.
e. Le stanze del pianoterra sono luminose .... quelle del primo piano.
f. Questa sedia rustica è più bella .... comoda.

4. Mario descrive la sua casa da piccolo e quella attuale. Completa la descrizione con i verbi *essere* - *esserci* al tempo corretto.

La mia casa da piccolo ....*era*.......... una casa su due piani. Al pianoterra .... il salotto, la cucina e un bagno. Al primo piano .... la mia camera e di fianco .... quella dei miei genitori. Il bagno e lo studio .... in fondo al corridoio.
Adesso, invece, vivo in un appartamento di 45 mq, ... solo due stanze: un soggiorno e una camera da letto. Si entra nel soggiorno e a destra .... la cucina angolare. Tra la camera da letto e il soggiorno .... il bagno. L'appartamento .... molto luminoso perché nel soggiorno .... una finestra molto grande.

5. Trasforma il testo al passato usando l'imperfetto.

Io e la mia compagna siamo molto contenti della nostra casa. È arredata in stile boho chic, il nostro preferito. Abbiamo una bella cucina colorata e un salotto pieno di libri e mappamondi! Ognuno dei nostri due figli ha una camera spaziosa con libreria e scrivania. Tutte le stanze hanno delle finestre molto grandi, lo spazio è molto luminoso. C'è anche un piccolo giardino con l'attrezzatura per i barbecue all'aperto!

Io e la mia compagna eravamo...

6. Osserva le cucine e scrivi dei paragoni.

1

2

La prima cucina è più luminosa della seconda.

....

....

....

Le stanze e l'arredamento

1. In quale stanza di solito fai queste cose?

a. dormire: ....
b. cucinare: ....
c. fare la doccia: ....
d. guardare la tv: ....
e. pranzare: ....
f. fare un pisolino: ....

2. In quale stanza possiamo trovare questi oggetti? Completa il quadro.

sedie | comodino | divano | letto | doccia | vasca | frigorifero | lavatrice | televisore | armadio | lavastoviglie

cucina	camera da letto	salotto	bagno
lavastoviglie			

3. Abbina gli aggettivi al contrario corrispondente. Poi, pensa a un locale (bar, ristorante, biblioteca) che ti piace particolarmente e scrivi una breve descrizione con alcuni di questi aggettivi.

a. vecchio
b. elegante
c. fantasioso
d. variopinto
e. sobrio
f. comodo

1. monocromatico
2. scomodo
3. nuovo
4. concreto
5. eccentrico
6. trasandato

4. Completa la lista di combinazioni.

Le espressioni di luogo

5. Osserva la piantina, parti dall'ingresso e descrivi la distribuzione delle stanze nella casa.

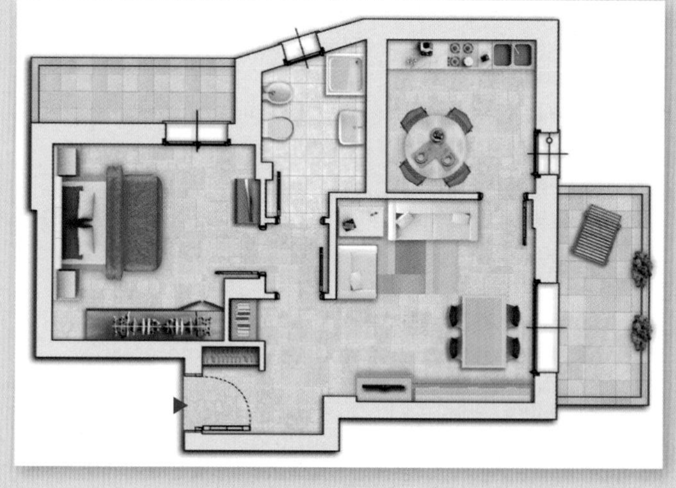

Nella zona giorno c'è...

6. Completa le frasi con il numero ordinale corrispondente in lettere.

a. La famiglia del 3º .... piano è spagnola.
b. L'arredamento del monolocale al 7º .... piano è davvero eccentrico!
c. L'ascensore porta dal pianoterra al 10º .... piano.
d. I vicini del 5º .... piano hanno deciso di trasferirsi.

I segnali discorsivi: *quindi*, *vediamo*

13

7. Leggi e completa i dialoghi con le frasi sotto. Poi, ascolta e verifica. Osserva le parole in grassetto, che funzione hanno? A cosa corrispondono nella tua lingua?

a.
- Questa è la piantina della nostra nuova casa. Guarda!
- Ah, bella e grande!
- ○ Al pianoterra ci sono la cucina e il salotto.
- ....
- ○ Eh, sì! E sono spaziose.
- E qui cosa c'è? ....

b.
- Benvenuta nella nostra nuova casa di campagna!
- ○ ....
- Sì, esatto! Senti, ti piacciono i mobili del salotto?
- ○ ....

1. Ooh, che bella! **Quindi** è qui che adesso passate il fine settimana?
2. **Quindi**, qui al primo piano ci sono le camere?
3. **Vediamo**... sono carini! Sono in stile vintage più che rustico, ma si adattano bene allo spazio.
4. **Vediamo**... qua a destra c'è un ripostiglio... comodo! Proprio davanti alla cucina.

14

1. Ascolta la registrazione e sottolinea in rosso il suono [ts] di *sezione* e in blu il suono [dz] di ***zero***.

a. abitazione
b. personalizzare
c. costruzione
d. organizzato
e. spazio
f. terrazza
g. utilizzare
h. pranzo
i. stanza
l. negozio

15

2. Leggi ad alta voce le frasi da *a* a *c*. Il tuo compagno deve indicare dove hai pronunciato l'accento tonico nelle parole in grassetto. Poi, invertite i ruoli per le frasi da *d* a *f*. Infine, ascoltate la registrazione per verificare.

a. Quando **eravamo** piccoli, i nostri genitori **avevano** lo spremiagrumi elettrico e il tostapane, ma in casa non **avevamo** la lavastoviglie.
b. La mia famiglia **aveva** una casa piccola, in periferia. E voi, **avevate** una casa grande?
c. **Avevi** molti fratelli e sorelle? Quanti **eravate** in famiglia?
d. Le nuove tende **erano** molto belle, ma **avevamo** qualche difficoltà ad appenderle perché il soffitto **era** molto alto.
e. I nonni **avevano** un giradischi, ma **era** rotto.
f. A casa **avevamo** molti quadri perché i miei genitori **erano** appassionati di arte.

Il design italiano: i "formidabili" anni del dopoguerra

La sedia Margherita disegnata da Franco Albini per Vittorio Bonacina & C, 1951.

L' Italia del secondo dopoguerra è piena di energie, ha voglia di riscatto, di cambiamento, di bellezza. I nuovi ritmi della vita cittadina, la nuova struttura dei nuclei familiari, la figura della donna lavoratrice richiedono un rinnovamento, un adattamento della casa. In questo scenario, il Paese si attiva e si trasforma, diventa una culla della cultura creativa: nei nuovi prodotti, l'eleganza della forma si fonde con i nuovi bisogni di praticità e comfort della famiglia moderna.

Il frigorifero Smeg, lanciato nei primi anni '50 dall'omonima azienda emiliana.

Dunque, il design anni '50 si sviluppa a partire dal sentimento diffuso tra i vari designer di "trasformare in poetico canto ogni rappresentazione formale dell'esistenza: dal cucchiaio alla città", come recita il celebre slogan dell'architetto italiano Ernesto Rogers. Le grandi aziende riconvertono la produzione bellica in civile e assicurano macchinari, spazi e risorse alla nascente industria del mobile: arriva la produzione in serie di mobili e complementi d'arredo, che diventano più economici e alla portata di tutti. Ecco entrare nelle case degli italiani elettrodomestici grandi e piccoli (dal frigorifero Smeg al frullatore Frullo della Bialetti), poltrone e divani, tavolini e lampade, insomma, tutto il necessario per avere una casa estremamente confortevole e di stile. Gli elettrodomestici e i mobili diventano oggetti da esibire, contribuiscono al cambiamento dei costumi perché alleggeriscono i lavori di casa e accrescono il tempo libero, trasformando le attività domestiche anche in momenti di svago.

La poltrona Lady disegnata da Marco Zanuso per Arflex, 1951.

L'orologio Section disegnato da Angelo Mangiarotti e Bruno Morassutti, 1955-60.

E così, durante gli anni '50, l'Italia si trasforma e per le Olimpiadi di Roma del 1960 è pronta a mostrarsi al mondo, bella più che mai. Disegnatori del calibro di Gio Ponti, Franco Albini, Marco Zanuso, i fratelli Castiglioni, Munari, solo per citarne alcuni, ideano oggetti destinati a diventare cult.

La libreria Infinito disegnata da Franco Albini per Cassina, 1956.

La sedia 699, detta Superleggera, disegnata da Gio Ponti per Cassina,1957.

La lampada da terra Imbuto, disegnata da Luigi Caccia Dominioni per Azucena, 1953.

Oggetti di design

A. Conosci oggetti di design della seconda metà del '900? Parlane con i compagni e annotate gli oggetti che nominate.

B. Leggi l'articolo e rispondi alle seguenti domande.

1. Perché gli anni '50 sono un periodo particolarmente favorevole per lo sviluppo del design?

   ....

   ....

2. Qual è l'obiettivo dei designer italiani negli anni '50?

   ....

   ....

3. Che ruolo hanno elettrodomestici e mobili nella casa degli italiani nel secondo dopoguerra?

   ....

   ....

C. Guarda le immagini dei mobili di design degli anni '50 proposte nell'articolo. Li conosci? Conosci altri oggetti d'arredamento di design italiano? Parlane con un compagno.

- *Vediamo, questo l'ho visto da qualche parte, ma non ricordo dove... e tu?*
- *Beh, la sedia Margherita l'ho vista in un museo...*

D. A coppie, associate i seguenti aggettivi alle immagini dell'articolo, secondo il vostro gusto.

comodo | funzionale | bello

brutto | sobrio | elegante

E. A gruppi, cercate informazioni su mobili e oggetti d'arredamento italiani e poi presentateli alla classe.

Arredare gli spazi di una scuola

A. Pensate alla vostra scuola e decidete quale spazio volete arredare (biblioteca, aula, mensa, sala lettura, ecc.).

B. Decidete lo stile, i mobili e gli oggetti d'arredamento. Potete cercare su Internet informazioni e immagini.

C. Disegnate la piantina o create un collage dello spazio.

D. Presentate la piantina o il collage ai compagni e spiegate le vostre scelte. Infine, decidete quale proposta è la più originale.

STRATEGIE PER LAVORARE

Fare dei disegni aiuta a chiarire le idee, memorizzare il lessico e capire meglio la grammatica.

Se realizzate la piantina in digitale, potete caricarla nello spazio virtuale della classe e i compagni possono commentarla.

Preparare una presentazione per confrontare il design di varie epoche

A. Scegli una decade del '900 e cerca informazioni sul design di quegli anni nel tuo Paese.

B. Scegli alcuni mobili, oggetti ed elettrodomestici rappresentativi del design dell'epoca. Prepara una presentazione con descrizioni e foto.

C. Arricchisci la presentazione con un confronto tra il design dell'epoca da te scelta e il design contemporaneo.

D. Proponi la tua presentazione ai compagni.

STRATEGIE PER LAVORARE

Nella ricerca apprenderai del lessico nuovo, annotalo e scrivi la traduzione nella tua lingua per memorizzarne il significato. Condividere il lessico nuovo con i compagni serve per risolvere dubbi e correggere errori.

Puoi condividere la tua presentazione nello spazio virtuale della classe o su un social network: altri utenti potranno proporti idee per arricchirla.

Com'è andato il compito?

A. Fai un'autovalutazione delle tue competenze.

	😁	😊	😕	😥
descrivere la distribuzione di una casa				
localizzare nello spazio				
fare paragoni				
parlare dei diversi stili di arredamento				

B. Durante la realizzazione dei compiti hai incontrato qualche difficoltà? Quale/i? Cosa hai imparato di nuovo? Cosa ti è piaciuto di più dei compiti?

😁	😥

C. Valuta il compito dei tuoi compagni e poi parlane con loro.

	😁	😊	😕	😥
La presentazione è chiara				
Hanno utilizzato i contenuti dell'unità				
Il lessico utilizzato è adeguato				
È originale e interessante				
La pronuncia è chiara e l'intonazione corretta				

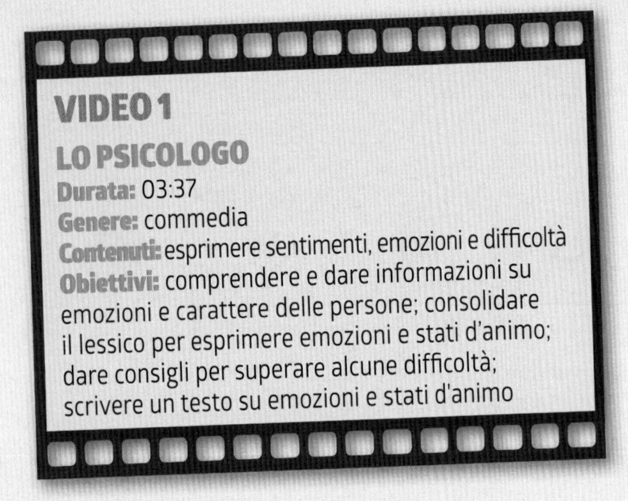

1. Guarda il video e indica quali delle seguenti informazioni sono vere.

1. Il video è ambientato nello studio di uno psicologo. ☐
2. Matteo parla di alcuni problemi e difficoltà. ☒
3. Matteo racconta i suoi problemi a un amico. ☐

2. Guarda di nuovo il video e scegli l'opzione corretta.

1. Matteo:
   - ☐ a. ha finito l'università.
   - ☒ b. non ha finito l'università.
   - ☐ c. ha incontrato Veronica all'università.
2. L'esame di Logica è andato male perché:
   - ☒ a. Matteo era nervoso e si è bloccato.
   - ☐ b. è una materia molto complicata.
   - ☐ c. Matteo era impreparato.
3. Matteo:
   - ☐ a. non parla spesso in pubblico.
   - ☒ b. ha paura di parlare in pubblico.
   - ☐ c. si sente a suo agio quando parla in pubblico.
4. Veronica:
   - ☐ a. ha lasciato Matteo.
   - ☐ b. non capisce i problemi di Matteo.
   - ☒ c. si è trasferita in un'altra città.
5. Matteo dice che:
   - ☒ a. senza Veronica non sa cosa fare.
   - ☐ b. ha deciso di trasferirsi a Torino.
   - ☐ c. anche Veronica ha un periodo difficile.
6. Alla fine del video:
   - ☐ a. Matteo non è soddisfatto del lavoro dell'idraulico.
   - ☐ b. l'idraulico prende un altro appuntamento con Matteo.
   - ☒ c. Matteo si sente meglio perché si è sfogato.

3. Scegli gli aggettivi che secondo te sono più adatti per descrivere i due personaggi. Se vuoi puoi aggiungerne altri. Poi confrontati con un compagno e spiega il motivo della tua scelta.

ottimista | paziente | riservato | aperto | nevrotico | curioso | insicuro | chiacchierone | tollerante | timido

- *Secondo me Matteo è insicuro, perché...*

4. Secondo te, cosa può fare Matteo per superare le sue difficoltà? Parlane con un compagno.

- *Secondo me Matteo deve cercare di essere meno nervoso...*

5. Cerchia l'opzione corretta.

1. Ogni volta che sono con Francesca mi **sento a disagio / vergogno**: non dice una parola e rimaniamo sempre in silenzio.
2. Domani comincio il nuovo lavoro: mi sento un po' **ridicolo / nervoso** perché voglio fare una buona impressione.
3. Questo progetto è stato difficile, ma il risultato è stato buono e ora ci sentiamo molto **a nostro agio / soddisfatti**.
4. Antonio si **vergogna / sente a suo agio** a parlare in pubblico: ogni volta gli sudano le mani e comincia a balbettare.
5. No, non ci vengo al karaoke con te: non so cantare e mi sento **ridicolo / soddisfatto**!

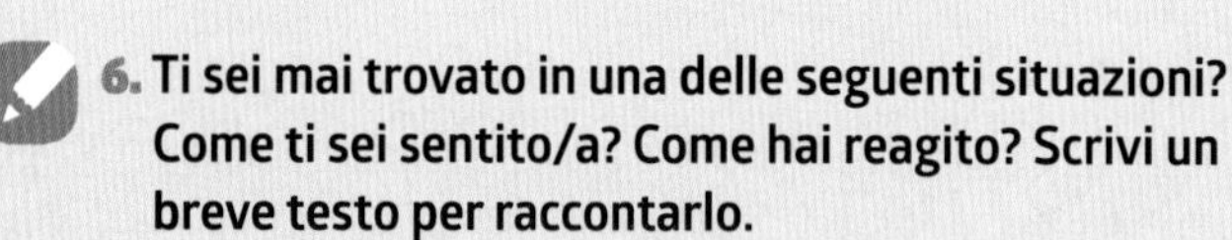

6. Ti sei mai trovato in una delle seguenti situazioni? Come ti sei sentito/a? Come hai reagito? Scrivi un breve testo per raccontarlo.

andare a un festa dove non conosci nessuno | fare un esame | parlare in pubblico | esibirsi in uno spettacolo | cambiare lavoro | andare al primo appuntamento

VIDEO 2

LA CASA FENG SHUI

Durata: 05:49
Genere: commedia
Contenuti: descrivere una casa; fare paragoni
Obiettivi: allenarsi a comprendere i cambiamenti nell'arredamento di una casa (prima e dopo); consolidare il lessico dell'arredamento e l'uso dei comparativi; disegnare la piantina di una casa secondo le regole del feng shui

1. Guarda il video e rispondi alle seguenti domande.

1. Perché Laura è stupita quando torna a casa?
....
2. Perché Marcello ha cambiato la disposizione dei mobili?
....
3. A Laura piace il nuovo soggiorno?
....

2. Guarda di nuovo il video e indica quali cambiamenti ci sono stati nel soggiorno di Laura e Marcello.

	PRIMA	DOPO
divano	*era vicino alla finestra*	*è contro la parete*
parete		
comodino		
tavolino		
mobile con giradischi		
poltrona della nonna		

3. Guarda di nuovo il video e fai attenzione alle immagini. Quali di questi elementi appaiono nel filmato?

1. quadro ☐
2. tappeto ☐
3. mensole ☐
4. cuscini ☐
5. televisore ☐
6. letto ☐
7. specchio ☐
8. lampadario ☐
9. armadio ☐
10. lampada ☐

4. Completa le frasi con i comparativi di maggioranza (+), minoranza (-) o uguaglianza (=).

1. Un tavolo in legno è .... facile da pulire .... un tavolino di plastica. **(-)**
2. Una parete lilla è .... raffinata .... una parete bianca. **(+)**
3. La nuova poltrona è comoda .... quella vecchia. **(=)**
4. Il tavolino davanti al divano è .... grande .... quello che c'era prima. **(+)**
5. Prima il soggiorno era .... accogliente .... adesso. **(-)**

5. Come si può descrivere l'arredamento del soggiorno nel video? Ti piace? Cambieresti qualcosa? Parlane con un compagno. Se vuoi, puoi prendere spunto dai seguenti aggettivi.

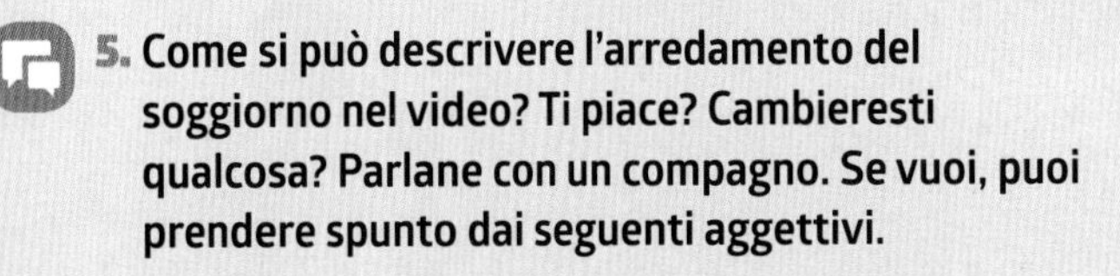

- *Secondo me è molto accogliente...*

6. Fai una breve ricerca sui principi del Feng shui e disegna la piantina della casa ideale.

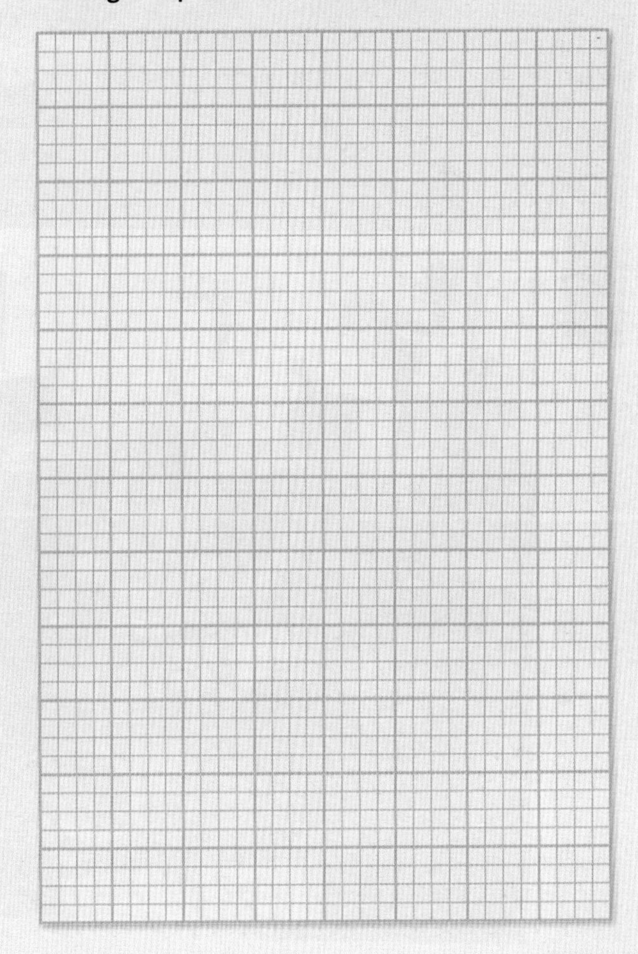

3 Correva l'anno...

COMPITI FINALI

- **Preparare un cartellone con i ricordi della scuola**
- **Presentare un decennio della moda nel tuo Paese**

COMPITI INTERMEDI

- Preparare un questionario sulle abitudini da bambino.
- Scrivere un testo con eventi relativi alla formazione e alla vita professionale.
- Preparare una scheda con le differenze tra due generazioni

1. Cosa è cambiato?

A. Osserva le fotografie. Che cosa noti? Completa la tabella. Poi, confronta con quella di un compagno.

prima	adesso

B. Osserva la nuvola di parole e completa le seguenti categorie.

Scuola: ....

Lavoro: ....

C. Confronta la tua lista con quella di un compagno: quali sono le parole più difficili da memorizzare? Perché?

D. Se vuoi, alla fine dell'unità fai una proposta alternativa per questa doppia pagina.

2. La scuola di ieri e di oggi

A. Quali sono i tuoi ricordi di scuola? Scrivi tre parole per descrivere quel periodo.

▶ .... ▶ .... ▶ ....

B. Leggi il questionario che i bambini di una scuola di Torino hanno preparato per intervistare i loro nonni. Con un compagno, evidenziate il lessico che non conoscete ed elaborate il vostro vocabolario.

Questionario per i nonni

- In quali anni avete frequentato la scuola?
- I bambini avevano gli stessi nomi dei bambini di oggi?
- Cosa indossavano gli alunni per venire a scuola?
- Con cosa scrivevano i bambini?
- Com'era il vostro materiale scolastico? (cartella, portapenne, quaderni, libri.)
- Com'era arredata la vostra aula? (armadi, banchi, lavagna)
- Nella scuola c'erano le palestre?
- C'era la mensa?
- Andavate in gita?
- Le maestre vi davano delle punizioni? Vi premiavano?
- Eravate bravi a scuola? Com'erano le vostre pagelle?
- Quali materie c'erano? Quali attività facevate?
- Come vi davano i voti? In numeri o in lettere?
- I bambini erano tutti promossi?
- Quando iniziava e finiva l'anno scolastico?
- Come si svolgeva la vostra giornata scolastica? Avevate la ricreazione, cambi di aula, interrogazioni, ecc.?
- C'erano bambini stranieri?
- A scuola giocavate? Dove?
- Quante maestre avevate?
- I bambini, dopo scuola, andavano a casa o si fermavano per i compiti?

C. Trova nel questionario le forme verbali mancanti e completa il quadro. Osserva poi le parti in grassetto: qual è la differenza tra le tre coniugazioni?

l'imperfetto ► p. 62

ANDARE	SCRIVERE	FINIRE
and**avo**	scriv**evo**	fin**ivo**
and**avi**	scriv**evi**	fin**ivi**
and**ava**	scriv**eva**	....
and**avamo**	scriv**evamo**	fin**ivamo**
....	scriv**evate**	fin**ivate**
....	....	fin**ivano**

D. Nel questionario, oltre al verbo **essere**, ci sono due verbi irregolari: **dare** e **fare**. Completa la coniugazione e confronta con un compagno.

l'imperfetto ► p. 62

FARE	DARE
facevo	davo
facevi	davi
faceva	dava
facevamo	davamo
....	davate
facevano	....

E. Osserva alcuni oggetti della scuola del passato: abbina le parole alle immagini corrispondenti.

pennino | cartella | pagella | gesso

1 .... 2 .... 4 .... 1 ....

F. A gruppi, rispondete alle domande del questionario. Poi, annotate cinque caratteristiche che aveva la vostra realtà scolastica e condividetele con la classe.

Nella mia scuola la ricreazione durava 30 minuti e potevamo giocare in giardino.

16

G. Ascolta i racconti che i nipoti fanno dei loro nonni e indica a chi corrispondono le affermazioni del quadro.

	nonna Rosa	nonno Franco	nonna Anna
Aveva un solo insegnante per tutte le materie.			
Andava a piedi a scuola.			
Non aveva la cartella.			
Scriveva con la penna biro.			
La sua classe era mista.			

H. A coppie completate il quadro. Aiutatevi con il dizionario, se necessario.

Che cosa usavano i nonni	Che cosa usano i nipoti
cartella	....
gesso	....
lavagna	....
grembiule	....
pennino	....
pallottoliere	....

CI Prepara un questionario con dieci domande da fare a un compagno per informati sulle abitudini che aveva da bambino.

3. Che cosa è successo?

A. Secondo te, perché molti giovani italiani decidono di spostarsi all'estero?
Leggi le seguenti motivazioni e parlane con un compagno.

- [ ] voglia di avventura
- [ ] lavoro
- [ ] arricchimento culturale

B. Leggi i post pubblicati su un blog di italiani all'estero: perché queste persone si sono trasferite?
Sottolinea i motivi. Poi, confronta con un compagno.

Andiamo all'estero?

Cinque milioni e duecentomila italiani sono residenti all'estero e i numeri sono in crescita. Tra questi molti sono giovani laureati. Ma è giusto parlare di fuga di cervelli? In alcuni casi, sì: sono andati all'estero alla ricerca di un lavoro per valorizzare il proprio talento. Però, molte altre storie ci dimostrano che, sempre più spesso, i ragazzi italiani decidono di partire per conoscere il mondo e confrontarsi con nuove realtà. Vediamo che cosa raccontano i "cervelli in fuga", i "cervelli in movimento" e i "cervelli di rientro" in questo blog.

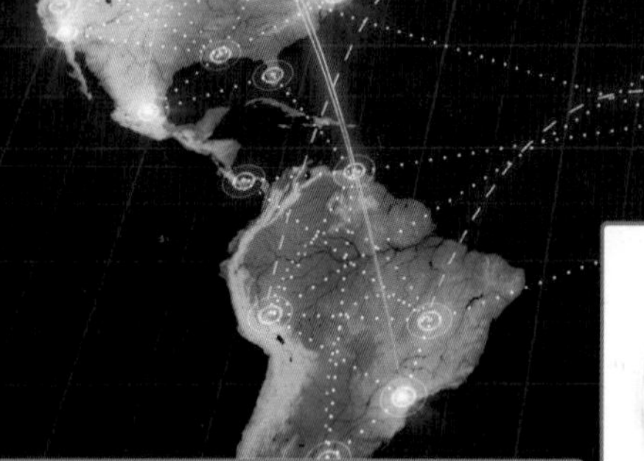

Dopo la laurea in Ingegneria e un Erasmus a Berlino, ho cercato lavoro nella mia città, Palermo, ma le offerte erano poche e la concorrenza molta. Poi, quasi per caso, ho visto che in Giappone cercavano ingeneri elettrici per un grosso progetto. È stata una scelta difficile, l'idea di essere dall'altra parte del mondo in un Paese sconosciuto mi faceva un po' paura. Ma sono felicissimo di essere partito: lavorare e vivere a contatto con persone che vengono da tutto il mondo ti arricchisce, ti cambia. Mentre ero in Asia, ho ricevuto molte offerte di lavoro e ora vivo a Tokio con la mia ragazza australiana. Per ora non penso a un biglietto di ritorno.

Lavoravo come farmacista a Genova, un lavoro tranquillo, vicino a casa e con un buono stipendio. Eppure, qualcosa non andava, non mi sentivo felice: non sopportavo di fare lo stesso orario tutti i giorni, fare la stessa strada, vedere sempre le stesse facce. Un giorno, mentre leggevo una rivista farmaceutica, ho scoperto che in Paraguay i prodotti per i celiaci sono molto più economici che in Italia. La celiachia è un'intolleranza sempre più diffusa nel mio Paese e io avevo voglia di una sfida. Ci ho pensato e ho deciso: vado in Paraguay a scoprire come aprire la mia azienda di importazione. Sono partita con un biglietto di sola andata: sono stata ad alcune fiere, mi sono messa in contatto con dei fornitori paraguaiani, ho creato un sito e un logo. L'idea è diventata realtà, adesso vivo quattro mesi in Sud America e otto mesi in Italia.

A trent'anni, dopo alcuni anni di lavoro per un azienda italiana, ho deciso di iscrivermi a un Master a Bruxelles perché mi sembrava un'ottima esperienza di formazione. Dopo aver ottenuto il titolo, ho trovato un lavoro con un buono stipendio. Però, mentre vivevo a Bruxelles, pensavo spesso all'Italia... ho iniziato a sentire la mancanza di casa. Cercavo, oltre al lavoro, un luogo dove mettere radici... Così, ho deciso di mettermi alla prova nel mio Paese. Grazie al progetto "Brain Back" ho potuto aprire una partita IVA agevolata e iniziare la mia attività di consulente marketing online: all'inizio è stato difficile, ma poi ho sviluppato una buona rete di contatti. Adesso lavoro dal mio ufficio... con vista sulle colline toscane!

C. Nei post del blog, per parlare del passato si usano i tempi verbali imperfetto e passato prossimo. Rileggi i commenti e completa il quadro.

l'imperfetto e il passato prossimo ▶ p. 64	
raccontare fatti passati terminati:	*sono andati,* ....
parlare di abitudini e azioni che si ripetono nel passato:	....
descrivere momenti, situazioni del passato:	....

D. Quale disegno esprime meglio la relazione tra i due tempi verbali nella seguente frase? Parlane con un compagno.

1 *Mentre ero in Asia* *ho avuto molte offerte di lavoro*

2 *Mentre ero in Asia* *ho avuto molte offerte di lavoro*

E. Osserva gli indicatori temporali evidenziati nel blog. Hanno una corrispondenza nella tua lingua?

dopo = ...
.... = ...
.... = ...
.... = ...
.... = ...
.... = ...
.... = ...
.... = ...

F. Abbina gli elementi delle due colonne. Aiutati rileggendo i post.

1. aprire
2. ricevere
3. iscriversi
4. lavorare
5. mettersi
6. ottenere

a. a un Master
b. come insegante
c. un'azienda
d. un'offerta di lavoro
e. un titolo
f. alla prova

17 **G.** Ascolta l'intervista a una giovane imprenditrice e indica se le seguenti affermazioni sono vere o false.

	V	F
1. Elena non aveva opportunità di lavoro nel suo settore.		
2. Mentre viaggiava ha capito che l'Italia ha un grande potenziale.		
3. Il marchio NatLove è nato dall'interesse di Elena per la moda.		
4. La formazione in architettura è stata una base importante.		
5. Adesso che il marchio è affermato, ha deciso di produrre una collezione in cotone biologico.		
6. Elena suggerisce ai giovani italiani di rimanere nel Bel Paese.		

17 **H.** Riascolta l'intervista a Elena e metti in ordine i seguenti fatti.

- ☐ viaggi all'estero
- ☐ apertura del proprio marchio
- ☐ laurea in architettura
- ☐ collaborazione con un'azienda di cotone ecologico
- ☐ lavoro come architetto

I. Cosa ne pensi della storia di Elena? Conosci storie di persone che si sono "reinventate"? Parlane con un compagno.

CI Scrivi un breve testo con gli eventi più importanti della tua formazione e della tua vita professionale.

4. Com'erano e come sono gli italiani

A. Osserva la linea del tempo *Italia e italiani ieri e oggi*. Quali informazioni ti sorprendono? Parlane con un compagno. Poi, cerca le parole che non conosci e costruisci il tuo vocabolario.

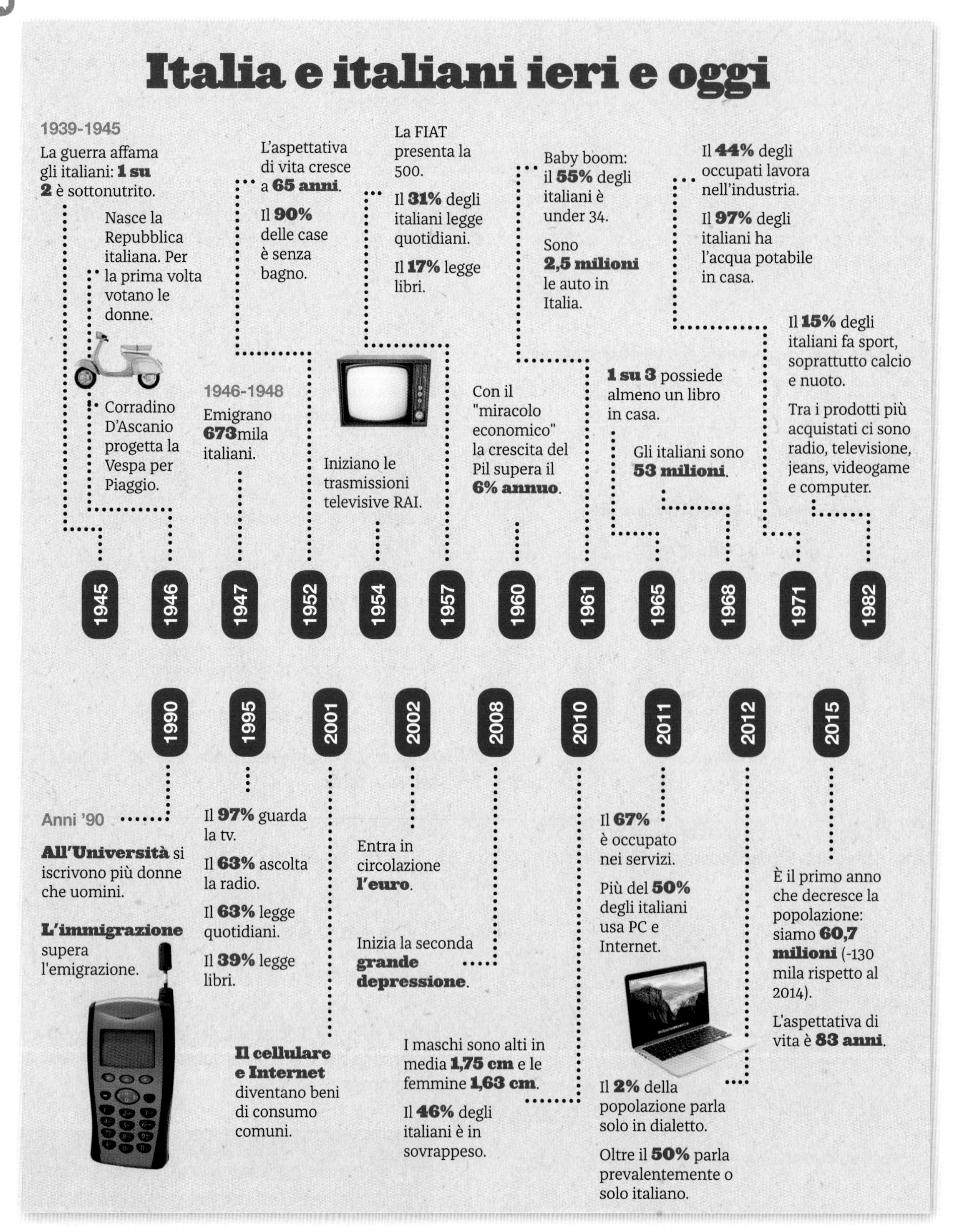

B. Leggi l'articolo associato alla linea del tempo e completa il quadro con le informazioni richieste.

La lingua, il cibo, i costumi sociali e la famiglia sono fattori importanti per capire come cambia un Paese.

Nel 1861, anno dell'Unità d'Italia, il 98% degli italiani parlava dialetto in famiglia. Oggi, a più di 90 anni dall'arrivo della radio e a oltre 60 da quello della televisione, il 53,1% delle persone tra i 18 e i 74 anni parla prevalentemente italiano in famiglia. La quota aumenta nelle relazioni con gli amici (56,4%) e nei rapporti con gli estranei (84,4%).

All'inizio del Novecento gli italiani emigravano, adesso l'Italia, oltre ad essere un Paese di emigrazione, è anche un Paese che accoglie molti immigrati.

Negli anni '30 un terzo degli italiani era ancora sottonutrito. Dopo la Seconda guerra mondiale e il successivo boom economico, il livello di benessere è aumentato e oggi quasi la metà della popolazione ha qualche chilo di troppo. Forse per questo, gli italiani adesso sono più attenti di prima alla salute e comprano cibo fresco e locale.

Il tasso di natalità è diminuito costantemente e, se nella prima metà del Novecento una famiglia era composta da almeno cinque persone, adesso una famiglia su due è composta da due o tre persone.

	prima	che cosa è successo	adesso
lingua			
cibo			
famiglia			

C. Pensa ad almeno tre cose che sono cambiate nel tuo Paese e scrivi delle frasi in cui descrivi com'erano prima e come sono adesso. Poi, confronta e parlane con un compagno.

Negli anni '80 nel mio Paese molti giovani si iscrivevano all'università.

D. Scrivi il significato delle seguenti parole. Aiutati con il dizionario.

miracolo economico	=	....
acqua potabile	=	....
aspettativa di vita	=	....
tasso di natalità	=	....

E. Ascolta l'intervista a due persone di generazioni diverse e completa con le informazioni che senti.

18

Gianluca, 52 anni

▶ CASA: ....
▶ PERCORSO EDUCATIVO: ....
▶ FAMIGLIA: ....
▶ PERCORSO PROFESSIONALE: ....

Lorenzo, 31 anni

▶ CASA: ....
▶ PERCOSO EDUCATIVO: ....
▶ FAMIGLIA: ....
▶ PERCORSO PROFESSIONALE: ....

F. Le differenze proposte nella registrazione sono valide anche per il tuo Paese? Parlane con un compagno.

CI Prepara una scheda per presentare le differenze tra il percorso educativo, professionale e famigliare della tua generazione e quella dei tuoi genitori.

Grammatica

L'IMPERFETTO INDICATIVO

Usiamo l'imperfetto per:

- descrivere persone, cose, luoghi, stati d'animo e situazioni nel passato

*Mia nonna **era** molto brava a scuola.*
*La mia aula **era** grande ma **era** poco luminosa.*
*Quando **vivevo** a Tokio **ero** molto felice!*
*Nel 1861 il 98% degli italiani **parlava** dialetto in famiglia.*

- azioni che si ripetono o durano nel passato

*Prima **compravo** sempre la verdura al supermercato, ora coltivo un orto.*
*Mentre **frequentavo** l'università, **lavoravo** in un call center.*

STUDIARE	SCRIVERE	VENIRE
studi**avo**	scriv**evo**	ven**ivo**
studi**avi**	scriv**evi**	ven**ivi**
studi**ava**	scriv**eva**	ven**iva**
studi**avamo**	scriv**evamo**	ven**ivamo**
studi**avate**	scriv**evate**	ven**ivate**
studi**avano**	scriv**evano**	ven**ivano**

ALCUNI VERBI IRREGOLARI

FARE	ESSERE	BERE	DIRE
facevo	ero	bevevo	dicevo
facevi	eri	bevevi	dicevi
faceva	era	beveva	diceva
facevamo	eravamo	bevevamo	dicevamo
facevate	eravate	bevevate	dicevate
facevano	erano	bevevano	dicevano

L'USO DELL'IMPERFETTO E DEL PASSATO PROSSIMO

Il passato prossimo si usa per raccontare un fatto passato terminato.

*Mia nonna Caterina **è andata** a scuola nel 1964.*
*Dopo cinque anni di studi, **mi sono laureata** al Politecnico di Milano.*

L'imperfetto si usa per raccontare un fatto che ha una durata indeterminata.

*Quando **vivevo** in città ero molto stressata.*

Se presentiamo un fatto come non ancora terminato in un momento specifico del passato, usiamo l'imperfetto.

*Quando **ero** a Bruxelles, **pensavo** all'Italia.*

Se presentiamo un fatto come fatto completo, terminato, usiamo il passato prossimo.

*Quando **ero** a Bruxelles, **ho conosciuto** il mio fidanzato.*

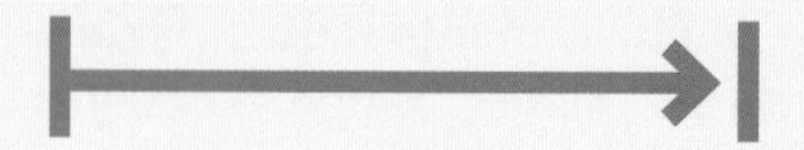

Quando ci riferiamo alla durata totale di un processo, usiamo il passato prossimo.

Sono stato *a Bruxelles dal 2012 al 2014.*
Ho lavorato *tutta la sera.*

Quando descriviamo fatti che si ripetono nel passato usiamo l'imperfetto.

*Mia nonna Caterina **andava** sempre a scuola a piedi.*

GLI INDICATORI DI TEMPO

Indicano quando si svolge l'azione nel tempo.

Prima
Prima *andavo in bicicletta, ora in monopattino.*

Poi
*Ho studiato a Firenze, **poi** mi sono traferita a Roma.*

Sempre
*Aiutavo **sempre** i miei compagni durante le verifiche.*

Ogni giorno / tutti i giorni
*Andavo a correre **tutti i giorni**.*

Ora / adesso
*Prima usavamo il pennino con l'inchiostro, **adesso** usiamo la penna biro.*

Dopo
Prima *ho fatto un tirocinio,* **poi** *ho trovato un lavoro a tempo determinato.* **Dopo** *ho partecipato a un concorso e* **ora** *lavoro a tempo indeterminato.*

1. Completa il brano con i verbi all'imperfetto.

Fa sorridere immaginare oggi la tv degli anni '50: (esserci) .... un solo canale (Programma Nazionale, che nel 1982 diventa Rai Uno) si (trasmettere) .... per poche ore al giorno (un programma per ragazzi, il telegiornale e poco altro). La maggior parte della popolazione italiana la (guardare) .... in casa di vicini fortunati, perché una tv (costare) .... 250.000 lire (quasi la metà di una Cinquecento; ai prezzi di oggi, sarebbero oltre tremila euro) e il costo di un abbonamento (arrivare) .... a 18 mila lire (230 euro attuali).

2. Completa le frasi a tuo piacimento. Fai attenzione al tempo verbale.

1. Mi sono iscritto a un corso di yoga perché ....
   ....
2. Abbiamo deciso di lasciare Roma perché ....
   ....
3. Ho venduto la macchina perché ....
   ....
4. I miei genitori hanno cambiato casa perché ....
   ....
5. Ieri ha ricevuto tanti regali perché ....
   ....

3. Completa la griglia con le tue abitudini.

ADESSO	PRIMA
leggo	
compro	
lavoro	
abito	
ascolto	
guardo	
studio	
non mi piace	
mi piace	

4. Con le informazioni date, scrivi una domanda per ciascuna risposta.

1. Andare a lavorare a Bangkok
   - ....
   - *Perché volevo cambiare vita.*
2. Arrivare a Londra
   - ....
   - *Tre mesi fa.*
3. Andare a scuola
   - ....
   - *Andavo sempre in autobus.*
4. Frequentare il Master
   - ....
   - *Nel 2008, a Berlino.*
5. Venire con noi alla festa
   - ....
   - *Ero stanca e volevo vedere un film.*

5. Completa il testo con i verbi tra parentesi.

Quando avevo trent'anni (lavorare) .... da un commercialista e la mia giornata (essere) .... sempre uguale, non (sentirsi) .... felice. Poi, un giorno (incontrare) .... per caso una mia compagna di scuola e mi (cambiare) .... la vita: (cercare) ....un socio per il suo ristorante al mare. (decidere) .... di lasciare il lavoro e di cambiare tutto. (chiudere) .... con la mia vecchia vita, addio ufficio!! Adesso lavoro con l'aria fresca del mare!

6. Scrivi un breve racconto di un fatto del passato. Le seguenti domande possono essere utili per organizzare il racconto.

Che cosa è successo? Quando è successo?
Dov'era? Perché?
Dov'è successo? Chi c'era?

Parole

Lavoro e istruzione

1. Traduci le seguenti parole.

industria	=	....
servizi	=	....
ufficio	=	....
azienda	=	....
stipendio	=	....

2. Completa le frasi con le seguenti parole.

calo dei consumi — emigrazione — tasso di natalità — bene di consumo — aspettativa di vita

1. Dopo la II guerra mondiale è migliorata la qualità della vita ed è cresciuta l' .... degli italiani.
2. Nel 2013, a causa della crisi economica, c'è stato un ....
3. A partire dal 2000 è aumentata l' .... di giovani verso altri Paesi europei per trovare lavoro.
4. In Inghilterra si è registrato un aumento del .... e le famiglie tornano ad avere più di un figlio.
5. Negli anni Duemila, il cellulare diventa un ....comune.

Società e cambiamento

3. Abbina le parole al contrario corrispondente.

1. calo	a. scendere
2. sovrappeso	b. immigrare
3. occupato	c. disoccupato
4. salire	a. aumento
5. inferiore	b. superiore
6. emigrare	c. sottonutrito

4. Scrivi la traduzione delle seguenti parole nella tua lingua.

zaino	=	....
cartella	=	....
scrivania	=	....
pagella	=	....
materia	=	....
pennarello	=	....

5. Completa le possibili combinazioni.

frequentare	la scuola
iscriversi	
lavorare	
andare	a piedi
studiare	
mettersi	alla prova
collaborare	

Gli indicatori temporali

6. Leggi il testo, poi scrivi la traduzione nella tua lingua degli indicatori temporali evidenziati. Infine, usali per scrivere un breve racconto.

Ieri ho capito subito che la giornata era negativa: prima non ho trovato il cellulare; poi, mentre andavo al lavoro mi sono ricordato del computer lasciato a casa. Ogni volta che devo fare qualcosa di importante, perdo sempre la testa e dimentico tutto. Adesso sono in ritardo... niente di nuovo!

I segnali discorsivi: *allora, poi, ora*

19

7. Completa i dialoghi con le frasi sotto. Poi ascolta e verifica. Che cosa esprimono le parole in **grassetto**? Hanno una corrispondenza nella tua lingua?

a.
- **Allora**? Andiamo?
- ○ ....
....

b.
- Ci vediamo per cena? Hanno un tavolo libero alle 8 nella nostra pizzeria preferita!
- ○ ....
....

c.
- Ah, Marcello, **poi** com'è andata la riunione dei vicini?
- ○ ....
....

d.
- Ma io non sapevo della festa di Elisa!
- ○ ....
....

1. **Ora** non inventare scuse, te l'ho detto sabato scorso!
2. No, non sono ancora pronto, un minuto!
3. Ottimo! **Allora** alle 8 in pizzeria!
4. Una noia! **Allora**... la signora Rossi ha parlato tutto il tempo, i signori Bianchi si sono lamentati della pulizia delle scale...

20

1. Ascolta la registrazione e indica quale parola senti.

a. casa / cassa
b. caro / carro
c. pala / palla
d. dita / ditta
e. sano / sanno
f. note / notte
g. base / basse
h. ala / alla
i. mese / messe
l. polo / pollo
m. impresa / impressa
n. sera / serra

21

2. Leggi le frasi e indica se la lettera **c** si pronuncia [k] come in **cane** o [tʃ] come in **ciao**. Poi ascolta la registrazione per verificare.

a. Sai che mi è successo (..................) oggi? Ho incontrato (..................) la mia maestra delle elementari: non la vedevo da quando ero piccola (..................)!
b. Ieri mentre facevo (..................) la doccia sono scivolato e mi sono rotto un braccio (..................).
c. Riccardo (..................) era stanco (..................) di fare sempre le stesse cose (..................) e vedere sempre le stesse facce (..................), perciò (..................) si è trasferito all'estero.
d. Sono molti i disoccupati (..................) che (..................) emigrano verso Paesi più ricchi (..................).

22

3. Leggi le frasi e indica se la lettera **g** si pronuncia [g] come in **gatto** o [dʒ] come in **gelato**.

a. La giornata (..................) scolastica si svolgeva (..................) sempre uguale (..................): la maestra spiegava (..................), poi ci interrogava (..................).
b. Mentre guardavamo (..................) i disegni fatti con il gesso (..................) colorato, purtroppo è arrivata la pioggia (..................).
c. Oggi (..................) sono molti i giovani (..................) che cercano un impiego (..................) all'estero.

Collezioni che stupivano

La moda italiana è un fenomeno culturale e sociale: tutta l'Italia ha contribuito alla moda italiana con le sue tradizioni, la storia, l'arte, la letteratura, il cinema, e i loro protagonisti che sono diventati icone. Eccone un assaggio...

Emilio Pucci conquista il mercato internazionale con le sue stoffe.

1960, Anita Ekberg indossa un vestito delle Sorelle Fontana in una scena del film *La dolce vita.*

Negli anni '50 Anna Magnani, attrice romana premio Oscar, portava sottovesti sexy, vestiti vaporosi ma stretti in vita e dettagli di pizzo: era l'immagine del Neorealismo e gli stilisti facevano a gara per vestirla.

Anna Magnani, icona di stile sullo schermo e nella vita reale.

Le sorelle Fontana, nella Roma del Neorealismo, proponevano collezioni delicatamente rinascimentali: corpetti stretti e gonne morbide e molto ampie, create con tessuto di alta qualità. Federico Fellini le ha volute come costumiste per Anita Ekberg nel film *La dolce vita.*

Intanto, a Firenze, si saldava il legame tra moda e tradizione artigiana, Emilio Pucci creava gli inconfondibili tessuti stampati che si ispiravano alle bandiere del palio di Siena: pura creatività italiana.
Nel mentre Gucci creava il mocassino con il morsetto, intramontabile.

Negli anni '60 Valentino esportava nel mondo Via Veneto, uno stile di vita all'insegna dell'eleganza e un colore con il suo nome: il Rosso Valentino.
Accanto all'alta sartoria, cresceva il desiderio dei giovani di vestiti colorati, non cari e comodi: nasce Benetton.

2017, mocassino con morsetto Gucci

1960, Benetton si afferma nel mercato della moda giovanile

Negli anni '70, Giorgio Armani disegnava la collezione che ha cambiato la moda maschile e ha reso Milano la capitale della moda italiana.

Diverso lo stile di Gianni Versace che **negli anni '80**, influenzato dalle tracce dell'arte greca presenti in Calabria, presentava al mondo un'estetica esuberante, elaborata, colorata.

Giorgio Armani indossa un abito della sua collezione.

Gianni Versace aveva intuito l'importanza di vestire le star di Hollywood.

Le origini hanno influenzato anche le collezioni di Dolce&Gabbana: il corredo da sposa delle donne siciliane ha ispirato la famosa collezione *Il vestito siciliano*.

E oggi come ieri i grandi nomi hanno un punto di riferimento nell'industria tessile e artigiana italiana: tessuti, maglieria, pelle.

Insomma, possiamo dire che le parole chiave dello stile italiano sono: tradizione, intraprendenza e creatività.

1980, il vestito siciliano di Dolce&Gabbana

L'Italia e gli stilisti

A. Conosci alcuni stilisti italiani? Quali sono quelli più conosciuti nel tuo Paese? Parlane con un compagno.

B. Leggi l'articolo e rispondi alle domande.

1. Cosa ha influenzato le collezioni delle sorelle Fontana?

   ....

2. Che cosa ha ispirato Emilio Pucci?

   ....

3. Chi ha reso celebre Milano? E perché?

   ....

4. Quale tipo di influenze caratterizzano lo stile di Gianni Versace?

   ....

5. Quando è nato il marchio Benetton? E perché?

   ....

23

C. Ascolta un programma radio che parla della storia di Miuccia Prada e completa la seguente scheda.

Nome del marchio: ....

Percorso di studi: ....

Capi distintivi: ....

Fonti d'ispirazione: ....

D. Completa la mappa mentale.

Le sorelle Fontana ....

....

la moda italiana negli anni '50

....

....

....

E. A coppie, preparate una sfilata. Disegnate o cercate gli abiti che volete presentare e preparate una breve didascalia per ogni modello.

Fare un cartellone con i ricordi della scuola primaria

A. Cercate delle fotografie di quando andavate alla scuola primaria (della vostra classe o di una classe dell'epoca), mettetele in ordine cronologico e scrivete una didascalia per ciascuna.

B. Condividete ricordi del vostro periodo scolastico e scrivete brevi testimonianze da abbinare alle immagini.

C. Preparate un cartellone con le foto e le vostre testimonianze.

STRATEGIE PER LAVORARE

Lavorare in gruppo significa organizzare il lavoro e stabilire quale funzione ha ciascun membro.

Fotografate il vostro cartellone e pubblicatelo su un vostro canale social. I commenti degli utenti potrebbero darvi idee per arricchirlo!

Preparare la presentazione di una decade della moda nel tuo Paese

A. Raccogli informazioni sulla moda nel tuo Paese in un decennio del Novecento:
quali città erano le sedi delle case di moda?
chi erano gli stilisti più famosi?
chi erano le icone dello stile del periodo?
quali erano le marche più celebri?

B. Prepara una presentazione in formato cartaceo o digitale. Pensa a un titolo, cerca delle immagini e inserisci brevi testi informativi.

C. Esponi la tua presentazione ai compagni e poi discutete sui risultati delle vostre ricerche.

STRATEGIE PER LAVORARE

Organizza bene l'informazione nell'elaborare la scaletta. Ricorda di usare i connettivi temporali e i segnali discorsivi.

Condividi la tua presentazione nello spazio virtuale della classe, i compagni potranno commentare.

Com'è andato il compito?

A. Fai un'autovalutazione delle tue competenze.

	😁	😊	😕	😥
descrivere abitudini e situazioni passate				
parlare della propria infanzia				
fare paragoni tra presente e passato				
parlare del sistema educativo				

B. Durante la realizzazione dei compiti hai incontrato qualche difficoltà? Quale/i? Cosa hai imparato di nuovo? Cosa ti è piaciuto di più dei compiti?

😁	😥

C. Valuta il compito dei tuoi compagni e poi parlane con loro.

	😁	😊	😕	😥
La presentazione è chiara				
Hanno utilizzato i contenuti dell'unità				
Il lessico utilizzato è adeguato				
È originale e interessante				
La pronuncia è chiara e l'intonazione corretta				

4 Artigianato e mestieri

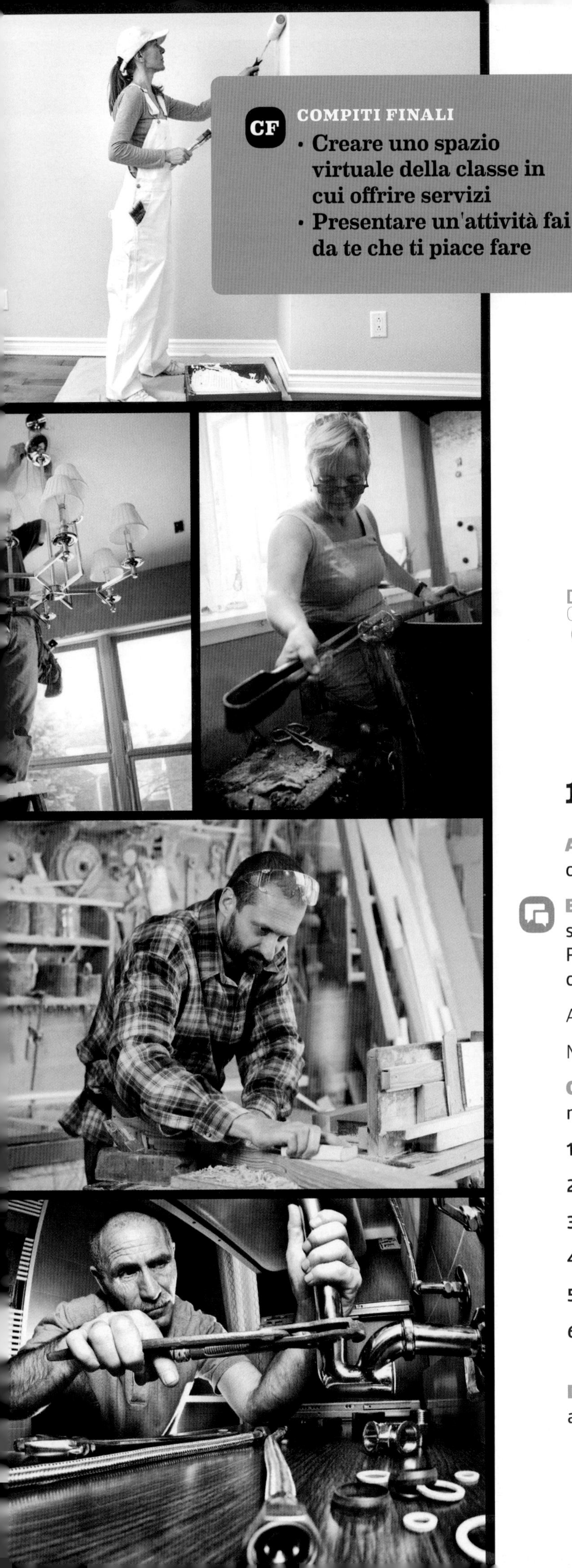

CF COMPITI FINALI

- **Creare uno spazio virtuale della classe in cui offrire servizi**
- **Presentare un'attività fai da te che ti piace fare**

CI 
COMPITI INTERMEDI

- Preparare una scheda con le cose che sai fare e quelle che non sai fare
- Preparare una lista con guasti, riparazioni e professionisti
- Preparare una lista di frasi utili per telefonare a un artigiano

1. I mestieri in parole

A. Quali mestieri delle fotografie conosci? Aiutati con la nuvola di parole.

B. Osserva la nuvola di parole e completa le seguenti categorie. Aiutati con il dizionario. Poi, confronta la tua lista con quella di un compagno.

Attrezzi: ....

Mestieri: ....

C. Scrivi la traduzione nella tua lingua dei seguenti mestieri.

1. Imbianchino = ...
2. Falegname = ...
3. Idraulico = ...
4. Elettricista = ...
5. Giardiniere = ...
6. Orafo = ...

D. Se vuoi, alla fine dell'unità fai una proposta alternativa per questa doppia pagina

2. Cose di casa

A. In casa tua chi fa questi lavori di solito? Chiami un professionista o provi a risolvere da solo? Parlane con un compagno.

- ☐ riparare la lavastoviglie
- ☐ montare un mobile
- ☐ imbiancare una stanza
- ☐ tagliare l'erba in giardino

B. Leggi gli annunci pubblicati sulla piattaforma Wwworkers e completa il testo con le seguenti attività. Poi, confrontati con un compagno.

abbellire mobili | progettare decorazioni d'interno | tagliare l'erba | potare le piante | montare i sanitari

Wwworkers

La piattaforma Wwworkers è una piazza virtuale dove gli artigiani possono offrire i propri servizi professionali. Ci sono riparazioni in casa che richiedono tempo e tecnica? Non sai o non puoi farle? Con la piattaforma Wwworkers puoi localizzare in una mappa digitale l'artigiano più vicino a te.

Ecco gli ultimi annunci

Nome: Paolo Diacono
Città: Vercelli
Età: 41
Attuale lavoro di artigiano: giardiniere, designer di spazi verdi
Cos'è il lavoro in un tweet: passione e dedizione!
In cosa consiste il tuo lavoro: offrire servizi per il verde, ..., ..., progettare gli spazi verdi.
Il tuo motto: Vorresti un giardino fiorito ma non lo sai curare? Ci penso io!

Nome: Federica Alessi
Città: Bologna
Età: 34
Attuale lavoro di artigiano: decoratrice
Cos'è il lavoro in un tweet: tirare fuori il lato bello delle cose.
In cosa consiste il tuo lavoro: dipingere pareti, ... e ....
Il tuo motto: La tua casa è spenta? Ci penso io a colorarla!

Nome: Giulio Rovere
Città: Campobasso
Età: 31
Attuale lavoro di artigiano: idraulico
Cos'è il lavoro in un tweet: Trovare sempre una soluzione!
In cosa consiste il tuo lavoro: riparare tubature, ...
Il tuo motto: Problemi con le tubature? Chiamatemi per risolverli rapidamente!

C. Osserva la posizione dei pronomi evidenziati nelle schede e completa la regola d'uso.

i pronomi con gli infiniti ▶ p. 78

Quando c'è un verbo seguito dall'infinito, il pronome **va prima del verbo coniugato oppure si unisce all'infinito / si unisce all'infinito.**

Quando il verbo è all'infinito il pronome **si unisce alla fine del verbo / va prima o dopo il verbo.**

D. Tu sai fare questi lavori? Parlane con un compagno. Poi, abbina i seguenti lavori di casa agli attrezzi corrispondenti.

1. appendere un quadro .....
2. montare una libreria .....
3. aggiustare un vaso rotto .....
4. tagliare l'erba .....
5. dipingere le pareti .....

A ▲ *tagliaerba*

B ▲ *viti*

C ▲ *pennello*

D ▲ *martello*

E ▲ *colla*

○ *Tu sai usare il tagliaerba?*
○ *No... Però sono bravo a montare i mobili, e tu?*
○ *Mm, no, non li so montare, sono un disastro!*

E. Ascolta il dialogo tra due persone che organizzano alcuni lavori in casa e indica se le seguenti affermazioni sono vere o false.

24

	V	F
1. Gabriele sa appendere un quadro.		
2. Virginia non sa montare una libreria.		
3. Entrambi sanno decorare i mobili.		
4. Non possono saldare la serratura da soli.		
5. L'amico di Virginia può aiutare a portare i mobili.		
6. Virginia e Gabriele sanno imbiancare le pareti.		

F. Osserva i verbi evidenziati al punto E. Ti ricordi come si coniugano i verbi **potere** e **sapere**? E il loro significato? Confrontati con un compagno.

G. Un amico vi mette a disposizione la sua casa al mare per tutta l'estate, ma vi chiede di sistemarla un po': le pareti sono sporche, c'è tanta polvere, ha bisogno di qualche mobile nuovo e il lavandino della cucina è intasato. A gruppi, decidete quali lavori fare, chi li deve realizzare e quali attrezzi vi servono.

CI Ti piace il fai da te? Prepara una scheda con le cose che sai fare e quelle che non sai o non ti piace fare.

3. Che cosa è successo?

A. In casa hai la cassetta degli attrezzi? Che cosa c'è dentro? Scrivi una lista di oggetti e confrontala con quella di un compagno.

B. Leggi l'articolo: e tu, segui questi consigli? Sei un buon tuttofare? Parlane con un compagno.

FAI DA TE — IDEE

Gli essenziali del tuttofare

Ti è mai capitato di dover riparare un guasto in casa e di non sapere come fare? Ti è mai capitato di provare ammirazione per chi sa fare tutto da solo in questi casi? Quella persona capace puoi essere TU. Devi seguire queste indicazioni.

1. Sicurezza prima di tutto! Leggi con attenzione le avvertenze riportate nei libretti delle istruzioni, sulle etichette dei prodotti o su strumenti e macchinari. Ti possono evitare errori e problemi!

2. Procurati gli attrezzi giusti. Procurati gli attrezzi adatti e cerca di usarli nella maniera corretta. Un buon tuttofare non presta mai gli attrezzi: le persone spesso si dimenticano di restituirli.

3. Impara. Le informazioni e i consigli sono essenziali: cerca su Internet, chiedi agli amici e guarda alcuni tutorial del lavoro che devi fare. Ci sono trucchi che semplificano il lavoro!

4. Non avere fretta. Sii realista nel calcolare il tempo necessario e considera l'imprevisto. Insomma, prenditi tutto il tempo che ti serve.

5. Pulito è bello. Il lavoro è finito quando hai pulito tutto e rimesso a posto gli attrezzi. A quel punto puoi mostrare la tua opera e ricorda: va bene anche se è imperfetta!

Adattato da Come diventare un tuttofare, www.wikihow.it

C. Traduci nella tua lingua le seguenti parole. Aggiungine altre, se vuoi.

tuttofare = ...
libretto delle istruzioni = ...
cassetta degli attrezzi = ...

D. Con un compagno, prendete spunto dal testo al punto B e scrivete la descrizione del tuttofare ideale.

Tuttofare: ....

....

....

....

25

E. Ascolta i dialoghi e abbinali all'immagine corrispondente.

....

F. Leggi le frasi estratte dalla registrazione e osserva gli elementi evidenziati. Che cosa noti? Poi completa la regola d'uso e le frasi nel quadro.

1. • L'aspirapolvere è guasto... Marco, dove hai messo gli attrezzi? Provo a sistemarlo.
   ○ Li ho messi in una cassetta, nel ripostiglio.

2. • L'elettricista per la lavastoviglie?! Macché, ci penso io! Ricordi che l'ho riparata pochi mesi fa?

3. ○ Hai le tinte per il legno?
   • Sì, ne ho comprate quattro: gialla, blu, bianca e arancione.
   ○ E i pennelli?
   • Mm... ne ho preso solo uno...
   ○ Allora li porto io! Ne ho comprati cinque di varie dimensioni per il corso.

l'accordo del participio passato con i pronomi diretti ► p. 78

Con i pronomi diretti **lo**, **la**, **li**, **le** il participio passato **concorda / non concorda** con l'oggetto in genere e numero.

maschile singolare **lo** → (Il martello) **l'**ho vist..... sul tavolo in giardino.

femminile singolare **la** → (La colla) **l'**ho mess..... nel cassetto della scrivania.

maschile plurale **li** → (I guasti) **li** ho riparat..... da sola!

femminile plurale **le** → (Le istruzioni) **le** ho lett..... con attenzione.

G. Che cosa succede con **ne**? Insieme a un compagno scrivete degli esempi.

....

....

H. Leggi la chat tra un utente e un professionista sulla piattaforma online *Il tuttofare* e osserva le strutture evidenziate. Che cosa esprimono? Completa il quadro sotto.

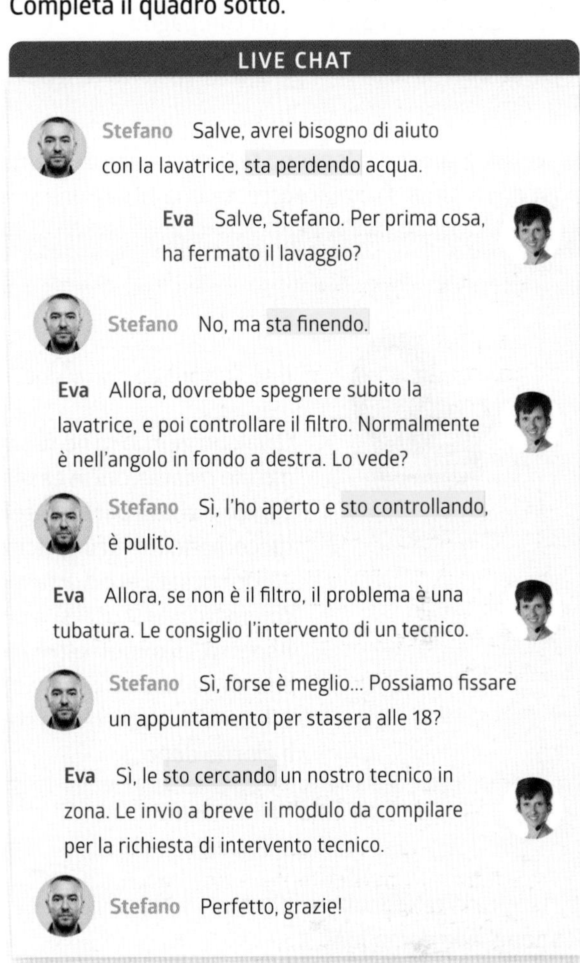
LIVE CHAT

Stefano Salve, avrei bisogno di aiuto con la lavatrice, sta perdendo acqua.

Eva Salve, Stefano. Per prima cosa, ha fermato il lavaggio?

Stefano No, ma sta finendo.

Eva Allora, dovrebbe spegnere subito la lavatrice, e poi controllare il filtro. Normalmente è nell'angolo in fondo a destra. Lo vede?

Stefano Sì, l'ho aperto e sto controllando, è pulito.

Eva Allora, se non è il filtro, il problema è una tubatura. Le consiglio l'intervento di un tecnico.

Stefano Sì, forse è meglio... Possiamo fissare un appuntamento per stasera alle 18?

Eva Sì, le sto cercando un nostro tecnico in zona. Le invio a breve il modulo da compilare per la richiesta di intervento tecnico.

Stefano Perfetto, grazie!

stare + gerundio ► p. 78

stare + gerundio indica **un'azione nel suo svolgimento / un'azione conclusa**.

il gerundio ► p. 78

verbi in **– are**	verbi in **–ere**	verbi in **–ire**
controllando **-ando**	....	....

I. Immagina di avere un guasto in casa che non sai riparare. Scrivi un messaggio sulla chat istantanea de *Il tuttofare* per segnalare il tuo problema e chiedere aiuto ai professionisti della piattaforma online.

CI **CHI CHIAMIAMO?**
Quali professionisti chiami più spesso? Per quali guasti o riparazioni? Prepara una lista e confrontala con quella dei compagni.

4. Potrebbe venire al più presto?

A. Come reagisci se una persona con cui hai un appuntamento di lavoro non si presenta? Confronta le tue reazioni con quelle di un compagno.

☐ ti arrabbi da solo ☐ chiami tante volte, ti deve rispondere ☐ lasci perdere, non vale la pena arrabbiarsi

B. Nei blog spesso si leggono testimonianze di clienti insoddisfatti da un servizio o da un professionista. Leggi il post di Stefania. Ti è mai successa una situazione simile? Come hai reagito? Parlane con un compagno.

Stefania

post del 10/07/17

E se l'idraulico non viene?

Qualche giorno fa ho fissato un appuntamento con un idraulico per fare alcune riparazioni in casa. È stata fissata la data e l'ora, tutto in regola. Sembrava una persona seria e abbastanza organizzata e me lo avevano pure raccomandato alcuni vicini!
All'ora fissata ero lì ad aspettare ma l'idraulico non è venuto... E non ha neanche chiamato per scusarsi e dire che aveva un imprevisto...
Aspetto 15 minuti oltre l'ora fissata e visto che non arriva lo chiamo sul cellulare che mi ha lasciato: spento.
Alla fine l'idraulico non si è fatto vedere e io allora ho deciso di chiamarlo il giorno dopo...

Adattato da E se l'idraulico non viene, www.encob.net

C. Ascolta la telefonata tra Stefania e l'idraulico. Rispondi alle domande.

26

1. Quali sono le riparazioni di cui ha bisogno Stefania?
 ....
2. Perché l'idraulico non si è presentato?
 ....
3. Perché Stefania non accetta un nuovo appuntamento per il martedì?
 ....
4. Che cosa vuole sapere l'idraulico a proposito del guasto? E perché?
 ....

D. Ascolta una seconda volta la registrazione e abbina le frasi alla funzione. Poi confrontati con un compagno.

giustificarsi | accettare | scusarsi | rifiutare | proporre un appuntamento

1. Mi scusi tanto ma ho avuto un imprevisto.
2. Beh, mi dispiace... Purtroppo lavoravo in una cantina e non ero raggiungibile.
3. Guardi, veramente martedì mattina è troppo tardi....
4. Potremmo fissare un appuntamento per domani mattina alle 12:30?
5. Ecco, sì, va bene domani alle 12:30. Ma senza ritardo, per favore!

E. Come rispondi in queste situazioni? Confrontati con un compagno.

▶ Tua madre ti chiede di aiutarla a imbiancare la camera. → ....

▶ Un amico ti propone di aiutarlo a montare una libreria. → ....

▶ Tuo padre ti chiede di potare le piante del giardino, ma tu non sai farlo. → ....

F. Leggi i messaggi che si sono scambiati due amici e indica se le affermazioni sotto sono vere o false.

Matteo
Ciao Giuliano! Con tutta questa pioggia l'erba del prato è cresciuta molto. L'ho tagliata due settimane fa e ora è di nuovo alta... che noia! Se la taglio sabato, tu potresti darmi una mano? 14:20

Giuliano
Certo! A proposito di erba, sai che ho appena comprato un magnifico tagliaerba per il nostro giardino e potrei usarlo per la prima volta nel tuo prato. Che ne dici? 14:21 ✓✓

Matteo
Fantastico! Il mio è un po' vecchio, devo portarlo a fare una manutenzione: la lama ormai taglia pochissimo... ne dovrei comprare uno nuovo, magari come il tuo! 14:21

Giuliano
Senti, per ora non ti preoccupare. Dovresti prima vedere come funziona il mio e poi decidi che cosa fare. Sarebbe anche utile capire se per te è pratico. Ti va bene se ci vediamo sabato pomeriggio alle 14? 14:22 ✓✓

Matteo
Perfetto, mi va benissimo. Poi potremmo farci un aperitivo al Bar Meraviglia! 14:22

	V	F
1. Matteo chiede a un amico di aiutarlo a tagliaerba l'erba.		
2. Giuliano ha già usato il suo nuovo tosaerba.		
3. Matteo ha deciso di comprare un tagliaerba come quello di Giuliano.		

G. Trova nel testo le frasi che esprimono le funzioni elencate nel quadro.

esprimere un desiderio: ....

....

chiedere un aiuto: ....

....

dare un consiglio: ....

....

F. Nei messaggi c'è un tempo verbale nuovo, il condizionale presente. Rileggi i testi e completa il quadro.

il condizionale presente ▶ p. 78

DOVERE	POTERE
....	....
....	....
dovrebbe	potrebbe
dovremmo	....
dovreste	potreste
dovrebbero	potrebbero

G. Osserva le illustrazioni, queste persone hanno un problema da risolvere. Dai loro un consiglio, come nel modello.

....

CI Fai una lista di frasi utili per telefonare e fissare un appuntamento con un artigiano.

Grammatica

I VERBI *POTERE* E *SAPERE*

POTERE	SAPERE
posso	so
puoi	sai
può	sa
possiamo	sappiamo
potete	sapete
possono	sanno

Il verbo **sapere**, quando è seguito dall'infinito, indica la capacità di compiere l'azione espressa dall'infinito.
__Sai__ riparare la bicicletta?

Anche il verbo **potere**, seguito dall'infinito, indica la capacità di compiere l'azione espressa dall'infinito poiché le circostanze esterne lo permettono.
__So__ riparare la bicicletta ma oggi non __posso__ perché non ho i pezzi di ricambio.

I PRONOMI CON GLI INFINITI

Con il verbo all'infinito il pronome va dopo il verbo, formando una sola parola.
L'aspirapolvere? Ci penso io a sistemar__la__!

Quando c'è un verbo + infinito il pronome può:

► precedere il verbo coniugato:
__Mi__ puoi aiutare?
__Li__ sai sistemare?

► seguire l'infinito:
Puoi aiutar__mi__?
Sai sistemar__li__?

Quando il pronome segue l'infinito, l'infinito perde la **–e** finale.
Puoi aiutar~~e~~mi a spostare la scrivania?

L'ACCORDO DEL PARTICIPIO PASSATO CON I PRONOMI DIRETTI E CON IL PRONOME *NE*

Con i pronomi diretti **lo**, **la**, **li**, **le** e **ne** il participio passato concorda con l'oggetto in genere e numero. Le forme singolari **lo** e **la** si apostrofano, le forme plurali **li** e **le** invece non si apostrofano.

● *Avete spento la luce nel corridoio?*
○ *Sì, __l'__abbiamo spenta.*

● *Hai comprato le viti?*
○ *Sì, __le__ ho compra__te__.*

● *Hai comprato le viti?*
○ *Ne __ho__ compra__te__ solo dieci, quelle che mi servono per sistemare l'armadio.*

STARE + GERUNDIO

La struttura **stare** + gerundio indica un'azione nel suo svolgimento.
Il gerundio non si coniuga e si forma in questo modo:

guard**are** → guard**ando**
legg**ere** → legg**endo**
apr**ire** → apr**endo**

fare → fac**endo**
dire → dic**endo**

● *Che cosa __stai leggendo__?*
○ *Le istruzioni per montare gli scaffali.*

● *Dove* **stai andando***?*
○ *Da Mario, voglio aiutarlo a riparare la moto.*

IL CONDIZIONALE PRESENTE

FARE	POTERE	DOVERE	VOLERE
farei	potrei	dovrei	vorrei
faresti	potresti	dovresti	vorresti
farebbe	potrebbe	dovrebbe	vorrebbe
faremmo	potremmo	dovremmo	vorremmo
fareste	potreste	dovreste	vorreste
farebbero	potrebbero	dovrebbero	vorrebbero

ESSERE	AVERE
sarei	avrei
saresti	avresti
sarebbe	avrebbe
saremmo	avremmo
sareste	avreste
sarebbero	avrebbero

Il condizionale lo usiamo per:

► fare richieste gentili
__Potresti__ aiutarmi a potare le piante? (tu)
__Potrebbe__ dirmi quando può venire a riparare il televisore? (Lei)

► dare consigli
● *Il nostro giardino è un disastro...*
○ *__Dovreste__ chiamare Mario, è un ottimo giardinere!*

► esprimere desideri
__Vorrei__ vivere in una casa senza guasti!

1. Indica quali di queste cose sai fare e quali no, utilizza i pronomi diretti.

a. Montare
l'armadio → *Sì, lo so montare.*
la libreria →........................
i sanitari →........................
il letto →........................

b. Aggiustare
la lavastoviglie →................................
una tubatura →........................
un vaso rotto →........................

2. Completa le frasi con ne, lo, la, li, le **e accorda il participio passato.**

a. Quanti amici hai invitato per l'inaugurazione della tua nuova casa? ...... ho invitat.... pochissimi. Sono troppo stanca per organizzare una festa per tante persone.
b. Ho visto in un negozio delle bellissime tende: .... ho comprat ... tutte. Ho fatto una follia!
c. Che bella la casa nuova di Laura! ...hai vist .... ? È arredata molto bene.
d. Ho quasi finito di dipingere la camera: su 4 camere ... ho dipint ... 3.
e. Belli i tuoi mobili! Dove .... hai pres ....?
f. Sono senza soldi. .... ho spes... tutti ieri per l'idraulico.

3. Osserva le illustrazioni e descrivi cosa sta facendo Dario.

4. Trasforma le frasi al condizionale presente.

a. Puoi prestarmi il tuo computer?
→..
b. Ti va di fare un pic-nic domenica prossima?
→..
c. Vogliamo cambiare città, qui è tutto difficile.
→..
d. Devi avere più pazienza, i lavori in casa durano una vita!
→..
e. Sai dirmi dove c'è un ferramenta ben fornito?
→..
f. Potete fare i lavori da soli, in questo modo risparmiate un sacco di soldi.
→..

5. Indica per le frasi precedenti l'uso del condizionale:

esprimere desideri: ....
dare consigli: ....
fare richieste in forma gentile: ....

6. Che cosa puoi dire in queste situazioni?

a. Chiedere a un amico un aiuto per tagliare l'erba.
....
b. Chiedere informazioni a uno sconosciuto per strada.
....
c. Chiedere un caffè al bar.
....
d. Chiedere un consiglio a tuo zio per trovare un buon idraulico.
....

7. Che cosa vorresti cambiare in casa tua? Scrivi almeno cinque frasi.

Vorrei cambiare il colore delle pareti, potrei farle verdi.

Attrezzi e professionisti

1. Leggi le definizioni e inserisci la parola corrispondente.

a. .... : sostanza colorata per dipingere vari tipi di materiali.
b. .... : oggetto che serve per stendere il colore su una superficie.
c. .... : attrezzo che serve per fissare chiodi.
d. .... : macchina che serve per tagliare l'erba.
e. .... : sostanza che serve per attaccare insieme vari tipi di materiali.

2. Quale artigiano chiami per risolvere i seguenti problemi?

a. Non hai la luce in casa.
→........................
b. Entri in casa e ti trovi i piedi nell'acqua.
→........................
c. Entra aria dalla finestra.
→........................
d. La parete è macchiata.
→........................
e. La porta di casa è bloccata.
→........................
f. Il cane ti ha distrutto il prato.
→........................

Riparazioni

3. Scrivi il sostantivo relativo all'azione espressa dai seguenti verbi.

Montare → *montaggio*

Riparare →........................

Pulire →........................

4. Indica i possibili guasti in queste stanze della casa.

Cucina: *lavastoviglie rotta,*........................

Bagno: ....

Soggiorno: ....

5. Completa la lista di combinazioni.

la televisione	non funziona	
il vaso		
la lavatrice		
l'erba	è alta	
le pareti		

6. Completa la lista di combinazioni.

fissare	un appuntamento	
tagliare		
riparare		
costruire		
chiamare		
procurarsi		

Offrire e chiedere di fare qualcosa, scusarsi, giustificarsi

7. Completa il quadro con le espressioni che potresti usare per le seguenti funzioni.

	tu	Lei
scusarsi	*Mi dispiace...*	
giustificarsi		
chiedere di fare qualcosa		
offrire di fare qualcosa		

I segnali discorsivi: *comunque, a proposito*

27

5. Completa il dialogo con i segnali discorsivi **a proposito** e **comunque**. Poi verifica con la registrazione.

- Ciao Flavio, da quanto tempo non ti vedo.
- Carissima, che bello vederti.
- Come va?
- Mah, insomma. Ho cambiato casa e sono in mezzo ai lavori. Che stress!
- Ah, povera, immagino! .... di lavori, potresti consigliarmi un imbianchino? Poco costoso, mi raccomando.
- Beh, il mio è bravo ma non rispetta i tempi: viene quando vuole... .... è molto efficiente.
- Mm, preferirei qualcuno che rispetta gli appuntamenti...
- Eh lo so ma è una qualità molto rara! ...., potresti chiedere a Maria. So che anche lei sta facendo lavori in casa e potrebbe darti un altro nome.
- Ok, grazie per il consiglio!

4. Traduci il dialogo nella tua lingua: a cosa corrispondono **a proposito** e **comunque**?

....

....

....

....

....

....

....

....

....

....

....

....

....

....

28

1. Leggi le frasi e sottolinea in rosso il suono [ɲ] come in **giugno** e in blu il suono [ʎ] come in **luglio**. Poi ascolta la registrazione per verificare.

a. Mia cognata mi ha consigliato un ottimo falegname.
b. Voglio comprare delle mensole di legno.
c. Questo fine settimana devo tagliare l'erba e riparare il rubinetto del bagno.
d. Non riesci a montare il mobile perché stai usando l'attrezzo sbagliato!

29

2. Ascolta e completa le frasi. Poi sottolinea in rosso il suono [ɲ] come in giugno e in blu il suono [nn] doppia come in anno. Ascolta nuovamente la registrazione per verificare.

a. Vado a dormire: ho molto ....
b. Nella casa dei miei .... non c'è .... di riparazioni.
c. .... ha buon gusto per decorare le case.
d. Mi prendi il ....? Credo di averlo lasciato in ....
e. Dipingiamo le pareti ogni due ....

30

3. Leggi le domande e le risposte. Che intonazione usi per proporre, accettare o rifiutare? Poi ascolta la registrazione per verificare.

a. Hai voglia di darmi una mano a tagliare l'erba del prato?
- Certo, con piacere!
- Mi spiace, oggi non posso.

b. Allora, dipingiamo la parete?
- Guarda, oggi sono molto stanca...
- Volentieri! Mettiamoci al lavoro.

c. Ti andrebbe di andare alla fiera dell'artigianato?
- Volentieri! Dev'essere interessante.
- Veramente preferisco andare al centro benessere...

d. Possiamo prendere un appuntamento per giovedì?
- Va bene, a che ora?
- Giovedì è impossibile, ho l'agenda piena.

Artigianato inconfondibile

Ogni regione, ogni località, ogni angolo d'Italia, ha sviluppato tradizioni artigianali di grande qualità. Amate oltre i confini nazionali, queste lavorazioni artigianali sono eredi di una tradizione secolare: gli artigiani plasmano la materia per creare un prodotto unico, frutto di una paziente maestria.

Il prodotto piemontese più famoso, amato negli Stati Uniti, indossato in innumerevoli film, è il cappello Borsalino, disegnato e prodotto nell'omonima fabbrica di Alessandria.

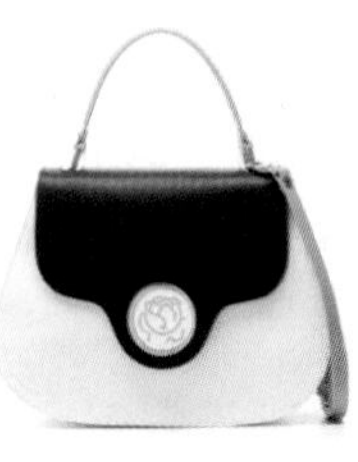

Già nel Trecento la lavorazione artistica della pelle aveva fama internazionale. Da questa tradizione si sono sviluppate le numerose botteghe di produzione di scarpe, borse, cinture e accessori esportati e imitati in tutto il mondo.

Qui si producono oggetti esportati come simboli dell'italianità meridionale: dal cameo di Torre del Greco, alle ceramiche di Vietri sul Mare, alle celebri porcellane di Capodimonte.

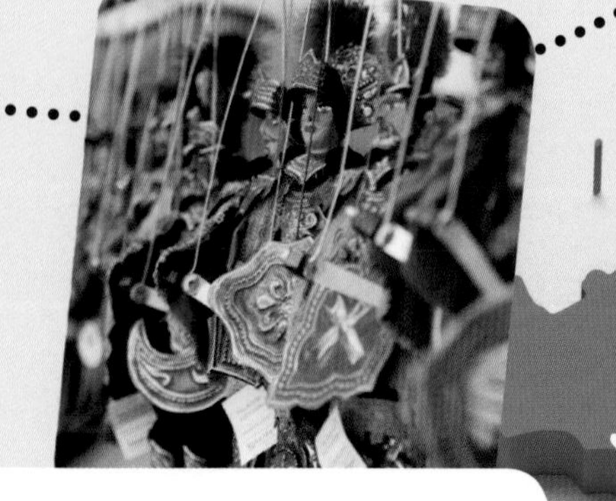

Dalla metà dell'Ottocento ad oggi a Palermo e Catania è viva la tradizionale lavorazione dei "pupi": le marionette vestite con abiti preziosi che sono le protagoniste del teatro popolare siciliano.

A Cremona è nato il violino per eccellenza, creato da Antonio Stradivari, in latino Stradivarius. La tradizione artigiana degli strumenti ad arco della città è stata riconosciuta come Patrimonio Culturale Immateriale dell'Umanità dall'UNESCO.

A Vicenza, i maestri orafi hanno conquistato le vetrine delle più prestigiose oreficerie di tutto il mondo, senza mai dimenticare le proprie origini.

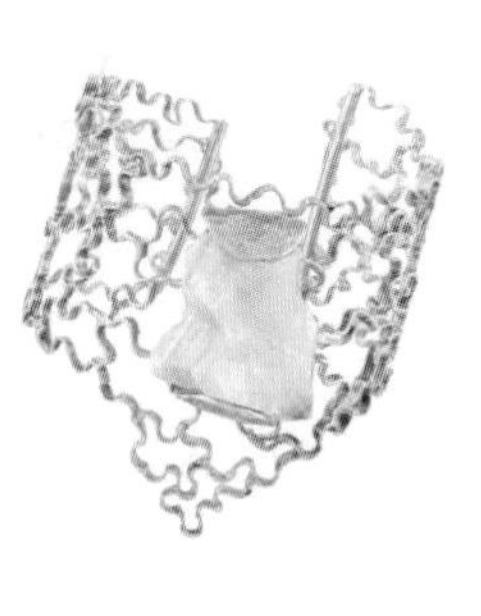

Puglia

Basilicata

Calabria

A Fabriano si produce carta di qualità da secoli. E proprio il marchio Fabriano ha ideato la filigrana per riconoscere e identificare la carta con un marchio *ante litteram*.

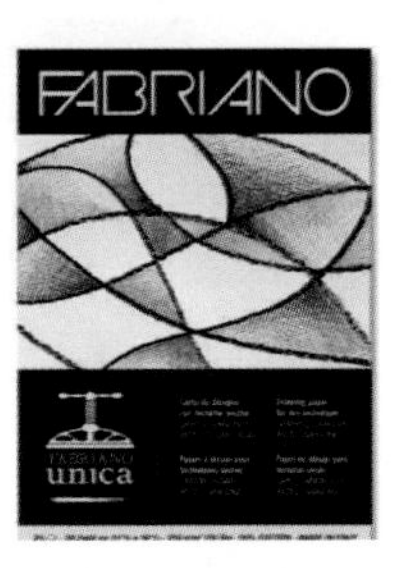

Artigianato di qualità

A. Quali prodotti artigianali italiani conosci? Sai da quale regione o città provengono? Parlane con un compagno e annotali.

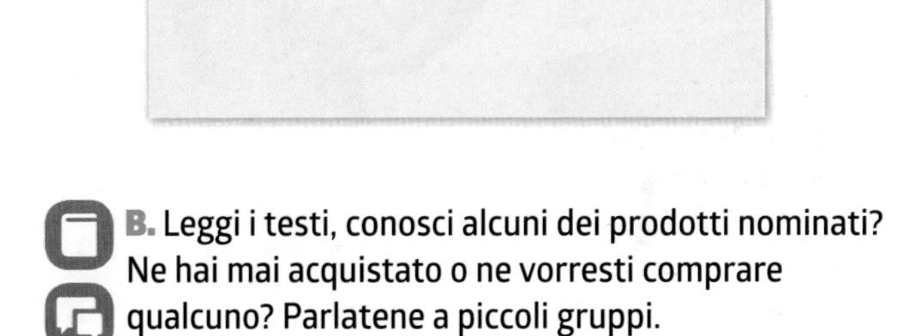

B. Leggi i testi, conosci alcuni dei prodotti nominati? Ne hai mai acquistato o ne vorresti comprare qualcuno? Parlatene a piccoli gruppi.

C. Scegli una regione italiana e fai una ricerca sulle sue eccellenze artigiane. Poi scrivi un breve testo e inseriscilo nella mappa. Con il contributo della classe, riuscite a completarla?

D. Quali sono i prodotti artigianali tipici del tuo Paese? Scegli una regione o una zona, e prepara una scheda. Poi, presentala ai compagni.

Regione: ....

Artigianato tradizionale: ....

Luogo di nascita del/dei mestiere/i: ....

Prodotti e marchi rappresentativi: ....

Creare uno spazio virtuale della classe in cui offrire servizi

A. A gruppi, fate un sondaggio per sapere quali sono i servizi fai da te che potete offrire. Scrivete un elenco delle categorie di professionisti.

B. A gruppi, ciascun gruppo prepara l'annuncio per un servizio, con relativo titolo e foto.

C. Caricate gli annunci, suddivisi per categoria, nello spazio virtuale della classe. Le categorie possono essere: riparazioni, giardino, imbiancatura, montaggio, ecc.).

D. Leggete gli annunci pubblicati dagli altri e confrontatevi su eventuali dubbi linguistici.

STRATEGIE PER LAVORARE

La lingua degli annunci è particolare: le frasi sono brevi e hanno l'obiettivo di convincere chi legge.

Potete commentare gli annunci nello spazio virtuale della classe, proponendo domande sul servizio.

Presentare un'attività fai da te che ti piace o che ti piacerebbe imparare

A. Pensa a un lavoro fai da te che ti piace fare o che ti piacerebbe imparare.

B. Prepara una lista o mappa mentale con le fasi del lavoro, gli strumenti utili e dei consigli per svolgerlo al meglio.

C. Condividi la tua lista o mappa mentale con la classe.

decorazione d'interni

Fasi del lavoro:
- vedere lo spazio da decorare
- capire i gusti delle persone che vivranno o useranno lo spazio
- informarmi sulle mode del momento

Strumenti utili:
- riviste e siti Internet
- metro
- memoria fotografica

Consigli:
- non avere paura di essere originale
- visitare siti Internet di vari Paesi
- stare attenti a unire bellezza e praticità

STRATEGIE PER LAVORARE

Cerca di chiarire bene quali sono i punti forti del tuo lavoro: usa il lessico appreso nell'unità.

Trova e indica dei link a pagine in italiano relative al tuo hobby.

Com'è andato il compito?

A. Fai un'autovalutazione delle tue competenze.

	😁	😊	😕	😥
Parlare delle proprie competenze				
Parlare di guasti e riparazioni				
Offrire e chiedere di fare qualcosa				
Dare appuntamento				

B. Durante la realizzazione dei compiti hai incontrato qualche difficoltà? Quale/i? Cosa hai imparato di nuovo? Cosa ti è piaciuto di più dei compiti?

😁	😥

C. Valuta il compito dei tuoi compagni e poi parlane con loro.

	😁	😊	😕	😥
La presentazione è chiara.				
Hanno utilizzato i contenuti dell'unità.				
Il lessico utilizzato è adeguato.				
È originale e interessante.				
La pronuncia è chiara e l'intonazione corretta.				

VIDEO 3

I MITICI ANNI OTTANTA

Durata: 04:16
Genere: intervista
Contenuti: l'Italia degli anni Ottanta
Obiettivi: allenarsi a comprendere informazioni su un periodo storico e a fare paragoni tra presente e passato; consolidare la distinzione d'uso tra imperfetto e passato prossimo; preparare una presentazione su alcuni aspetti di un periodo storico

1. Elisa e Alessandro parlano della vita in Italia negli anni Ottanta. Guarda il video e indica di quali dei seguenti argomenti trattano.

1. moda	☐	5. lavoro	☐
2. cinema	☐	6. libri	☐
3. televisione	☐	7. musica	☐
4. tecnologia	☐	8. oggetti scomparsi	☐

2. Guarda di nuovo il video e indica se le seguenti affermazioni sono vere o false.

	V	F
1. Milano era un importante centro dell'economia e della moda.	☐	☐
2. La moda degli anni Ottanta era allegra e colorata.	☐	☐
3. Tutti gli stilisti italiani proponevano abiti stravaganti e vistosi.	☐	☐
4. Versace ha lanciato la moda dei *paninari*.	☐	☐
5. Negli anni Ottanta la musica straniera ha cominciato a influenzare i cantanti italiani.	☐	☐
6. Negli anni Ottanta in televisione c'erano solo telefilm americani.	☐	☐
7. Negli anni Ottanta cominciava a diffondersi la tecnologia nelle case.	☐	☐
8. La cabina telefonica e il rullino fotografico sono stati inventati negli anni Ottanta.	☐	☐

3. Guarda di nuovo il video e cerchia l'alternativa corretta.

1. Fare carriera, divertirsi e viaggiare sono ideali **nati negli anni Ottanta / tipicamente italiani**.
2. Lo stile di Versace era **simile a quello di Armani / stravagante e colorato**.
3. I *paninari* erano ragazzi che **imitavano le mode straniere / vestivano sempre abiti firmati**.
4. Prima degli anni Ottanta, la musica italiana **era melodica e tradizionale / aveva una grande varietà di generi**.
5. Durante gli anni Ottanta, alcuni cantanti italiani **sono emigrati all'estero / cantavano in inglese**.
6. Durante gli anni Ottanta si sono diffusi **i walkman e i videoregistratori / i computer e i primi cellulari**.

4. Cosa ti colpisce di più del video? Che differenze ci sono con la vita di oggi? Parlane con un compagno.

- *Secondo me prima c'era più spensieratezza...*

5. Completa le frasi con l'imperfetto o il passato prossimo dei verbi tra parentesi.

1. Ieri (io, rivedere) .... le foto di quando (io, essere) .... giovane: (io, indossare) .... camicie con le spalline e pantaloni con il risvolto.
2. Da ragazzo (io, ascoltare) .... sempre la musica a tutto volume, così i miei genitori mi (regalare) .... un walkman e a casa (tornare) .... la tranquillità.
3. Ti ricordi il primo cellulare che (tu, comprare) ....? (Essere) .... enorme e la batteria (durare) .... pochissimo.
4. È vero, la moda degli anni Ottanta (essere) .... eccessiva, però alcune cose (tornare) .... di moda, come i colori accesi e il risvolto dei jeans.
5. Da ragazzo non (piacere) .... molto la musica italiana e (io, preferire) .... i gruppi stranieri. Ricordo ancora l'emozione di quando (io, comprare) .... il primo disco degli Europe!

6. Scegli un periodo significativo per il tuo Paese, fai una breve ricerca e preparane un presentazione, sottolineando le differenze tra allora e adesso. Nella presentazione puoi inserire informazioni su moda, lavoro, tecnologia, società, economia, ecc.

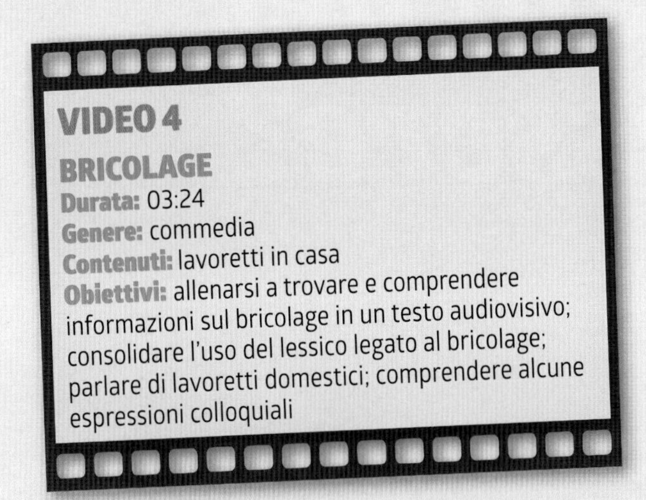

1. Guarda il video e rispondi alle seguenti domande.

1. Quale lavoretto cerca di fare Marcello?

   ....

2. Qual è il risultato?

   ....

2. Guarda di nuovo il video e indica l'opzione corretta.

1. Laura non ha montato lo scaffale perché:
- ☐ a. non lo sa fare.
- ☐ b. aspettava il tecnico del negozio.
- ☐ c. aspettava Marcello.

2. Marcello non vuole chiamare il tecnico perché:
- ☐ a. è troppo costoso.
- ☐ b. lo scaffale gli serve subito.
- ☐ c. vuole montare lo scaffale da solo.

3. Laura propone a Marcello di:
- ☐ a. ascoltare un po' di musica mentre monta lo scaffale.
- ☐ b. rilassarsi insieme e di aspettare il tecnico il giorno dopo.
- ☐ c. montare lei lo scaffale.

4. Marcello non usa le istruzioni perché:
- ☐ a. dice che il lavoro è facile e non gli servono.
- ☐ b. nel pacco non c'erano.
- ☐ c. ha già montato scaffali simili.

5. Marcello chiede a Laura di:
- ☐ a. aiutarlo a montare lo scaffale.
- ☐ b. aiutarlo a trovare il cacciavite.
- ☐ c. consultare le istruzioni.

6. Alla fine:
- ☐ a. entrambi sono soddisfatti del risultato.
- ☐ b. Marcello rinuncia a montare lo scaffale.
- ☐ c. Laura non è per niente soddisfatta del risultato.

3. Abbina le seguenti parole alle immagini corrispondenti.

martello | viti | metro | guanti | cacciavite

1. ....
2. ....
3. ....
4. ....
5. ....

4. Leggi le frasi e guarda di nuovo il video. Poi indica cosa significano le espressioni sottolineate.

1. Impegnato? <u>Ma figuriamoci!</u> Il tempo lo trovo!
2. Stai tranquilla, <u>sei in buone mani!</u>
3. Istruzioni? <u>Ma fammi il piacere!</u>
4. Ci penso io! <u>È un gioco da ragazzi!</u>
5. Quando ci sono lavoretti da fare in casa, stai tranquilla: <u>puoi contare su di me!</u>

a. È molto facile! ....
b. Non è così! ....
c. Non dire sciocchezze! ....
d. Sono disponibile ad aiutare! ....
e. Ti sei affidata alla persona giusta! ....

5. Ti piace fare bricolage e lavoretti in casa, o preferisci farli fare a qualcun altro? Perché? Parlane con un compagno.

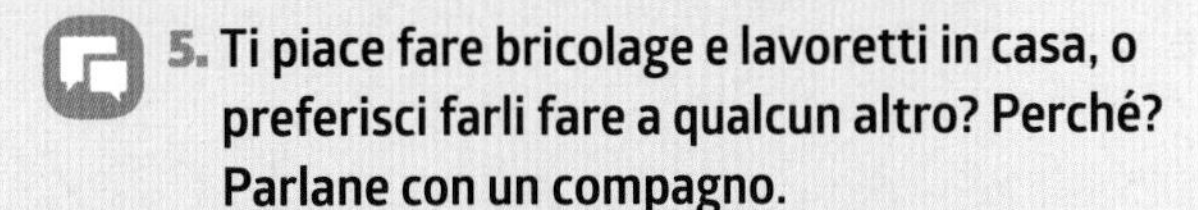

5 Società del benessere?

COMPITI FINALI
- **Scambiarsi consigli sulla gestione del tempo**
- **Presentare una società del futuro funzionale e sana**

COMPITI INTERMEDI
- Raccogliere articoli sulle malattie del futuro
- Fare un grafico sull'indice di stress della classe e i sintomi più comuni
- Suggerire rimedi ai disturbi più comuni

OSPEDALE SCIROPPO STUDIO MEDICO OSPEDALE MAL DI TESTA COMPRESSA CREMA CREMA OSPEDALE FARMACIA RIMEDI CEROTTO SCIROPPO RIMEDI FEBBRE INFLUENZA FEBBRE INFLUENZA FARMACIA CREMA SCIROPPO RAFFREDDORE COMPRESSA CEROTTO PRONTO SOCCORSO COMPRESSA RIMEDI MAL DI SCHIENA STUDIO MEDICO MAL DI SCHIENA RAFFREDDORE PRONTO SOCCORSO CEROTTO FEBBRE STUDIO MEDICO SCIROPPO INFLUENZA CREMA CEROTTO RIMEDI RAFFREDDORE CREMA OSPEDALE FARMACIA FARMACIA PRONTO SOCCORSO PRONTO SOCCORSO STUDIO MEDICO CEROTTO FEBBRE RAFFREDDORE RAFFREDDORE OSPEDALE PRONTO SOCCORSO PRONTO SOCCORSO RIMEDI CREMA CEROTTO FARMACIA FEBBRE RIMEDI INFLUENZA COMPRESSA STUDIO MEDICO INFLUENZA MAL DI TESTA RAFFREDDORE COMPRESSA MAL DI SCHIENA SCIROPPO INFLUENZA COMPRESSA FEBBRE

1. Parole in salute

A. Osserva la fotografia: che cosa associ a questa immagine? Aiutati con la nuvola di parole e parlane con un compagno.

B. Osserva la nuvola di parole e completa le seguenti categorie.

Disturbi: ....

....

Medicine: ....

....

Luoghi e persone della sanità: ....

....

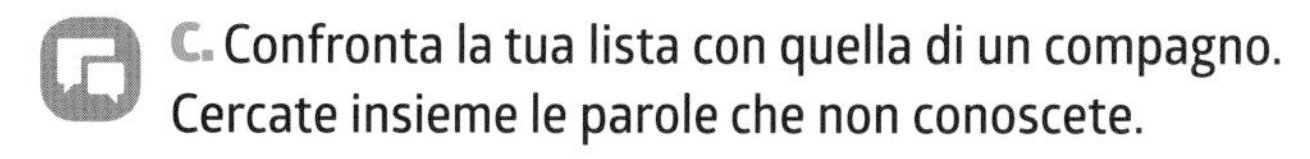

C. Confronta la tua lista con quella di un compagno. Cercate insieme le parole che non conoscete.

D. Se vuoi, alla fine dell'unità fai una proposta alternativa per questa doppia pagina.

2. Tecnologia e salute

A. Hai mai sentito parlare di malattie legate alla tecnologia? Se, sì quali?
Parlane con un compagno e annotale.

B. Quanto sei Internet dipendente? Fai il test e scopri qual è il tuo grado di dipendenza.
Sei d'accordo con il risultato ottenuto? Parlane con un compagno.

Sei Internet dipendente?

Puoi stare qualche ora senza Internet, oppure devi sempre essere connesso?
Vai nel panico nei luoghi in cui non si può accedere al wi-fi?
Potresti soffrire di dipendenza da Internet, una malattia che si sta diffondendo molto rapidamente.

1. Attendi con ansia il momento in cui puoi connetterti ad Internet?
A. Mai
B. Qualche volta
C. Ogni giorno

2. Ti capita mai di rinunciare ad ore di sonno per poter passare più tempo su Internet?
A. Mai
B. Poche volte
C. Sempre

3. Hai mai saltato un pasto per poter rimanere al computer a navigare?
A. Mai
B. Qualche volta
C. Quasi sempre

4. Hai più amici online o nella vita reale?
A. Nella vita reale
B. Metà e metà
C. Online

5. Preferisci parlare con una persona faccia a faccia o attraverso Internet?
A. Faccia a faccia
B. Entrambe le cose
C. Solo attraverso Internet

6. Ti piacerebbe vivere in una realtà in cui le persone possono fare tutto attraverso Internet e non devono mai uscire di casa?
A. Per niente
B. Così e così
C. Moltissimo

RISULTATI

MAGGIORANZA DI A
La tua vita è nella dimensione reale, quella tecnologica è un extra. Probabilmente tu rimarrai immune alle malattie da tecnologia del futuro.

MAGGIORANZA DI B
Sei una persona tecnologica ma equilibrata. Conosci le potenzialità della rete ma non ne sei dipendente. Continua così!

MAGGIORANZA DI C
Sei sempre online, dai troppa importanza alla vita virtuale e rischi di perdere contatto con la realtà. Limita l'uso della tecnologia alle situazioni in cui è davvero necessario. Anche il mondo reale è interessante!

C. A coppie, pensate alle cose che potete, dovete o volete fare solo su Internet e scrivete altre due domande da aggiungere al test.

D. Leggi l'articolo. Poi, abbina ciascuna malattia ai rimedi proposti sotto.

Quali saranno gli effetti della tecnologia?

Tra intelligenze artificiali e realtà aumentate dal digitale, anche la medicina si troverà ad affrontare nuovi attacchi a corpo e mente. Ecco alcune malattie che colpiranno sempre più persone in un futuro molto vicino.

Dipendenza dalla realtà virtuale

La realtà virtuale è più facile da vivere, ci sono regole fisse ed è controllabile. Forme di questa malattia già esistono: la dipendenza da Internet, dai videogiochi, dai social. Riuscire a prevenire o a tirare fuori le persone dal tunnel della realtà virtuale diventerà una delle sfide della sanità.

Nomofobia e text neck

La nomofobia è una malattia in rapida espansione: la fobia dell'assenza del cellulare che si manifesta con sintomi come ansia e irritabilità. Inoltre, la postura scorretta alla quale costringiamo il collo mentre usiamo lo smatphone, causa torcicollo, mal di testa e formicolii alle mani. Quindi, più soffriremo di nomofobia, più avremo problemi a collo e schiena.

Perdita di memoria

C'è chi lo chiama "effetto Google": tutto è a portata di clic e la memoria si riduce perché non viene più allenata. In un futuro prossimo, perderemo la capacità di concentrazione necessaria per memorizzare e diventeremo dipendenti dalla tecnologia per catalogare e trovare informazioni.

Sdoppiamento dell'identità

Assistenti artificiali, profili virtuali, i nostri alter ego digitali impareranno da noi e si comporteranno come noi, aumentando il rischio di crisi d'identità, perché sarà sempre più difficile capire quale parte della «nuvola» siamo veramente noi. Quante persone perderanno il senso d'identità?

1. Imparare almeno un'informazione nuova al giorno e acquisirla. → ....
2. Concentrarsi in attività della vita reale, interagire con le persone. → ....
3. Fare ginnastica per migliorare la postura. → ....
4. Mantenere la comunicazione aperta con sé stessi, dedicare momenti all'autoascolto. → ....

E. Osserva le forme verbali evidenziate nel testo e completa il quadro. Ci sono differenze tra le tre coniugazioni?

il futuro semplice ► p. 96

DIVENTARE	PERDERE	SOFFRIRE
diventerò	perderò	soffrirò
diventerai	perderai	soffrirai
....	perderà	soffrirà
....	....	....
diventerete	perderete	soffrirete
diventeranno	....	soffriranno

F. Individua il futuro semplice dei verbi **essere** e **avere**. Poi completa la coniugazione.

il futuro semplice ► p. 96

essere: sarò, sarai, ..., saremo, sarete, ...

avere: avrò, avrai, avrà, ..., avrete, avranno

G. Traduci le seguenti parole nella tua lingua.

collo = ...
testa = ...
mano = ...
schiena = ...

H. A coppie, riflettete sull'uso della tecnologia nel vostro Paese. Quale malattia legata alla tecnologia sarà più diffusa nel 2050? Annotate le idee e scrivete una breve descrizione di cause e sintomi.

CI **COME STAREMO?**
Cercate articoli sui problemi che incontreremo in futuro a causa della troppa tecnologia. Scegletene alcuni e presentateli alla classe.

3. Come sono stressato!

A. Di solito, come ti senti quando inizia la giornata? Scegli l'emoticon più adatto e pensa a un aggettivo per descriverlo.

- *Appena mi sveglio, mi sento energico!*

1

2

3

4

5

6

B. Un lettore scrive alla rubrica di una rivista dedicata al benessere. Quali sono i sintomi di Lorenzo? Sottolineali e completa il quadro.

BENESSERE

Cara Giorgia,
ormai non posso più nasconderlo, sono stressato! Le mie giornate sono sempre frenetiche: sveglia alle 7, io e la mia compagna prepariamo la colazione per i nostri due figli, alle 8:30 li porto a scuola e alle 9 sono in ufficio, un susseguirsi di riunioni, telefonate, appuntamenti. Mi sento sempre stanco e a volte non riesco a respirare... Alle 18 un altro fattore di stress: mi attende il traffico dell'ora di punta... Se le code sono lunghe, divento pigro e non vado in palestra. La sera non ho appetito e ho spesso bruciori di stomaco. Quindi... niente gioie culinarie. Non parliamo della notte... ormai sono mesi che soffro d'insonnia e passo ore a girare sui social come uno zombie. Come se non bastasse, la mia compagna ha detto che se non mi rilasso, prepara una valigia e mi butta fuori di casa! Cattiva?! No, la capisco: sono insopportabile!
Giorgia, mi affido ai tuoi consigli.
Lorenzo

SINTOMI

sentirsi stanco, ...

....

....

....

....

C. Leggi la risposta: quali consigli gli dà Giorgia? Secondo te, sono utili? Parlane con un compagno: voi che cosa gli suggerireste?

BENESSERE

Caro Lorenzo,
confermo la tua diagnosi: soffri i sintomi tipici dello stress. Una delle cause più comuni è la cattiva gestione del tempo che genera ritardi, ansia e stanchezza. Ecco qualche trucco che ho sperimentato in questi anni e che funziona molto bene.
Usa un'agenda: prova a scrivere una scaletta della giornata, se investi mezz'ora nell'organizzare la tua giornata, risparmierai molto tempo ed energie.
Fai una classifica delle priorità: se non ce la fai a fare tutto, ti limiterai alle cose più importanti. Comincia a fare la classifica per domani!
Respira: una buona ossigenazione aiuta mente e corpo a rilassarsi. Smetti di agitarti e respira profondamente.
Fai sport: l'attività fisica aiuta ad eliminare lo stress e le tossine. Se fai un'ora di attività fisica dopo il lavoro, torni a casa con appetito e dormi meglio.
Limita l'uso dei social: cerca di comunicare con le persone intorno a te. La sera, sotto le coperte, parla con la tua compagna. Lei è reale, non virtuale! La valigia? Preparatela, ma per un bel fine settimana romantico e rilassante insieme!
Giorgia

D. Nei testi ci sono alcune frasi che esprimono ipotesi. Individuale e completa il quadro.

il periodo ipotetico della realtà ▸ p. 96

IPOTESI	CONSEGUENZA
Se le code sono lunghe,	*divento pigro e non vado in palestra.*
Se non mi rilasso,	....
....	risparmierai molto tempo ed energie.
....	ti limiterai alle cose più importanti.
Se fai un'ora di attività fisica dopo il lavoro,	....

E. Hai capito come si costruisce il periodo ipotetico della realtà? Completa a piacere le seguenti ipotesi.

1. Se inizi a fare sport regolarmente, ...
2. Se mangiamo sano, ...
3. Se faccio una lista delle priorità, ...

F. Osserva le strutture evidenziate nella lettera di Giorgia: qual è la loro funzione? Completa il quadro e confrontati con un compagno.

verbi con preposizioni ▸ p. 96

inizio di un'azione:	*cominciare a*
fine di un'azione:	....
intenzione:	....

G. E tu, sei stressato? A coppie, rispondete a queste domande e fate una "diagnosi" del compagno. Potete usare i seguenti aggettivi.

rilassato | stressato | energico | ansioso | positivo | negativo

1. Come ti senti quando ti alzi la mattina?
....
2. Sei nervoso durante la giornata?
....
3. Dormi bene la notte?
....
4. Hai appetito?
....
5. Hai tempo per comunicare con le persone che ami?
....
6. Dedichi del tempo ai tuoi hobby?
....

31

H. Ascolta la conversazione tra amici e completa il quadro con il problema e i relativi consigli.

problema	consigli
....	....
....	....
....	....
....	....
....	....

I. A coppie, scrivete altri consigli da dare a Raffaele.

Se non riesci a dormire, prova a bere una tisana rilassante...

CI **STIAMO TUTTI BENE?**
Quali sono i motivi di stress e il livello di stress della classe? Preparate un cartellone o un grafico con didascalie esplicative.

4. Dottore, cosa sarà?

A. Osserva l'immagine e completa con le seguenti parti del corpo

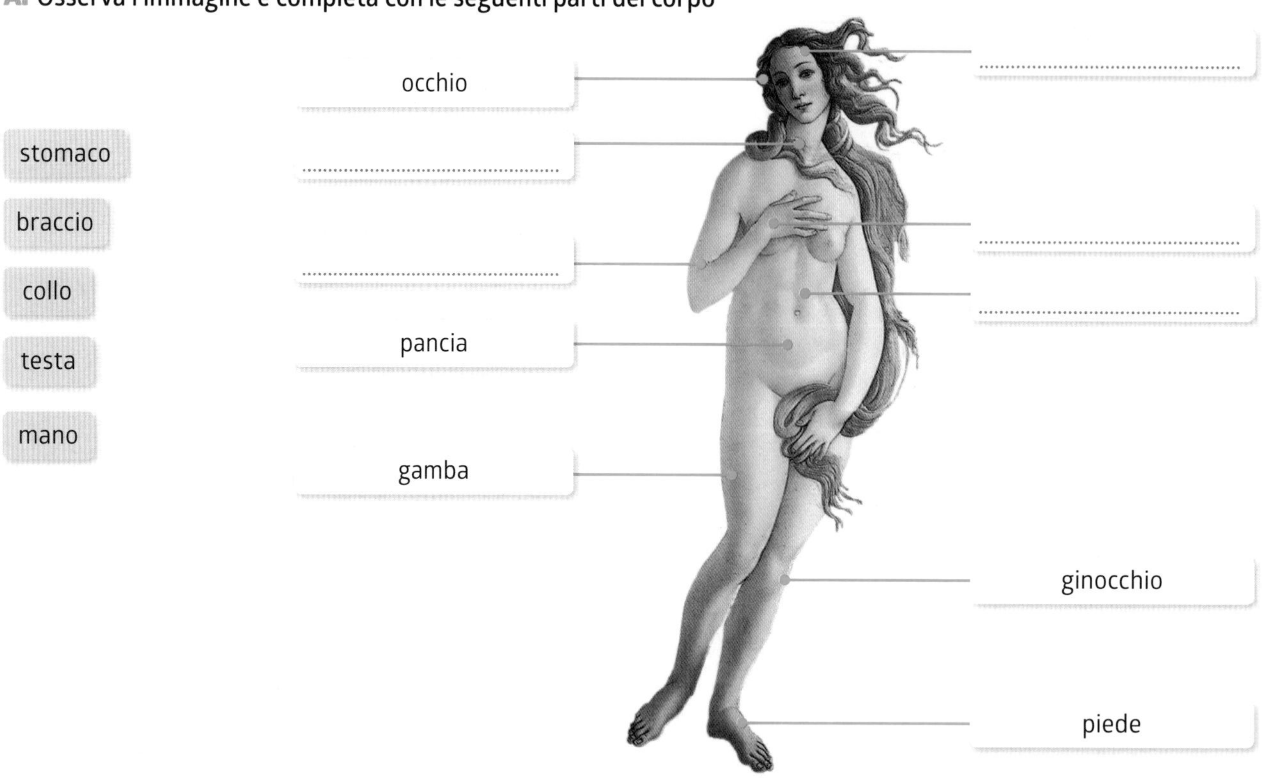

32

B. Quale farmaco usi per i seguenti disturbi? Parlane con un compagno. Poi, ascolta il dialogo tra medico e paziente e verifica.

▶ compressa di analgesico ▶ bustina di aspirina ▶ gocce ▶ sciroppo ▶ spray

	disturbo	farmaco
1	mal di orecchie	
2	mal di gola	
3	mal di schiena	
4	tosse	
5	febbre	

32

C. Osserva le frasi estratte dalla registrazione e indica che cosa esprimono i verbi al futuro. Ascolta una seconda volta, l'intonazione può aiutarti.

a. parlare di azioni ed eventi futuri

b. fare un'ipotesi

1. Sarà una polmonite? .....
2. Ma no, probabilmente avrà un po' d'influenza. .....
3. Ma guarirò? Sarà solo influenza? .....
4. Di niente, si riguardi e vedrà che guarirà rapidamente. .....

D. Il paziente nomina alcune parti del corpo che hanno il plurale irregolare. Completa il quadro con il singolare corrispondente.

occhi → *occhio*

orecchie → ....

braccia → ....

ginocchia → ....

E. Abbina le parole all'immagine corrispondente.

1. spray **2.** termometro **3.** compresse **4.** bustina **5.** sciroppo **6.** gocce

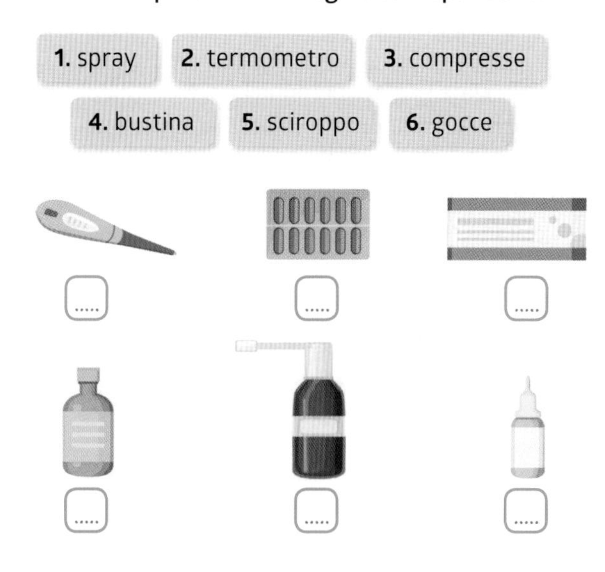

F. Leggi i post pubblicati sulla piattaforma Dottore Online e completa i consigli del medico con le seguenti frasi.

1. Le consiglio di andare dal dentista per una visita.
2. L'attività fisica è molto importante, l'aiuterà a rafforzare muscoli e ossa.
3. Provi a parlare con un nutrizionista, perché la colazione è il pasto più importante della giornata.

www.dottoreonline.cdl

DOTTORE ONLINE

FILIPPO > Dottore, da mesi soffro di dolori alla schiena e spesso ho il collo bloccato. Spesso sento un formicolio a braccia, mani e dita e infatti metto una crema antinfiammatoria tutte le sere. Non ne posso più! Sto per prendere la seconda compressa di analgesico del giorno...

DOTTOR BIANCHI > Innanzitutto, non dovrebbe prendere due analgesici al giorno, fanno male allo stomaco! Le consiglio di fissare una visita dal fisioterapista. Poi, Lei fa sport?

DARIO > Dottor Bianchi, soffro almeno due volte alla settimana di mal di testa. Spesso mi colpisce la notte ed è talmente forte da svegliarmi. Quali possono essere le cause?

DOTTOR BIANCHI > Le cause possono essere varie, ma dato che la colpisce principalmente la notte, potrebbe essere legato al bruxismo. Non è facile da diagnosticare ma i segnali più comuni sono i denti danneggiati e la mascella indolenzita.

MARIANNA > Molti amici mi dicono che il caffè bevuto la mattina a digiuno fa male. È vero? Io la mattina non ho appetito, ho solo voglia di un bel caffè. Infatti... sto per mettere sul fuoco la moka!

DOTTOR BIANCHI > No, non è vero. Un caffè al giorno non fa male, preso a digiuno o no non fa differenza. Comunque, le consiglio di mangiare qualcosa la mattina.

G. Osserva le strutture evidenziate al punto F. Che cosa esprimono?

a. un'azione in corso **b.** un'azione finita **c.** un'azione che inizia dopo poco tempo

H. E tu, che consigli daresti a queste persone? Scrivi una risposta per ciascuno dei tre post.

I. Trova nei post il plurale delle seguenti parti del corpo e completa il quadro.

mano → ....
dito → ....
osso → ....

L. Abbina le professioni alla definizione corrispondente.

dentista nutrizionista fisioterapista

a. specialista in ginnastica medica e massaggi terapeutici
b. specialista nella cura della salute della bocca
c. specialista dell'alimentazione, elabora diete equilibrate

M. E tu, che cosa fai quando soffri di questi disturbi? A coppie, confrontate i vostri rimedi.

CI **MI FA MALE LA TESTA...**
A coppie, pensate ai disturbi più comuni nel vostro Paese e scrivete in una scheda sintomi, rimedi, farmaci e consigli.

Grammatica

IL FUTURO SEMPLICE

IMPARARE	PRENDERE
impar**erò**	prend**erò**
impar**erai**	prend**erai**
impar**erà**	prend**erà**
impar**eremo**	prend**eremo**
impar**erete**	prend**erete**
impar**eranno**	prend**eranno**

COLPIRE
colp**irò**
colp**irai**
colp**irà**
colp**iremo**
colp**irete**
colp**iranno**

ESSERE	AVERE
sarò	avrò
sarai	avrai
sarà	avrà
saremo	avremo
sarete	avrete
saranno	avranno

Alcuni verbi irregolari:
andare → andrò, andrai, andrà, andremo, andrete, andranno
dovere → dovrò, dovrai, dovrà, dovremo, dovrete, dovranno
potere → potrò, potrai, potrà, potremo, potrete, potranno
sapere → saprò, saprai, saprà, sapremo, saprete, sapranno
vedere → vedrò, vedrai, vedrà, vedremo, vedrete, vedranno
dare → darò, darai, darà, daremo, darete, daranno
fare → farò, farai, farà, faremo, farete, faranno
stare → starò, starai, starà, staremo, starete, staranno
bere → berrò, berrai, berrà, berremo, berrete, berranno
venire → verrò, verrai, verrà, verremo, verrete, verranno
volere → vorrò, vorrai, vorrà, vorremo, vorrete, vorranno

Nei verbi in -**care** e -**gare** si aggiunge una -**h**-
cercare → cer**che**rò, cer**che**rai, cer**che**rà, cer**che**remo, cer**che**rete, cer**che**ranno
pagare → pa**ghe**rò, pa**ghe**rai, pa**ghe**rà, pa**ghe**remo, pa**ghe**rete, pa**ghe**ranno

I verbi in -**ciare** e -**giare** perdono la -**i**-
cominciare → comin**ce**rò, comin**ce**rai, comin**ce**rà, comin**ce**remo, comin**ce**rete, comin**ce**ranno
mangiare → man**ge**rò, man**ge**rai, man**ge**rà, man**ge**remo, man**ge**rete, man**ge**ranno

Usiamo il futuro per:

- parlare di azioni ed eventi futuri
  *Il mese prossimo **controllerò** il tempo dedicato ai social.*
  *Nel 2050 la nostra memoria **sarà** poco sviluppata.*
- fare ipotesi
  - *Non mi sento bene. Che cosa **avrò**?*
  - ***Sarà** il cambio di stagione...*

 Al posto del futuro, spesso, usiamo l'indicativo presente, soprattutto nella lingua parlata.
Il mese prossimo ho una visita medica.
Il 18 ottobre ho un appuntamento dal dentista.

STARE PER + INFINITO

Usiamo la costruzione **stare per** + infinito per indicare un'azione imminente, che inizia dopo poco tempo.

- *Ho male dappertutto, **sta per venirmi** l'influenza.*
- *Mannaggia... hai già preso lo sciroppo?*
- ***Sto per prenderlo***

IL PERIODO IPOTETICO DELLA REALTÀ

Lo usiamo quando l'ipotesi (introdotta da **se**) è abbastanza certa.

IPOTESI	CONSEGUENZA
se + presente / futuro	→ presente /futuro
Se segui questi consigli,	→ *ti sentirai meglio.*
Se prendo la compressa,	→ *mi addormento.*
Se useremo molto il cellulare,	→ *soffriremo di nomofobia.*

VERBI CON PREPOSIZIONI

Provare a + infinito, **Smettere di** + infinito, **Cercare di** + infinito, **Cominciare a** + infinito

***Provate a** fare ogni giorno una lista delle cose che dovete fare.*
***Smetti di** guardare sempre il cellulare.*
***Cercate di** dedicare almeno due ore a voi stessi!*
***Cominciano a** capire che non è possibile fare tutto!*

1. Indica che cosa esprime il futuro in queste frasi.

a. parlare di azioni ed eventi futuri
b. fare un'ipotesi

1. La prossima settimana mi riposerò un po': basta correre! ....
2. Cosa sarà questa medicina? ....
3. Tra dieci anni saremo sempre meno capaci di memorizzare le informazioni. ....
4. A cosa servirà questa pomata? ....
5. Sarò malato? ....
6. Stasera prenderò la compressa. ....

2. Completa l'articolo con il futuro semplice dei verbi tra parentesi.

Quante complicazioni!

Nel futuro .... (noi, essere) circondati sempre più dalla tecnologia e i risultati .... (essere) terribili per il nostro organismo. Ci .... (colpire) la sindrome da "multitasking", cioè le tecnologie ci .... (fare) svolgere moltissime cose in contemporanea senza un attimo di pausa e non .... (potere) più concentrarci. .... (noi, avere) anche problemi di interazione con le persone perché non le .... (noi, vedere) quasi più dal vivo ma .... (noi, parlare) solo attraverso schermi e telefoni. Ma tutto questo .... (essere) vero? .... (noi, rinunciare) alle belle serate a tavola tutti insieme senza tecnologia?

3. Che cosa diresti in queste situazioni? Scrivi una risposta con il futuro semplice.

a. Oggi Marco non è venuto in ufficio, cosa gli sarà successo?
Avrà l'influenza.

b. Quando verranno a trovaci Giorgia e Pietro?
....

c. Ho sempre un forte mal di testa...
....

d. Ma come mai Federica non risponde al telefono?
....

e. Hai visto quanto è dimagrito Luigi?!
....

f. Bianca non è ancora arrivata...
....

4. Riscrivi le frasi con la costruzione stare per + **infinito.**

a. Rispondo alla mail tra pochi minuti.
→ *Sto per rispondere alla mail.*

b. Il cielo è tutto grigio, fra poco piove
→ ....

c. Andiamo a dormire tra poco.
→ ....

d. Arrivate tra poco?
→ ....

e. L'autobus parte tra pochi minuti.
→ ....

f. Ho quasi finito di leggere l'articolo.
→ ....

5. Completa le frasi con smettere, cercare, provare, cominciare.

a. .... di essere maniaco del controllo, sei troppo stressato!
b. .... di dedicare un po' di tempo a voi stessi.
c. .... a prendere questa medicina, vedrai che starai meglio.
d. .... ad andare in palestra una volta alla settimana, ti farà bene alla schiena.
e. .... di stare seduto in una posizione corretta.
f. .... a parlare con un medico specialista, magari vi darà dei consigli utili.

6. Completa i periodi ipotetici.

a. Se mi aumenterà il mal di gola, ...
....

b. Se continui a lavorare troppo, ...
....

c. Se smetterai di fumare, ...
....

d. Se i pazienti non arriveranno in orario, ...
....

e. Se il medico ti ha detto di prendere lo sciroppo, ...
....

f. Se non smetteremo di usare sempre la tecnologia,
....

Le parti del corpo

1. Osserva le illustrazioni, trova gli errori e correggi le frasi.

a. Ho l'influenza.

....

b. Mi sono rotto un braccio.

....

c. Mi fa male la schiena.

....

d. Ho mal di testa.

....

e. Mi fa male la pancia.

....

f. Ho mal di denti.

....

2. Abbina i problemi all'esperto.

a. Ho mal di denti.
b. Ho mal di pancia.
c. Ho mal di schiena.
d. Sono ingrassato troppo.
e. Devo comprare delle medicine.

1. nutrizionista
2. medico
3. dentista
4. farmacista
5. fisioterapista

3. Quali rimedi possono aiutare queste persone?

a. Mi fa male il dente del giudizio.
→ ....

b. Sono settimane che non riesco a dormire bene.
→ ....

c. Ho la febbre alta.
→ ....

d. Mi fanno male le spalle, avrò i muscoli infiammati.
→ ....

e. Non respiro, ho un raffreddore fortissimo!
→ ....

4. Scrivi le parti del corpo.

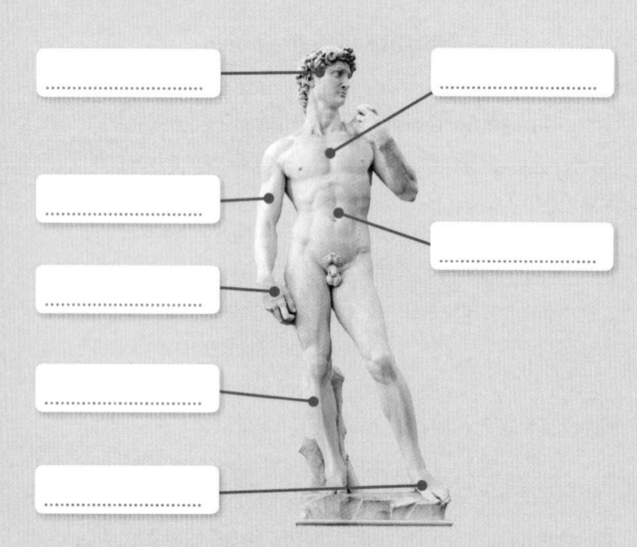

5. Completa le frasi con le parti del corpo corrette.

a. I suoi .... sono verdi e vivaci.

b. Mi fanno male le ...., non ce la faccio a portare i sacchetti della spesa.

c. Sono andata in motorino con capelli bagnati e adesso mi fanno male le ...., non ti sento. Parla più forte!

d. Sono caduto e mi sono rotto due ....di una mano.

e. Vorrei andare a correre ma sono giorni che mi fanno male le ...., non riesco a piegare le gambe.

6. Completa le combinazioni.

sentirsi
non riuscire
avere
soffrire
dormire
stare
essere
prendere

I segnali discorsivi: *magari*

33

7. Completa i dialoghi con le frasi sotto. Poi ascolta e verifica. Infine, traduci le risposte nella tua lingua. Che cosa esprime **magari**? A cosa corrisponde nella tua lingua?

desiderio | possibilità

a. Va un po' meglio?
.... = ...

b. Domani vado in ospedale per gli esami.
.... = ...

c. Mi hanno detto che cambi lavoro per avere meno stress.
.... = ...

d. Sai che con questa pomata il mio dolore al braccio è passato?
.... = ...

e. Mi fa male tutto... non ho voglia di fare yoga...
.... = ...

1. Se ho tempo, **magari** ti accompagno.
2. **Magari**! E invece, no. Continuo a stare lì e a impazzire.
3. Dai che **magari** ti fa bene e domani ti senti meglio!
4. Ah, sì!? **Magari** la provo anch'io per la mia gamba.
5. **Magari**! Ho ancora la febbre alta.

34

1. Ascolta la registrazione e per ciascuna frase indica se il futuro esprime un'azione futura (F) o un'ipotesi (I).

	azione futura	ipotesi
a		
b		
c		
d		
e		
f		

35

2. Leggi i dialoghi e fai attenzione all'intonazione che usi. Poi ascolta la registrazione per verificare e indica se **magari** esprime un desiderio o una possibilità.

a. ● Ti è passato il mal di gola?
○ Magari! Mi brucia ancora tantissimo.

b. ● Mi sento sempre stanco e senza energie.
○ Magari potresti andare dal medico.

c. ● Ho saputo che Lucia sta meglio!
○ Sì, è quasi guarita. Magari tra poco torna al lavoro.

d. ● Se vuoi ti accompagno dal medico.
○ Magari! Non me la sento di andare da sola.

36

3. Ascolta la registrazione e indica se senti il suono doppio o semplice.

	suono semplice	suono doppio
a		
b		
c		
d		
e		
f		

La salute degli italiani

L'Italia conquista la prima posizione come "Paese più in salute" del mondo, secondo il Bloomberg Global Health Index, con un punteggio di ben 93,11 su 100, seguita da Islanda, Svizzera e Singapore. Tra i vari fattori che contribuiscono a stabilire questa posizione, l'Italia primeggia in nutrizione, longevità e qualità della vita. Proprio la dieta Mediterranea, sana e gustosa, insieme a una buona dose di attività fisica, ha fatto raggiungere agli italiani il record di longevità: l'età media degli uomini è di 80 anni e per le donne è di 84 anni. L'UNESCO l'ha inserita nella lista del Patrimonio Culturale Immateriale dell'Umanità proprio per il suo valore nutrizionale e culturale. Gli studiosi concordano nell'affermare che i principi e le regole alimentari ispirati alla dieta mediterranea assicurano all'organismo la giusta quantità di calorie e i nutrienti essenziali al suo corretto funzionamento. Ma non solo, è anche un'ottima difesa contro alcune malattie del cuore e del metabolismo. Con una giusta combinazione di questi alimenti, potremo assicurarci maggior qualità della vita e chissà, una vita più lunga!

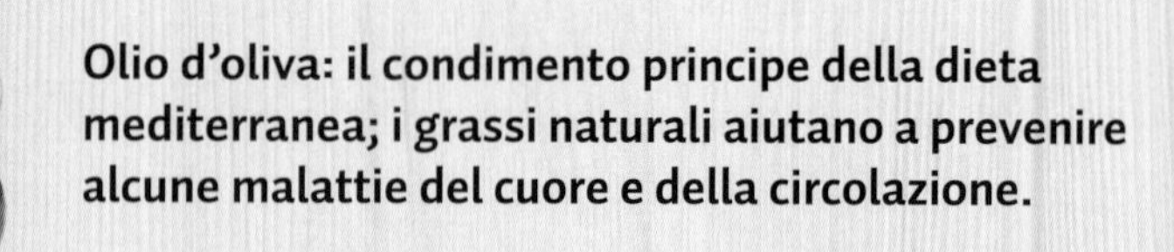

Olio d'oliva: il condimento principe della dieta mediterranea; i grassi naturali aiutano a prevenire alcune malattie del cuore e della circolazione.

Frutta e verdura: contengono molta acqua, fibre, minerali e vitamine.

Cereali, pasta e pane: sono fonte del 60% dell'apporto energetico giornaliero. Meglio se integrali.

Legumi: ottima fonte di fibre, vitamine, carboidrati e, soprattutto, di proteine.

Formaggio, latticini e carne: se consumati in piccole quantità sono una buona fonte d'energia.

Pesce: è una fonte importantissima di omega-3 utili anche contro l'invecchiamento della pelle.

Vino (preferibilmente rosso): consumato a tavola durante i pasti, è un ottimo antiossidante!

Dieta mediterranea e longevità

A. Sai cos'è la dieta mediterranea? Prima di leggere l'articolo, parlane con un compagno.

B. Leggi l'articolo e rispondi alle seguenti domande.

1. Quali sono i due elementi principali che favoriscono la salute degli italiani?

   ....

   ....

2. Perché la dieta mediterranea è patrimonio UNESCO?

   ....

   ....

3. Perché la dieta mediterranea fa bene alla salute?

   ....

   ....

37

C. Ascolta la registrazione e indica se le seguenti affermazioni sono vere o false.

	V	F
1. Tutti i componenti della famiglia Melis sono centenari.	☐	☐
2. Alcune ricerche hanno dimostrato che c'è un legame tra longevità e alimentazione.	☐	☐
3. In Sardegna si consumano solo prodotti locali.	☐	☐
4. Nelle piccole comunità si vive più a lungo.	☐	☐
5. La dieta sarda si esporterà in tutta Europa.	☐	☐

D. Tu segui la dieta mediterranea? Fai attività fisica? Scrivi un elenco delle tue abitudini alimentari e sportive.

Mangio verdura tre volte alla settimana...

Compiti finali

Scambiarsi consigli sulla gestione del tempo

A. A gruppi, pensate alle strategie che usate per organizzare la vostra giornata.

B. Selezionate le strategie migliori e scrivete un elenco di consigli sulla gestione del tempo.

C. Presentate i vostri consigli e leggete quelli degli altri. Fatevi domande sui consigli che vi sembrano più interessanti o curiosi.

STRATEGIE PER LAVORARE

Usate le strutture apprese nell'unità per formulare consigli.

Potete creare un blog sulla buona gestione del tempo.

Immaginare e presentare una società del futuro funzionale e sana

A. Pensa alle caratteristiche che, secondo te, avrà una società del futuro sana e funzionale: lavoro, alimentazione, tecnologia, organizzazione del tempo, ecc.

B. Raccogli idee e informazioni e prepara una presentazione con immagini, ipotesi, esempi.

C. Scegli il formato che preferisci e presenta ai compagni la tua "società del futuro".

STRATEGIE PER LAVORARE

Pensa alle cose che vorresti cambiare per migliorare la qualità della vita, saranno lo spunto per immaginare alternative migliori.

Condividete la vostra presentazione nello spazio virtuale della classe e su un social.

Com'è andato il compito?

A. Fai un'autovalutazione delle tue competenze.

	😁	😊	😕	😥
Parlare della gestione del tempo				
Parlare di disturbi e sintomi				
Chiedere e dare cosigli				
Fare ipotesi				

B. Durante la realizzazione dei compiti hai incontrato qualche difficoltà? Quale/i?
Cosa hai imparato di nuovo? Cosa ti è piaciuto di più dei compiti?

😁	😥

C. Valuta il compito dei tuoi compagni e poi parlane con loro.

	😁	😊	😕	😥
La presentazione è chiara.				
Hanno utilizzato i contenuti dell'unità.				
Il lessico utilizzato è adeguato.				
È originale e interessante.				
La pronuncia è chiara e l'intonazione corretta.				

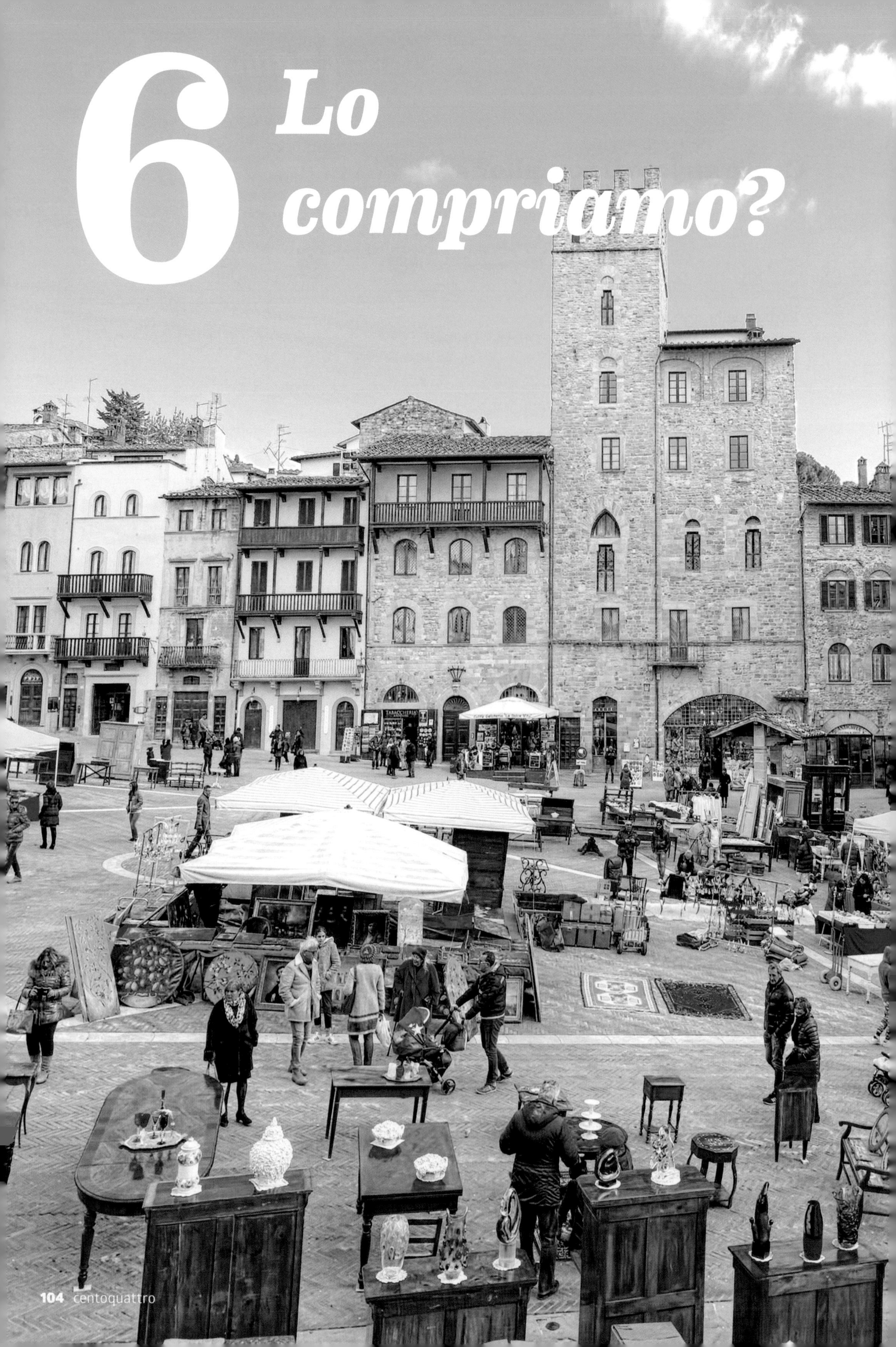

6 Lo compriamo?

CF COMPITI FINALI
- **Fare l'infografica dei prodotti più comprati della classe**
- **Preparare l'annuncio di un oggetto usato da vendere online**

CI COMPITI INTERMEDI
- Reperire informazioni su un prodotto
- Preparare una scheda con informazioni su un prodotto di seconda mano
- Scrivere le caratteristiche del supermercato ideale per il consumatore

SCONTO ANNUNCIO SCEGLIERE PREZZO CONTANTI PAGARE
ACQUISTARE PREZZO
SPEDIZIONE PAGARE MERCATO CONSEGNARE PUBBLICITÀ RITIRO
MATERIALE CONTANTI SCONTO PREZZO
BOUTIQUE PREZZO PAGARE MERCATO PUBBLICITÀ
SCEGLIERE ANNUNCIO SPEDIZIONE
MATERIALE CONSEGNARE
PAGARE SPENDERE CONTANTI CONSEGNARE
SPEDIZIONE PREZZO ANNUNCIO
CONSEGNARE BOUTIQUE SUPERMERCATO
SCONTO MATERIALE ACQUISTARE PUBBLICITÀ
SPEDIZIONE SCONTO SCONTO CONSEGNARE PAGARE CONTANTI MERCATO SCONTO
CONSEGNARE
MERCATO BOUTIQUE SCEGLIERE
RITIRO PREZZO BOUTIQUE NEGOZIO PAGARE SPEDIZIONE
CONSEGNARE
ANNUNCIO CONTANTI
RITIRO PUBBLICITÀ
RITIRO NEGOZIO BOUTIQUE SPENDERE

1. Lo prendo!

A. Osserva la fotografia: che luogo rappresenta? Quali elementi riconosci? Parlane con un compagno.

B. Osserva la nuvola di parole e completa le seguenti categorie. Poi, confronta la tua lista con quella di un compagno.

Nomi utili per fare acquisti: ....

....

Verbi utili per fare acquisti: ....

....

Luoghi in cui fare acquisti: ....

....

C. Tu di solito dove fai acquisti? Quali oggetti compri? Parlane con un compagno.

- *A me piace acquistare vestiti vintage nei mercati dell'usato. Ci vado almeno una volta al mese!*
- *Io invece preferisco fare acquisti online: mi piace la spesa a domicilio!*

2. Cose di cui abbiamo bisogno

A. Osserva l'infografica sul comportamento d'acquisto di uomini e donne in Italia. Completala con le seguenti parole, poi confrontati con un compagno.

▶ addetti alle vendite ▶ spesa media ▶ acquisti online ▶ mobili

ACQUISTI: UOMO E DONNA A CONFRONTO

Tipologie di acquisti

28 % 72 % alimentari

48 % 52 % elettrodomestici

43 % 57 % ....

51 % 49 % prodotti culturali

72 % 28 % ....

Fonti che influenzano gli acquisti

giornali e riviste

amici e parenti

siti web e forum

....

22 % 26 % social media

Comportamento d'acquisto online

Tempo medio d'acquisto

10 minuti 14 minuti

....

135 euro 95 euro

Cosa acquistano

tecnologia	musica	prodotti culturali
76 %	60 %	59 %

prodotti culturali	musica	tecnologia
64 %	60 %	57 %

B. E a casa tua, chi fa gli acquisti e che cosa acquista? A coppie, fatevi delle domande per completare ciascuno la scheda dell'altro.

- *Di solito, chi compra i prodotti alimentari?*
- *Il mio ragazzo, perché gli piace andare al supermercato.*

ALIMENTARI: ....

ELETTRODOMESTICI: ....

MOBILI: ....

TIPOLOGIE D'ACQUISTO PIÙ FREQUENTI: ....

ALTRO: ....

C. Leggi l'articolo e verifica l'infografica che hai completato. Ci sono informazioni che ti sorprendono? Secondo te, qual è il comportamento d'acquisto nel tuo Paese? Parlane con un compagno.

Acquisti razionali o emotivi?

Un'indagine ha evidenziato differenze e similitudini nel comportamento dei consumatori di sesso opposto in Italia.

La differenza maggiore riguarda le fonti da cui si lasciano influenzare nelle scelte: amici, parenti e addetti alle vendite per lei; giornali, riviste e siti web per lui. I social media sono sempre più importanti per entrambi. Più "mi piace" ci sono, meglio è!
Tra le tipologie di prodotti comprati, sono simili le percentuali per gli elettrodomestici e i prodotti culturali. Una chiara differenza si osserva nei mobili e negli alimentari, di cui si interessano principalmente le donne, e negli acquisti online, a cui si dedicano soprattutto gli uomini.
Per entrambi i sessi aumentano i consumatori che fanno acquisti online, ma la percentuale degli uomini è nettamente maggiore.
Sul web l'uomo, che generalmente è più veloce della donna nella scelta, spende mediamente di più (135 euro contro i 95 euro della donna). La percentuale femminile di acquirenti online è minore ma in crescita, grazie al prezzo spesso migliore e alla vasta scelta offerti dal web.
Nonostante le differenze, nei primi tre posti della graduatoria dei prodotti acquistati si alternano le stesse tipologie di prodotti: il 76% degli uomini acquista computer mentre il 64% delle donne acquista prodotti culturali, al secondo posto il 60% di uomini e donne acquista musica, al terzo posto ci sono prodotti culturali per lui (59%) e computer per lei (57%).

Adattato da www.vanityfair.it

D. Osserva i pronomi relativi **che** e **cui** evidenziati nel testo e scegli le opzioni corrette per completare la regola d'uso.

i pronomi relativi che e cui ► p. 112

che / cui	è preceduto da una preposizione
che / cui	non è preceduto da una preposizione

E. Individua e osserva i seguenti comparativi estratti dal testo e completa il quadro. Poi, in base alle informazioni presenti nell'infografica e nell'articolo, completa le frasi sotto.

minore | migliore | maggiore | meglio

i comparativi ► p. 112

buono	....
grande	....
piccolo	....
bene	....

1. Il tempo medio che l'uomo dedica a un acquisto online è .... di quello della donna.
2. L'influenza dei social media sugli acquisti è .... per le donne che per gli uomini.
3. In alcuni negozi si trovano prezzi buoni, ma su Internet spesso sono ....
4. È bene ascoltare i consigli di un esperto, ma per molti uomini è .... leggere le opinioni degli utenti online.

F. Hai notato qualcosa di particolare nell'uso delle parole **bene** e **buono**? Completa la regola.

bene e buono ► p. 112

bene si riferisce ad un **verbo / nome** ed è **variabile / invariabile**
buono si riferisce ad un **verbo / nome** ed è **variabile / invariabile**

38

G. Un giornale intervista due persone sui loro comportamenti d'acquisto online. Ascolta e indica se le affermazioni sono vere o false.

	V	F
1. Entrambi gli intervistati fanno acquisti con la stessa frequenza.	☐	☐
2. Per gli acquisti usano gli stessi dispositivi (pc, smartphone, tablet).	☐	☐
3. Comprano oggetti simili.	☐	☐
4. Acquistano per motivi diversi.	☐	☐
5. Danno uguale importanza alle opinioni degli utenti online.	☐	☐

H. Osserva le parole evidenziate al punto G. Cosa significano? Scrivi la traduzione nella tua lingua.

CI **RECENSIONI PER TUTTI I GUSTI**
Cerca su siti Internet in italiano un prodotto che ti piacerebbe acquistare. Annota le informazioni che ritieni più utili. Secondo te, le recensioni sono utili? Prendi nota e parlane con un compagno.

3. Compravendita usato online

A. Il mercato dell'usato online è in crescita. Hai mai acquistato o venduto oggetti di seconda mano online? Se sì, quali? Parlane con un compagno.

B. Leggi i quattro annunci di un portale per la compravendita di oggetti usati. A quali delle seguenti categorie appartiene ciascuno? Poi, completa il quadro della pagina seguente con le caratteristiche corrispondenti.

abbigliamento | elettrodomestici | libri | arredamento | elettronica | oggetti da collezione

Enciclopedia illustrata del cinema italiano

Prezzo: 120 €
Località: L'Aquila

Vendesi Enciclopedia del cinema italiano. Per chi ama il cinema, questo è un pezzo da collezione imperdibile! Con i 6 volumi della collana, ci si immerge nella storia e nei personaggi del cinema italiano del secolo scorso. L'edizione De Agostini, stampata nel 2002, ha la copertina in pelle marrone e dispone di un cofanetto in cartone rivestito di tessuto. Eccellenti condizioni generali per un prezzo d'occasione: 120 €. È un vero affare! Si può effettuare la spedizione in tutto il mondo, le spese sono a carico dell'acquirente. In città, si può concordare la consegna a mano. Pagamento in contanti o con bonifico bancario.
Per ulteriori informazioni telefonate al 333 776 6721 (solo ore pasti).

1

Tavolino pallet

Prezzo: 70 €
Località: Ravenna

Vendo tavolino bianco da interno artigianale costruito con un pallet riciclato in legno. È in buonissime condizioni: solo segni di normale usura, ma nessun graffio e nessuna ammaccatura. Il cristallo superiore è resistente. C'è un ripiano in cui si possono mettere libri, giornali e altro ancora. Si può spostare facilmente grazie alle ruote in gomma.
Misure: Lunghezza 90 cm, larghezza 50 cm, altezza (con ruote) 37 cm.
Si può ritirare di persona. Prezzo non trattabile 70 €.
Accetto solo contanti. Su richiesta posso offrire altre foto. Contattatemi su whatsapp, tramite sms o direttamente al cellulare 3484058669 (Stefano).

2

Macchina da scrivere Olivetti

Prezzo: 80 €
Località: Terni

Vendesi macchina da scrivere Olivetti STUDIO 44, blu pastello, completa di accessori originali, perfettamente funzionante. Se si vuole arredare la scrivania con un oggetto cult, la Studio 44 è uno dei più importanti esempi di Design Olivetti degli anni '50. Il prezzo è di 80 € trattabili. Il telo in plastica rigida per la copertura e la valigetta originale in ecopelle si devono acquistare a parte.
Pagamento in contanti al momento del ritiro. Consegna a mano a Montecastrilli (Terni) o in paesi limitrofi. Per informazioni, telefonare o mandare un whatsapp al numero 3921025996.

3

Macchina per la pasta fresca

Prezzo: asta online
Località: Napoli, Arenella

Vendo macchina per fare la pasta in casa. Corpo in acciaio cromato, rulli in alluminio. Peso 4 kg. Usata pochissimo e in ottime condizioni. Ancora in garanzia. Si possono fare moltissimi formati di pasta. Se si vogliono preparare tortellini e pasta ripiena, si deve acquistare l'accessorio apposito reperibile sul sito della stessa marca.
Pagamento in contanti o bonifico bancario. Ritiro da parte dell'acquirente in zona Arenella a Napoli.
Per l'asta online, si può partire dal prezzo minimo di 25 €.
Per informazioni rivolgersi a c.rossi@gmail.com. Buona asta a tutti!

4

	1	2	3	4
materiale	....	*legno, cristallo, gomma*	....	....
condizioni	*eccellenti*	....	....	....
tempo di utilizzo	....	....	....	....
metodo di pagamento	....	....	....	*contanti o bonifico*
metodo di spedizione	....	....	*consegna a mano*	....

C. Quale degli oggetti degli annunci ti piace? Perché? Pensa a chi potresti regalarlo.

D. Osserva le costruzioni impersonali con il **si** evidenziate negli annunci. Scegli l'opzione corretta e completa la regola d'uso.

costruzione impersonale con i verbi riflessivi ▶ p.112

Usiamo la costruzione impersonale con **si** quando **vogliamo / non vogliamo** identificare il soggetto della frase.

.........+ si + verbo alla 3ª persona singolare

costruzione impersonale con i verbi modali ▶ p.112

non c'è un oggetto	si + verbo modale alla 3ª persona singolare + infinito
l'oggetto è singolare	si + verbo modale .... + infinito
l'oggetto è plurale	si + verbo modale .... + infinito

E. Osserva le preposizioni usate per indicare i materiali degli oggetti negli annunci. Completa la lista e scrivi almeno un oggetto per ciascun materiale. Poi confronta con un compagno.

di carta: quaderno, ...
di pelle: ....
....
....
....

F. Ascolta due dialoghi in cui due coppie leggono l'annuncio di un oggetto. Di quale oggetto si tratta? Rispondi alle domande.

39

Oggetto 1: ....
1. È in buone condizioni? ....
2. Di che materiale è? ....
3. Quanto costa? ....

Oggetto 2: ....
4. L'oggetto è nuovo o usato? ....
5. Qual è il prezzo? ....
6. Di che materiale è? ....

G. A coppie, osservate gli oggetti nelle immagini e descrivete colori e materiali.

CI **LO VENDO!**
Pensa a un oggetto che hai in casa e vorresti vendere, prepara una scheda come quella compilata al punto B.

4. Difendersi dal marketing

A. Pensa a due pubblicità (online, spot televisivo o radiofonico, cartellone, inserzione su stampa, volantino o altro) che ti hanno colpito e spiegane la ragione a un compagno.

▶ slogan divertente / intelligente / ingannevole ▶ motivo orecchiabile ▶ immagini accattivanti / scioccanti

B. Leggi il seguente blog che propone consigli per fare acquisti in modo consapevole. Quale comportamento tra quelli consigliati segui durante i tuoi acquisti? Parlane con un compagno.

Acquisti consapevoli di Sandra Pellicci

Le strategie di marketing mirano a condizionare le scelte d'acquisto. Ecco alcuni consigli per non farsi manipolare dalla pubblicità persuasiva e sviluppare delle capacità di acquisto consapevole:

• Attenti ai prodotti a prezzi scontati! Acquistateli solamente se sono indispensabili.

• I prodotti sono confezionati per invogliare all'acquisto. Attenzione perciò, non sceglieteli solo per la bellezza o la grandezza delle confezioni, ma anche per il loro contenuto, la qualità e il prezzo.

• I limiti nella quantità e nella durata di un'offerta sono pensati per indurre ad acquistare rapidamente un prodotto. Siate prudenti con questo tipo di promozioni.

• Il prezzo di un prodotto vi sembra troppo alto? Avete il cellulare con voi? Allora usatelo per confrontare i prezzi e abbiate la pazienza di informarvi sul prodotto!

• Sappiate che niente è lasciato al caso nella disposizione dei prodotti nei supermercati. Volete prodotti più economici? Non li cercate nella fascia mediana degli scaffali, ma in quella bassa dove sono meno accessibili.

• Alcuni prodotti si trovano anche all'estero: non acquistateli necessariamente sui portali nazionali, magari all'estero sono meno cari!

• Riguardo all'acquisto degli alimenti, preferiteli sempre sfusi, se possibile, perché le confezioni possono incidere fino al 30% sul prezzo.

C. Osserva le forme evidenziate dell'imperativo + pronome e completa il seguente quadro.

l'imperativo con i pronomi ▶ p. 112

Imperativo affermativo + pronome	Imperativo negativo + pronome
(voi) *acquistateli*	(voi) *Non sceglieteli*
(voi)	(voi) ....
(voi)	(voi) ....

D. Dove mettiamo il pronome con l'imperativo affermativo? E con l'imperativo negativo? Parlane con un compagno.

E. Scrivi l'imperativo affermativo e negativo alla seconda persona singolare dei verbi del quadro al punto C.

l'imperativo con i pronomi ▶ p. 112

Imperativo affermativo + pronome	Imperativo negativo + pronome
(tu) *acquistali*	(tu) *Non acquistarli*
(tu)	(tu) ....
(tu)	(tu) ....
(tu)	(tu) ....
(tu)	(tu) ....
(tu)	(tu) ....

F. Nel blog sono presenti tre imperativi irregolari senza pronome, individuali e completa il quadro.

l'imperativo irregolare ▶ p. 112

Infinito	Imperativo	
....	(tu) sii	(voi) ....
....	(tu) abbi	(voi) ....
....	(tu) sappi	(voi) ....

G. Alcune persone, dopo aver letto il blog al punto B, pongono delle domande alla sua autrice. Sei d'accordo con le sue risposte? Parlane con un compagno.

ML Marina L Come è possibile fare la spesa senza farsi influenzare dalle strategie di vendita?

SP Sandra P Si prepari una lista di prodotti e la segua. Non si lasci tentare da offerte di cose di cui non ha bisogno.

PG Peggy Quando è conveniente fare le carte fedeltà?

SP Sandra P Le faccia quando offrono reali vantaggi, ma non si dimentichi che hanno soprattutto lo scopo di renderla fedele al negozio.

VN Vins Su Internet mi hanno proposto di attivare un mese di prova gratuita per un abbonamento ad una rivista. Mi posso fidare?

SP Sandra P Se lo desidera, provi pure il servizio gratuitamente: è un modo per valutarlo, ma legga molto attentamente le condizioni di prova e sappia che questo tipo di promozione è anche una strategia per creare l'abitudine al consumo del servizio.

G Giorgio Ogni volta che vado al supermercato con mio figlio di 9 anni cedo alle sue richieste insistenti di cibo spazzatura pubblicizzato in TV. Cosa posso fare?

SP Sandra P Abbia la forza di dire anche di no a suo figlio, gli spieghi perché il cibo spazzatura fa male e gli sia d'esempio con sane abitudini alimentari a casa

F Fede Come comportarsi di fronte alle offerte speciali "paghi due, prendi tre"? Sono vantaggiose?

SP Sandra P Se Lei ha veramente bisogno di tre pezzi di quel prodotto, allora è un'offerta che la farà risparmiare, altrimenti non la consideri e non cada in questo tranello.

H. Rileggi il testo al punto G e completa il quadro. Indica anche l'infinito dei verbi. Qual è la posizione dei pronomi rispetto al verbo?

l'imperativo formale ▶ p. 112

Imperativo affermativo (Lei)	Imperativo negativo (Lei)
....	*Non ceda (cedere)* ....
Imperativo affermativo (Lei) + pronome	**Imperativo negativo (Lei) + pronome**
Si prepari (prepararsi)	*Non si lasci (lasciarsi)* ....

I. Traduci le seguenti parole nella tua lingua. Poi, arricchisci la lista elaborando il tuo vocabolario con le parole nuove trovate nel blog. Confronta la tua lista con quella di un compagno.

consapevole = ...
scontato = ...
indispensabile = ...
caro = ...
....
....
....

L. Scrivi 5 consigli per acquisti online consapevoli con l'imperativo formale.

- *Si ricordi che la musica in sottofondo è lenta e orecchiabile per farla stare a lungo nel negozio.*

CI **NON FATEVI INGANNARE!**
A coppie, pensate alle caratteristiche di un supermercato perfetto per il consumatore e scrivetene le caratteristiche.

Grammatica

IL COMPARATIVO E IL SUPERLATIVO DI *BUONO, BENE, GRANDE* E *PICCOLO*

Gli aggettivi **buono**, **grande**, **piccolo** e l'avverbio **bene** hanno forme irregolari al comparativo e al superlativo.

	COMPARATIVO	SUPERLATIVO RELATIVO	SUPERLATIVO ASSOLUTO
buono	più buono / migliore	il migliore	buonissimo / ottimo
grande	più grande / maggiore	il maggiore	grandissimo / massimo
piccolo	più piccolo / minore	il minore	piccolissimo / minimo
bene	meglio	il migliore	benissimo

IL COMPARATIVO
*La mia poltrona è **migliore** della tua.*
*La percentuale di uomini che acquista computer è **maggiore/minore** di quella delle donne.*
*Con la radio nuova sento **meglio** che con quella vecchia.*

SUPERLATIVO ASSOLUTO
Esprime la qualità al massimo grado di un elemento, senza paragonarlo con altri.

*Questo smartphone è **ottimo**.*
*Quel negozio ha la mia **massima** fiducia.*

SUPERLATIVO RELATIVO
Esprime la qualità al massimo grado di un elemento, relativamente ad altri elementi.

*Questa è l'**offerta migliore** di tutte.*
***Gli acquisti maggiori** avvengono il fine settimana.*
***Il fratello minore** di Alberto si chiama Gabriele.*

I PRONOMI RELATIVI

CHE
Lo usiamo come soggetto e oggetto diretto ed è invariabile in genere e numero.

*Aumentano i consumatori **che** fanno acquisti online.* (soggetto)
*Gli elettrodomestici **che** vedi in vetrina sono in offerta.* (oggetto diretto)

CUI
Lo usiamo come oggetto indiretto, è preceduto da una preposizione ed è invariabile in genere e numero.

*Preferisco comprare da un negoziante **di cui** ho fiducia.*
*Questo è il computer **con cui** lavoro ogni giorno.*

LA COSTRUZIONE IMPERSONALE

VERBI RIFLESSIVI
La costruzione impersonale è composta da:
ci + **si** + verbo alla 3ª persona singolare.
***Ci si diverte** a fare la pasta con questa macchina.*

SI IMPERSONALE + VERBI MODALI
Se non c'è un oggetto diretto oppure l'oggetto diretto è al singolare, la costruzione è:
si + verbo modale alla 3ª persona singolare + infinito.
***Si può andare** la domenica al centro commerciale.*
*Se **si vuole comprare** un oggetto cult, questa lampada è perfetta!*

Se l'oggetto diretto è plurale, coniughiamo il verbo modale alla 3ª persona plurale:
*Si **possono acquistare** i prodotti anche online.*

Se c'è un verbo riflessivo la costruzione è:
ci + **si** + verbo modale alla 3ª persona singolare + infinito.
***Ci si deve abituare** a fare gli acquisti online.*

L'IMPERATIVO FORMALE

		AFFERMATIVO	NEGATIVO
Lei	- are	Us**i** la carta fedeltà	non us**i** la carta fedeltà
	- ere	Legg**a** le etichette	non legg**a** le etichette
	- ire	Part**a** la mattina	non part**a** la mattina
Voi	- are	Us**ate** la carta fedeltà	non us**ate** la carta fedeltà
	- ere	Legg**ete** le etichette	non legg**ete** le etichette
	- ire	Part**ite** la mattina	non part**ite** la mattina

I verbi irregolari al presente indicativo lo sono anche all'imperativo.

	ESSERE	AVERE	SAPERE
tu	sii	abbi	sappi
Lei	sia	abbia	sappia
voi	siate	abbiate	sappiate

L'IMPERATIVO FORMALE CON I PRONOMI
Al singolare (Lei), il pronome va prima del verbo:
• *La newsletter dei saldi è pronta! La spedisco?*
• *No, Signor Martini, **non la spedisca**. Prima deve rileggerla il direttore.* (negativo)
• *Bene signor Martini, **la spedisca** entro stasera.* (affermativo)

Al plurale, il Voi formale coincide con l'imperativo informale plurale (voi) e segue la stessa regola: se affermativo, collochiamo il pronome attaccato alla fine del verbo; se negativo, possiamo collocare il pronome prima del verbo oppure attaccato al verbo.
· *Riguardo all'acquisto nei mercati dell'usato, **preferiteli / non preferiteli** ai negozi tradizionali.*

1. **Completa le frasi con *buono*, *buon*, *bene*.**

a. Non mi sento ....: mi fa male la pancia.
b. Quel PC è stato un .... acquisto: dopo sei anni funziona ancora ....
c. So .... che risparmiare non è il mio forte.
d. I prezzi di questo negozio sono davvero ....

2. **Completa le frasi con *migliore*, *maggiore* o *minore*, inserendo anche l'articolo corrispondente quando si tratta di un superlativo relativo.**

a. .... amico della nostra famiglia è uno scrittore di fama internazionale!
b. Ho un fratello ...., nato due anni prima di me, e una sorella ...., nata sei anni dopo di me.
c. Ho risparmiato: il costo è stato .... del preventivo.
d. Giacomo Leopardi è .... poeta italiano dell'Ottocento.
e. Franca prende sempre ottimi voti: è .... studentessa della scuola.

3. **Completa le frasi usando le forme del superlativo assoluto appropriate.**

a. Massimiliano, assaggia le mie lasagne, sono ....
b. Livia, non indossare quella maglietta: è .... Tu porti almeno due taglie più piccole.
c. Roberto, studia .... il codice della strada perché te lo chiederanno.
d. Stefano, concentrati e vedrai che l'esame è facile: con un .... sforzo lo supererai.

4. **Cerchia l'opzione corretta.**

a. Questa è la macchina **che / con cui** faccio la pasta fresca.
b. La libreria **a cui / in cui** ho comprato il libro è a destra della piazza.
c. Non trovo più l'apribottiglie **che / cui** ho comprato ieri.
d. Compro la frutta fresca solo nei negozi **con cui / di cui** mi fido.
e. Devo riparare il tavolo **su cui / che** mettere la lampada.
f. I film **in cui / che** mi interessano sono pochi.
g. Il negozio **a cui / in cui** ho comprato la maglia verde è in via della Spiga.

5. **Trasforma i verbi sottolineati utilizzando la costruzione con il *si impersonale*.**

IL MUSEO DELLA PIAGGIO

Se vi trovate .... in Toscana, non vi dovete perdere .... il Museo della Piaggio a Pontedera, dove potete ammirare .... tutti i modelli della famosa Vespa, vero e proprio oggetto di culto di intere generazioni. Passeggiando per le sale, anche se non siete .... degli appassionati scooteristi, vi potete innamorare .... sicuramente di questa icona del design italiano. Ma non è tutto: oltre alla collezione Vespa, potete apprezzare .... anche altri famosi prodotti Piaggio come l'Ape, il Ciao e gli scooter di ultima generazione.

6. **Riformula gli imperativi dell'esercizio 3 usando il pronome adeguato e poi trasformali in imperativi formali.**

a. Massimiliano, *assaggiale*!
Signore, le assaggi!
b. Livia, ...
....
c. Roberto, ...
....
d. Stefano, ...
....

Il materiale degli oggetti

1. Quali oggetti sono fatti di questi materiali? Completa le liste e aggiungi un altro materiale a tua scelta.

a. carta: giornale, ...

b. plastica: mouse, ...

c. metallo: moka, ...

d. pelle: cintura, ...

e. vetro: vaso, ...

f. tessuto: poltrona, ...

Gli annunci per la vendita degli oggetti

2. Completa la lista di combinazioni.

- pagare → in contanti →
- consegnare → a domicilio →
- acquistare → prodotti culturali →
- scegliere → l'offerta →

3. Abbina i verbi ai sostantivi adeguati.

a. si concorda	**1.** in contanti
b. si accettano	**2.** la consegna
c. si ritira	**3.** causa non utilizzo
d. si paga	**4.** di persona
e. si vende	**5.** assegni

Gli aggettivi *diverso, simile, stesso, uguale*

4. Completa le frasi con i seguenti aggettivi.

diverso/a (x2) | simile | stesso/a | uguale

a. L'infografica mostra che uomini e donne fanno acquisti per ragioni ....

b. Gli .... prodotti possono essere più cari in negozi ....

c. Non tutte le persone danno lo .... valore alla qualità.

d. Anche se non sono del tutto uguali, questi due vasi sono molto ....: quasi non si vede la differenza.

Espressioni per gli acquisti

5. Abbina gli elementi per formare delle espressioni.

a. scelta	**1.** di spedizione
b. spese	**2.** di marca
c. offerta	**3.** di fiducia
d. strategia	**4.** di vendita
e. carta	**5.** gratuita
f. prova	**6.** fedeltà
g. rapporto	**7.** speciale
h. prodotto	**8.** d'acquisto

6. Completa gli annunci con le seguenti informazioni.

nuova 140 € vendo a 90 € trattabili
acciaio inossidabile
elegante e raffinato
set 8 coperti
in negozio 160 €
legno scuro

SET DI POSATE ALESSI
MATERIALE
....
CONDIZIONI
ottime
i coltelli necessitano affilatura
TEMPO DI UTILIZZO
9 mesi
MOTIVO DELLA VENDITA
trasferimento
PREZZO
....
ALTRE CARATTERISTICHE
design Alessi, ...

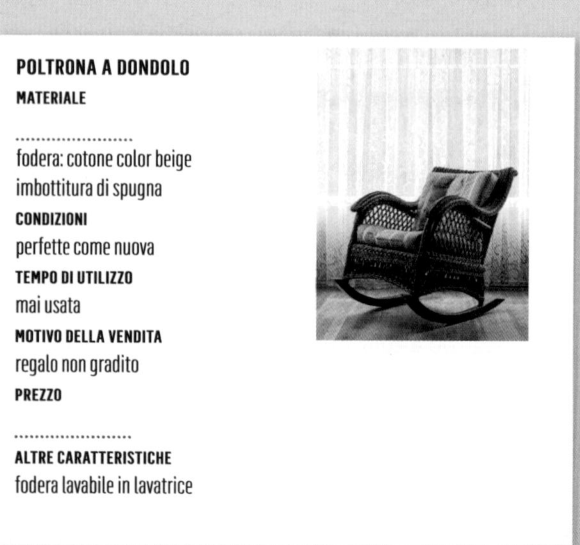
POLTRONA A DONDOLO
MATERIALE
....
fodera: cotone color beige
imbottitura di spugna
CONDIZIONI
perfette come nuova
TEMPO DI UTILIZZO
mai usata
MOTIVO DELLA VENDITA
regalo non gradito
PREZZO
....
ALTRE CARATTERISTICHE
fodera lavabile in lavatrice

I segnali discorsivi *insomma, dunque, allora*

40

7. Leggi la conversazione tra due amici in un ipermercato e inserisci le frasi mancanti. Poi ascolta e verifica. Le parole in **grassetto** hanno una corrispondenza nella tua lingua?

- Ciao Donatella, anche tu fai la spesa in questo supermercato?
- Ah, ciao Roberto! No, è la prima volta e non sono molto soddisfatta...
- Come mai?
- ....
- ....
- Per ora non tanto, ma forse hai qualche consiglio da darmi sui prodotti?
- ....
 Per il pesce dovresti guardare nell'angolo delle occasioni.
- ....
- Eh, eh! Un piacere aiutarti Donatella. ....
....

a. Mm, **insomma** non ti piace proprio!
b. Sì, **dunque**... per la frutta guarda nelle cassette più in alto, troverai quella appena arrivata.
c. **Dunque**... la frutta non mi sembra fresca, il prezzo del pesce è caro e la musica è troppo alta!
d. **Insomma**, vedrai che ti piacerà questo supermercato!
e. Ah, ma **allora** bastava chiedere all'esperto! Grazie Roberto!

41

1. Ascolta la registrazione e scrivi l'accento sulle parole in grassetto quando è necessario.

a.
- Ti piace quel vestito **la**, in vetrina?
- **Si**, **e** bello! E poi **la** cintura gli **da** proprio un tocco particolare.
- E quei sandali **la** in fondo?
- Non so... **li** trovo un po' vistosi... **da** mettere la sera, forse.
- Esatto. O **si** possono usare nelle occasioni più eleganti. Entriamo a vedere?

b.
- All'alimentari non ho trovato **ne** il caffè biologico **ne** la mia solita marca di biscotti. Che delusione!
- Eh, ma... Che vuoi, **e** un negozio di quartiere... Comunque, **se** cerchi prodotti biologici, su Internet **ne** trovi tantissimi...
- Hai ragione, provo **li**. Ma i prezzi?
- Mah, questi prodotti sono più cari. Però **se** non **li** trovi nei negozi...

2. Leggi il dialogo e completa le parole in grassetto con una **h** quando è necessario.

- Alla fine ....**ai** comprato quella macchina da scrivere?
- Sì, l'.........**o** presa di seconda mano, ...**a** rate.
- Ma è di acciaio ....**o** di alluminio?
- È di ferro. E non ....**a** nemmeno un graffio, è come nuova.
- Di che ....**anno** è ?
- Del 1965. Ma i proprietari non l'.........anno mai usata.
- Beh, adesso ....**ai** un oggetto che farà invidia ....**ai** migliori collezionisti!

42

3. Ascolta la registrazione e fai attenzione all'intonazione: indica se si tratta di consigli (C) o di istruzioni (I)?

a. ....
b. ....
c. ....
d. ....
e. ....
f. ....

http://cambiamentisociali.aldente

Il passaparola diventa digitale

Godono di autorevolezza e affidabilità in un determinato ambito e hanno la capacità di orientare i comportamenti di acquisto dei loro follower attraverso la condivisione di contenuti, immagini e video sui vari social network. Questi sono gli influencer a cui tante aziende si rivolgono per promuovere e vendere prodotti o servizi sulla rete. Eccone alcuni tra quelli italiani di maggior successo.

Ambra Medda

Giovane ma con un curriculum da veterana, continua a collezionare incarichi importanti. Curatrice, critico, esperta di stile e di mercato, volto simbolo del mondo del design. Accanto alla madre, gallerista che vendeva oggetti in vetro di Murano e creazioni di designer e architetti italiani degli anni Quaranta e Cinquanta, Ambra ha imparato il mestiere. Dopo varie iniziative e successi internazionali, e con una schiera di follower sui vari social network, fonda l'*Arcobaleno* una rivista e una piattaforma di vendita online dedicate al design. Oltre a pubblicare articoli, cura il blog in cui condivide racconti delle "cose interessanti che vedo e le persone interessanti che incontro". All'interno degli articoli si può cliccare e comprare i pezzi descritti nelle storie che si stanno leggendo.

☞ www.instagram.com/ambramedda

Marco Bianchi

Da divulgatore scientifico a cuoco a food blogger e food mentor, Marco Bianchi conta oggi più di ottantamila seguaci. Nel suo blog e nella sua seguitissima pagina Instagram, propone ricette che rispettano le regole della buona alimentazione. Da anni, promuove e rappresenta molte campagne di sensibilizzazione contro la sedentarietà, l'obesità e la cattiva alimentazione. Una formula efficace quella di Marco: partire dalla scienza, attraversare la buona cucina italiana, presentarsi sugli schermi con un linguaggio fatto di belle fotografie e ottimi consigli. È già stato ospite di varie trasmissioni televisive e ha appena pubblicato il suo quattordicesimo libro di cucina.

☞ www.marcobianchi.blog

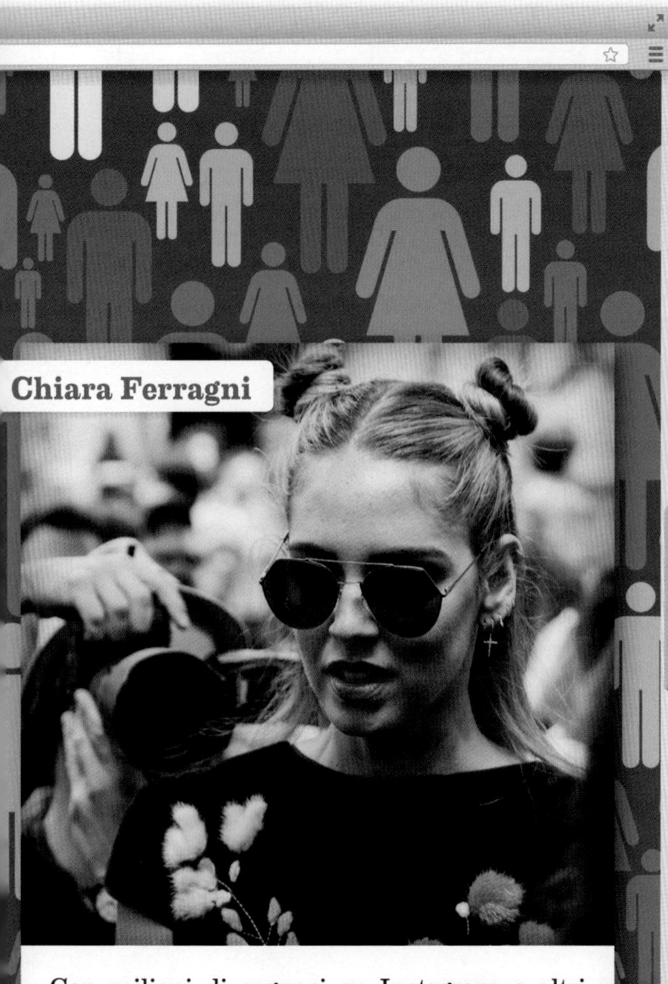

Con milioni di seguaci su Instagram e altri social network, è l'influencer italiana più seguita al mondo. Dal 2009, anno in cui ha creato *The Blonde Salad*, un blog in cui postava le sue fotografie con vestiti firmati e dava consigli di moda, è diventata oggi un'icona di stile e un'imprenditrice di fama internazionale. È ricercata da aziende di moda come testimonial per le nuove collezioni e per indossare in pubblico i loro prodotti. Nel 2015 ha lanciato un proprio marchio di calzature e ha trasformato il suo blog in un portale commerciale su cui vende capi e accessori. Il suo successo è tanto impressionante che l'Università di Harvard l'ha invitata a spiegare, agli studenti di un corso di marketing, la nascita e l'evoluzione del suo fortunatissimo blog.

☞ www.theblondesalad.com

Gli influencer

A. Leggi il titolo e l'introduzione dell'articolo: conosci alcuni influencer? Quale social network usano? Lavorano in uno dei seguenti settori? Parlane con un compagno.

- ☐ cucina
- ☐ design
- ☐ lifestyle
- ☐ moda
- ☐ tecnologia
- ☐ musica
- ☐ viaggi

B. Leggi le schede e rispondi alle seguenti domande. Poi confronta le tue risposte con quelle di un compagno.

1. Che cos'è l'*Arcobaleno* di Ambra Medda?

   ....

   ....

2. Quali sono gli ingredienti del successo di Marco Bianchi?

   ....

   ....

3. Qual è stata l'evoluzione del blog di Chiara Ferragni?

   ....

   ....

43

C. Ascolta l'intervista a un esperto di influencer marketing. Indica se le seguenti affermazioni sono vere o false.

	V	F
1. La fiducia dei consumatori verso gli influencer è il principale punto di forza di questa strategia.	☐	☐
2. Con questa strategia è più facile avere successo se si scelgono persone famose come influencer.	☐	☐
3. Gli spot e i cartelloni pubblicitari tradizionali sono ancora oggi strategie di marketing efficaci.	☐	☐
4. Non sempre si può sapere se i contenuti web degli influencer sono delle promozioni commerciali.	☐	☐

D. Scegli uno degli influencer presentati e visita il suo sito. Che ne pensi? Quali contenuti trovi? È interessante? Presentalo ai compagni.

Compiti finali

Fare un'infografica sulle abitudini d'acquisto e i prodotti più comprati della classe

A. A gruppi, pensate a quali informazioni volete raccogliere e preparate le relative domande.

B. Intervistate i compagni e annotate le risposte.

C. Con il vostro gruppo, mettete insieme le risposte e selezionate le informazioni che volete inserire nell'infografica.

D. Preparate l'infografica cartacea o digitale. Pensate anche a un titolo.

E. Appendete tutte le infografiche in classe ed evidenziate i dati che ritenete più interessanti.

STRATEGIE PER LAVORARE

Ricordate che un'infografica serve a comunicare informazioni in modo veloce, semplice e attraente.

Pubblicate la vostra infografica su un social network, potrete ricevere commenti e opinioni dagli utenti.

Preparare l'annuncio di un oggetto usato da vendere su una piattaforma web

A. Pensa ad un oggetto usato o che non vuoi più e decidi su quale piattaforma web venderlo.

B. Vai su una piattaforma italiana di compravendita dell'usato e leggi alcuni annunci per avere dei modelli.

C. Scrivi il tuo annuncio e arricchiscilo con una o più foto.

D. Appendi il tuo annuncio in classe o pubblicalo nello spazio virtuale della classe.

E. Leggi gli annunci dei tuoi compagni e scopri se c'è qualcosa che ti piace.

STRATEGIE PER LAVORARE

Per scrivere il tuo annuncio, consulta il lessico visto nel corso dell'unità.

Pubblica l'annuncio su una piattaforma, magari venderai l'oggetto!

Com'è andato il compito?

A. Fai un'autovalutazione delle tue competenze.

Descrivere oggetti				
Esprimere preferenze e opinioni				
Fare acquisti				
Comparare e dare informazioni				

B. Durante la realizzazione dei compiti hai incontrato qualche difficoltà? Quale/i?
Cosa ti è piaciuto di più dei compiti?

C. Valuta il compito dei tuoi compagni e poi parlane con loro.

La presentazione è chiara.				
Hanno utilizzato i contenuti dell'unità.				
Il lessico utilizzato è adeguato.				
È originale e interessante.				
La pronuncia è chiara e l'intonazione corretta.				

1. Guarda il video e cerchia l'opzione corretta.

1. Il video dà consigli per **curare** / **prevenire e curare** i mali di stagione.
2. La blogger consiglia dei **rimedi naturali** / **farmaci**.
3. I prodotti consigliati **si trovano in negozi specializzati** / **sono cose di uso comune**.

2. A cosa servono questi rimedi? Guarda di nuovo il video e completa le frasi.

1. Mangiare cibi che contengono vitamina C: ....
2. Bere latte con miele o grappa: ....
3. Inspirare i vapori di acqua e aceto: ....
4. Fare un impacco con acqua fredda, bicarbonato e sale: ....
5. Bere una tisana allo zenzero: ....
6. Mangiare aglio: ....

3. Completa le frasi con le seguenti parole o espressioni.

febbre | cura | effetti collaterali | mal di gola | antibatterico | prevenzione | sistema immunitario | naso chiuso | rimedi della nonna | mali di stagione

1. Esci con questa giacca leggera? Metti almeno una sciarpa, altrimenti ti viene il .... !
2. Secondo me, contro i .... non c'è niente da fare, bisogna solo avere pazienza e aspettare di guarire.
3. Non prendo mai medicine: al momento ti fanno sentire meglio, ma poi ci sono tanti ....
4. Passami il termometro, per favore. Voglio controllare se ho la ....
5. Per rafforzare il .... bisogna avere una corretta alimentazione e fare sport.
6. La cosa che mi dà più fastidio del raffreddore è il .... : non riesco a respirare e dormire la notte è impossibile.
7. A volte la .... non basta: nonostante tutte le attenzioni prendo comunque il raffreddore ogni anno.
8. Se vuoi disinfettare la gola senza prendere medicine, prova il miele, è un .... naturale.
9. Non mi fido molto di questi .... : è vero che non ci sono effetti collaterali, ma secondo me non sono molto efficaci.
10. Contro i mali di stagione la .... migliore è il riposo.

4. Ti prendi cura della tua salute? Come preferisci curarti? Parlane con un compagno. Puoi prendere spunto dalle seguenti proposte.

riposare | medicina tradizionale | medicina alternativa | vaccini | alimentazione | fare prevenzione | rimedi della nonna

- *Io uso soprattutto la medicina tradizionale, perché è più efficace...*
- *Secondo me è fondamentale la prevenzione...*

5. I rimedi della nonna variano da cultura a cultura e riguardano diversi aspetti di salute e benessere. Insieme ai tuoi compagni compila una lista con i dieci rimedi della nonna che vi sembrano più utili ed efficaci.

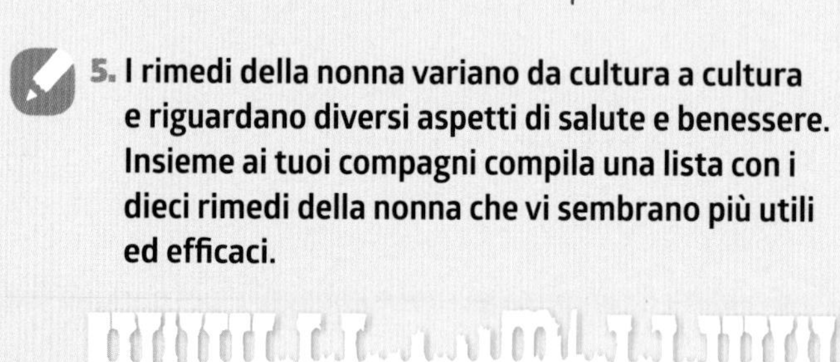

VIDEO 6

I BRAND PIÙ AMATI

Durata: 03:08
Genere: classifica
Contenuti: i marchi più amati in Italia
Obiettivi: allenarsi a reperire informazioni su marchi e prodotti in un testo audiovisivo; allenarsi a parlare e a fare ricerche sui prodotti e le loro caratteristiche; consolidare l'uso del pronome relativo *cui* e del lessico legato agli acquisti

1. Guarda il video e rispondi alle seguenti domande.

1. Di che tipo di classifica si parla nel video?
 ....
2. Quali dei marchi citati sono italiani?
 ....
3. Quali tipi di prodotti appaiono nella classifica?
 ....

2. Guarda di nuovo il video e ricostruisci la classifica inserendo il nome del marchio, il tipo di prodotto o azienda e altre informazioni che ti sembrano interessanti.

SUPERBRANDS POP AWARD

	nome	prodotto/azienda	altro
1.	....	....	....
2.	....	....	....
3.	....	....	....
4.	....	....	....
5.	....	....	....
6.	....	....	....
7.	....	....	....
8.	....	....	....
9.	....	....	....
10	....	....	....

3. C'è qualcosa che ti stupisce in questa classifica? Conosci questi marchi? Sono diffusi anche nel tuo Paese? Parlane con un compagno.

- *Beh, la Coca Cola è molto diffusa nel mio Paese...*
- *Da noi invece la bibita più diffusa è...*

4. Completa le frasi con le seguenti parole.

prezzo | spedizioni | multinazionale | scelta | logo | pubblicità

1. Mulino Bianco produce un'ampia .... di prodotti alimentari, dalle fette biscottate alle merendine.
2. Questa azienda non è molto conosciuta perché non investe molto in ...., ma i suoi prodotti sono ottimi.
3. Amazon offre un servizio di .... in tutto il mondo.
4. Il .... è molto importante perché permette ai consumatori di riconoscere subito il prodotto.
5. Samsung è una .... con sede in diversi Paesi del mondo.
6. Spesso online si trovano prodotti a un .... molto vantaggioso.

5. Completa le frasi con il pronome relativo cui **preceduto dalla preposizione corretta.**

1. Il sondaggio .... si basa la classifica ha coinvolto più di 20mila persone.
2. La Vespa è uno dei mezzi più comodi .... spostarsi in città.
3. Mulino Bianco è un marchio .... gli italiani sono molto affezionati.
4. L'innovazione tecnologica è uno dei motivi .... Samsung ha molto successo.
5. Sono molte le ricette .... è prevista la Nutella.
6. Faccio sempre acquisti su Amazon: ci sono tantissimi prodotti .... scegliere.

6. Secondo te, cosa rende famoso un marchio? Parlane con un compagno. Puoi prendere spunto dalle seguenti proposte.

innovazione | facilità di reperimento | prezzo vantaggioso | qualità | pubblicità | utilità | design | distribuzione

- *Secondo me la pubblicità è fondamentale per il successo di un marchio...*

7 Andata e ritorno

CF **COMPITI FINALI**

- **Descrivere varie tipologie di turisti**
- **Raccontare un'esperienza di viaggio**

CI **COMPITI INTERMEDI**

- Scrivere consigli per viaggiare slow
- Raccontare un viaggio speciale
- Preparare un itinerario di un giorno nella tua città

PRENDERE
MAPPA
VOLO TRENO
BIGLIETTO MAPPA SOLDI
FOTOGRAFARE RITORNO PRENOTARE
PRENDERE PASSAPORTO BAGAGLIO
PARTIRE AEROPORTO PARTIRE PRENDERE
BIGLIETTO BAGAGLIO TRENO BAGAGLIO ANDATA
AEREO RITORNO PASSAPORTO BIGLIETTO
FOTOGRAFARE
SOLDI VOLO
AEREO PRENOTARE
FOTOGRAFARE AEROPORTO
AEROPORTO BIGLIETTO SOLDI RITORNO
VOLO
AEREO MAPPA MAPPA
BIGLIETTO PARTIRE AEREO TRENO
RITORNO TRENO SOLDI ANDATA
BIGLIETTO PASSAPORTO
TRENO VOLO
ANDATA PARTIRE
VOLO AEROPORTO
AEREO SOLDI

1. Parole in viaggio

A. Osserva la fotografia, quali elementi riconosci? Parlane con un compagno e scrivi una lista di parole.

B. Osserva la nuvola di parole e completa le seguenti categorie. Aiutati con il dizionario.

Mezzi di trasporto: ....

....

Oggetti per il viaggio: ....

....

Verbi del viaggio: ....

....

C. Confronta la tua lista con quelle di un compagno. Cercate insieme le parole che non conoscete.

D. Se vuoi, alla fine dell'unità fai una proposta alternativa per questa doppia pagina.

2. Turista o viaggiatore?

A. Ti piace viaggiare? Tra questi oggetti quali porti sempre con te? Confronta con un compagno.

- ☐ uno zaino
- ☐ un sacco a pelo
- ☐ un set di valigie
- ☐ un e-reader
- ☐ un adattatore universale
- ☐ un diario di viaggio
- ☐ un bastone per i selfie
- ☐ una bussola
- ☐ una batteria esterna portatile
- ☐ una mappa
- ☐ un cambio per ogni occasione
- ☐ un tablet

B. Leggi l'intervista al giornalista Tiziano Terzani e indica quali delle affermazioni sotto corrispondono al viaggiatore e quali al turista. E tu, sei d'accordo con l'opinione di Terzani? Parlane con un compagno.

Tiziano Terzani. Il turista e il viaggiatore

Tiziano Terzani è stato un famoso giornalista italiano. Ha vissuto per molti anni in Asia, principalmente in India. In questa intervista, ha parlato della differenza tra turista e viaggiatore.

Terzani, cosa significa per lei viaggiare?
Significa entrare in contatto con la realtà che si visita. Lasciarsi guidare dalla curiosità. Quando viaggio ho bisogno di farmi guidare dal caso, dagli incontri fortuiti e dall'imprevisto. In Afghanistan, per esempio, mi sono fatto guidare da due studenti delle scuole coraniche. Mi hanno aiutato a vedere il mondo con i loro occhi, ad andare oltre i miei pregiudizi.

Che differenza c'è tra il turista e il viaggiatore?
Il turismo consuma tutto. Vende tutto di un luogo e delle persone che lo abitano. Il turista ha bisogno delle comodità: scende da un aereo con l'aria condizionata e viene prelevato da un autobus con l'aria condizionata. E ha bisogno di sicurezze: negli alberghi trova la cucina internazionale che è uguale dappertutto e si lava con un sapone che è lo stesso a Roma e a Timbuktu.

E i viaggiatori?
I viaggiatori hanno bisogno di tempo. Il turista pensa di fare tutto in tre giorni, visitando ogni ora qualcosa, e così, ha finito di vivere il viaggio, non può mai lasciarsi andare. Il viaggiatore ha bisogno di andare alla scoperta e trovare da solo le risposte che cerca, per questo è meglio non programmare ogni tappa, ogni spostamento.

Adattato da *Tiziano Terzani. Il turista e il viaggiatore*, www.lifegate.it

	viaggiatore	turista
1. Preferisce programmare tutti i dettagli del viaggio.		
2. Comunica con le persone del luogo.		
3. Cancella l'essenza di un luogo.		
4. Ha bisogno di un programma: molte tappe in poco tempo.		
5. Preferisce la comodità all'avventura.		

C. Osserva le forme evidenziate nel testo, che cosa esprimono? Poi completa la regola d'uso.

avere bisogno di ► p. 130

.... + ... + infinito / sostantivo

D. A coppie, scrivete tre comportamenti che associate al turista e tre che associate al viaggiatore. Poi, condivideteli con la classe.

Secondo noi, il viaggiatore si informa sulla cultura del Paese...

3. Viaggiare slow

A. Che cos'è, secondo te il viaggio slow? Parlane con un compagno.

B. Leggi il testo. Poi, con un compagno, scrivi le caratteristiche fondamentali del viaggiatore slow.

VIAGGIARE SLOW

Oggi si parla di slow in molti settori, dal cibo al viaggio, perché si sta diffondendo la voglia di andare a "passo di lumaca".
Sì, andare lentamente, prendendo tempo per se stessi in una società dal ritmo frenetico.
Il turismo slow nasce dal desiderio di riappropriarsi di ritmi, luoghi, sapori, emozioni, dato che la filosofia della lentezza sostiene che i luoghi vanno vissuti e non usati.
Siccome il turismo di qualità può arricchire le nostre vite, ecco alcune regole fondamentali per diventare viaggiatori slow.

LE 6 REGOLE DEL VIAGGIATORE SLOW

1. Viaggia con calma, niente ansia del "devo vedere tutto".

2. Sceglie agriturismi o B&B sostenibili.

3. Evita i resort, i pacchetti all-inclusive, gli autobus turistici.

4. Usa la bicicletta, il treno, l'auto elettrica, il cavallo!

5. Si informa su cultura, storia e lingua del Paese da visitare (non legge solo guide ma anche libri di autori de luogo).

6. Assaggia i prodotti locali poiché sono parte dell'esperienza di viaggio.

C. Osserva i connettivi evidenziati nel testo, quale funzione hanno? Poi, trova per ciascuno un corrispondente nella tua lingua.

- ☐ indicare una causa
- ☐ localizzare un fatto nel tempo
- ☐ indicare una conseguenza

D. Ascolta il programma radiofonico e scrivi i suggerimenti che danno le due scrittrici intervistate. Poi confronta le tue risposte con quelle di un compagno.

44

Suggerimento	Perché?
Non preparare una lista delle cose da fare	*Il viaggio non è una lista di luoghi da visitare, è un'esperienza!*

E. A gruppi, intervistatevi per scoprire quali tipi di viaggiatori ci sono in classe.

CI A coppie, progettate un fine settimana da viaggiatore slow in un luogo vicino alla vostra città. Scrivete destinazione, mezzo di trasporto, alloggio e luoghi d'interesse.

4. Da sogno o da incubo?

A. Qual è l'ultimo viaggio che hai fatto? Dove, con chi, quando? Parlane con un compagno.

B. Leggi i racconti di viaggio e abbina a ciascuno l'aggettivo che secondo te gli corrisponde. E tu, faresti uno di questi viaggi? Perché?

▶ interessante ▶ noioso ▶ rilassante ▶ stressante ▶ originale ▶ convenzionale

- *A me sembra molto originale il viaggio sul Treno di Dante perché spesso ci muoviamo tra le città senza sapere cosa c'è in mezzo, nel percorso.*
- *Io invece lo trovo un po' noioso...*

Racconti di viaggio

Hai fatto un viaggio nel Bel Paese che ti ha cambiato? Condividilo con i lettori di *Italia da scoprire:* potresti ispirare il prossimo viaggio di qualcuno!

Tramonto salentino

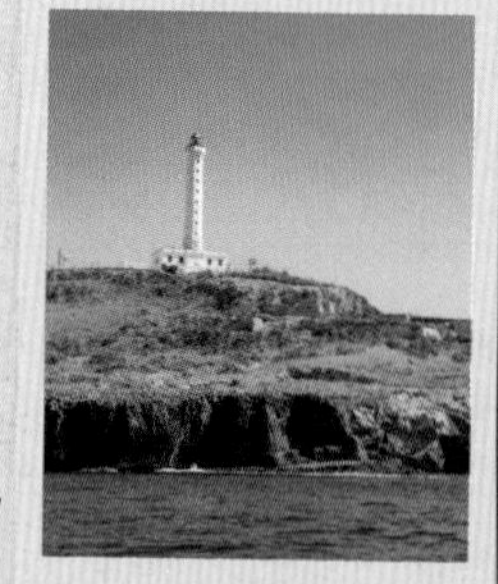

Il Salento ha cambiato il mio modo di viaggiare. Nelle lunghe spiagge bianche, nei borghi sul mare e nell'entroterra, il tempo sembra essersi fermato. **Quando** ho iniziato a parlare con la gente del posto, ho scoperto che per i salentini la scelta della spiaggia dipende dal vento: se soffia da nord si va sullo Ionio, dalle parti di Gallipoli; se l'aria arriva da sud, si va sulla costa adriatica. E su consiglio di un salentino, sono andato per il tramonto al faro di Santa Maria di Leuca (che unisce i due mari pugliesi). **Nel momento in cui** l'ho visto, ho cominciato a capire che il tramonto è la dimensione ideale per entrare in contatto con l'essenza di un luogo. Oggi, in ogni viaggio, cerco sempre un tramonto.

Inviato da: Dario Giachetti

Sul treno di Dante

Un viaggio in treno. Non in aereo né in auto, ma in treno. Per godersi lenti percorsi panoramici in mezzo alla natura che, altrimenti, ci perderemmo. Il nostro viaggio è iniziato a Ravenna, in Emilia Romagna, ed è finito a Firenze: un percorso che attraversa le terre legate al poeta, 140 chilometri lungo l'Appennino Tosco-Romagnolo, passando per le Foreste Casentinesi e il Mugello. Il treno è a bassa velocità: quindi, lasciate a terra la fretta e godetevi il tragitto. Abbiamo attraversato paesaggi bellissimi e **intanto** mi sono rilassata e ho avuto tempo per riflettere. Se siete allenati, potete anche portare a bordo la vostra bicicletta e tornare indietro pedalando. La mia maniera di viaggiare è cambiata!

Inviato da: Emanuela Bertoncelli

Italia on the road

Alcune strade nel mondo sono considerate un mito: la route 66 negli USA, la ruta 40 in Argentina, la Stuart Highway in Australia.... Ma avete mai percorso le strade provinciali che attraversano Langhe, Roero e Cuneese? Sono la nostra route 66! Non c'è bisogno di prendere voli intercontinentali, sono raggiungibili in auto, treno, autobus... Il mio viaggio è cominciato in macchina da Cuneo. **Mentre** percorrevo queste strade, ho riscoperto la bellezza del mio Paese: paesaggi caldi e spettacolari, castelli ricchi di storia, tradizione gastronomica, arte e artigianato...

Inviato da: Mauro Piattelli

◀ *Adattati da newsrimini.it e ilgiramondo.net*

C. Osserva i verbi al passato prossimo evidenziati nei testi: che cosa noti? Poi, leggi le frasi nel quadro e sottolinea il complemento diretto, quando è presente, come negli esempi.

i verbi con due ausiliari ▶ p. 130

AUSILIARE AVERE	Hai fatto un viaggio nel Bel Paese che ti **ha cambiato**? Il Salento **ha cambiato** il mio modo di viaggiare. **Ho iniziato** a parlare con la gente del posto. **Ho cominciato** a capire che il tramonto è una dimensione ideale.
AUSILIARE ESSERE	Il nostro viaggio **è iniziato** a Ravenna, in Emilia Romagna, ed **è finito** a Firenze. La mia maniera di viaggiare **è cambiata**! Il mio viaggio **è cominciato** in macchina da Cuneo.

D. Scrivi un commento a uno dei racconti di viaggio di *Italia da scoprire* e spiega se è un'idea che ti interessa e perché.

E. Osserva i connettivi in grassetto nei testi: qual è la loro funzione? Poi scrivi a cosa corrispondono nella tua lingua.

- ☐ indicare una causa
- ☐ localizzare un fatto nel tempo
- ☐ indicare una conseguenza

....
....
....
....

F. Non sempre i viaggi sono da sogno, a volte possono essere da incubo. Con un compagno, parlate dei possibili problemi in viaggio. Avete mai avuto questi inconvenienti?

- ▶ perdere l'aereo
- ▶ smarrire i bagagli
- ▶ essere derubati
- ▶ prendere il treno sbagliato
- ▶ sbagliare scalo
- ▶ avere problemi di salute
- ▶ perdere la carta d'imbarco

- *Hai mai perso l'aereo?*
- *No, l'aereo proprio no, ma ho perso tante volte il treno.*

45

G. Ascolta queste due esperienze di viaggio e indica quali delle seguenti informazioni sono presenti.

A

1. Hanno dovuto mettere il bagaglio in stiva. ☐
2. Sono dovuti andare all'ufficio oggetti smarriti. ☐
3. Il receptionist dell'albergo non ha potuto rispondere subito alla telefonata. ☐
4. Hanno voluto chiedere informazioni a un amico del settore. ☐
5. Valerio è voluto andare in una camera con vista mare. ☐

B

1. Hanno dovuto prendere il pullman per arrivare in aeroporto. ☐
2. Non sono potuti atterrare a Casablanca perché c'era troppa nebbia. ☐
3. Francesco ha dovuto fare la coda per comprare i biglietti del pullman. ☐
4. Non ci sono stati altri imprevisti durante il viaggio. ☐

H. Nelle forme verbali al passato prossimo con i verbi *potere*, *dovere* e *volere* evidenziate al punto G, si trovano entrambi gli ausiliari. Osserva i verbi all'infinito che seguono *potere*, *dovere* e *volere*: quali sono transitivi (oggetto diretto) e quali intransitivi (oggetto indiretto)? Poi, completa la regola d'uso.

l'ausiliare dei verbi modali ▶ p. 130

ausiliare **essere / avere** + *potere, dovere, volere* + verbo transitivo
ausiliare **essere / avere** + *potere, dovere, volere* + verbo intransitivo

I. A gruppi, rispondete alle seguenti domande.

- ▶ Quali sono le cose più assurde che avete voluto fare in viaggio?
- ▶ Che cosa non avete mai potuto fare (per paura, per mancanza di tempo, ecc.)?
- ▶ Che cosa avete dovuto fare solo per fare contento il vostro compagno di viaggio?

CI Scrivi un breve racconto di un'esperienza di viaggio da incubo: spiega cosa è successo e cosa hai dovuto fare per risolvere la situazione.

5. Itinerario salentino

A. Leggi le istruzioni e abbinale ai simboli. Poi confronta le tue risposte con quelle di un compagno.

a. andare a diritto
b. girare / svoltare a destra
c. girare / svoltare a sinistra
d. fare la rotonda

1 ☐ 2 ☐ 3 ☐ 4 ☐

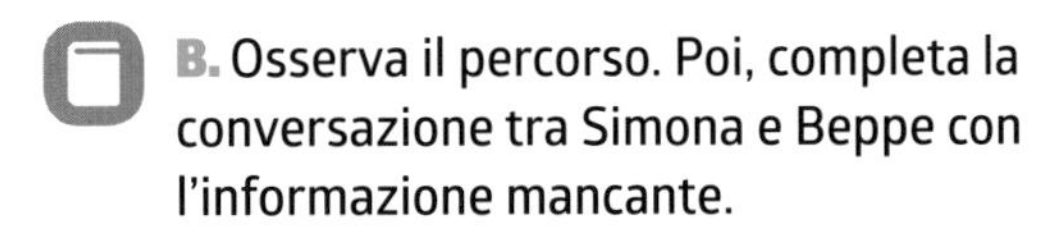

B. Osserva il percorso. Poi, completa la conversazione tra Simona e Beppe con l'informazione mancante.

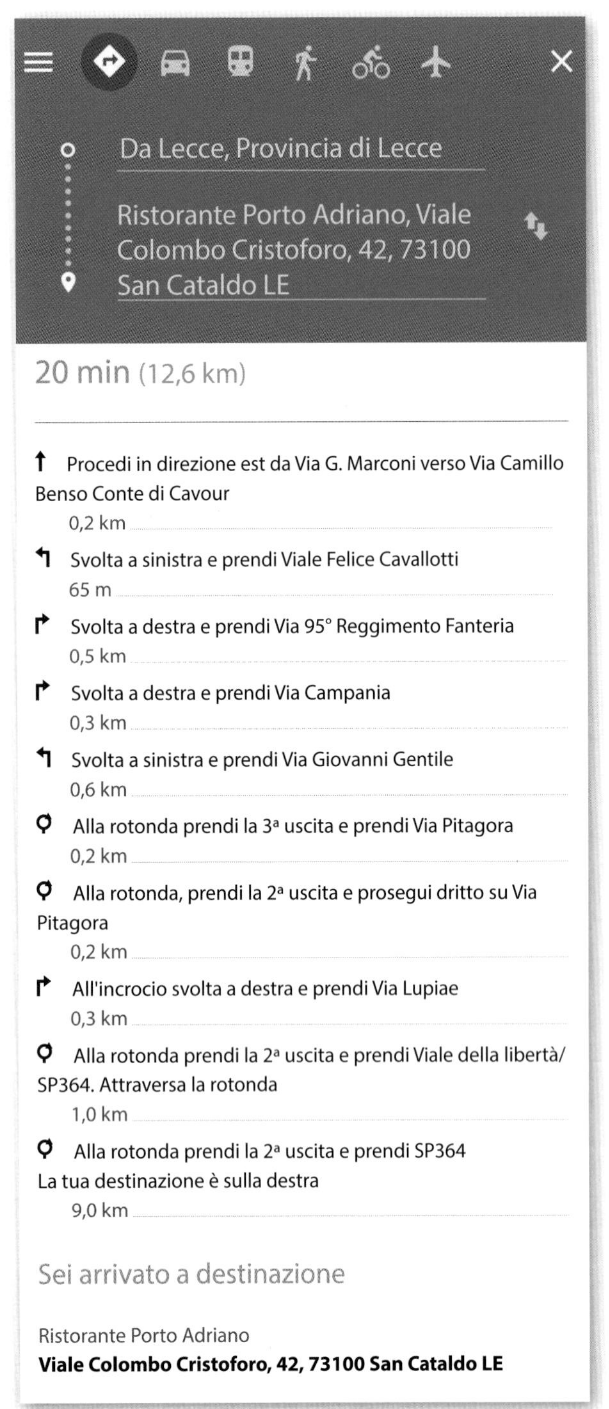

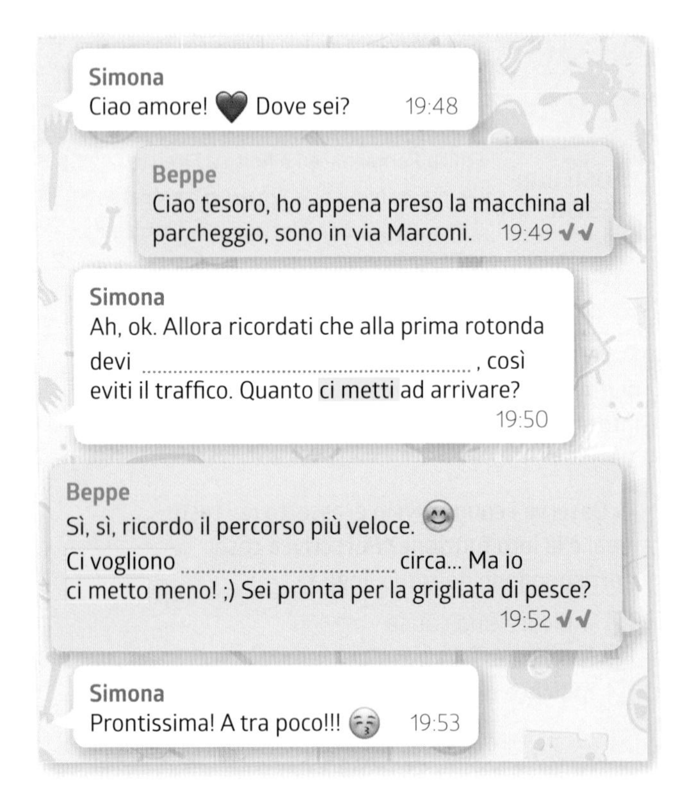

C. Sottolinea i verbi per dare informazioni stradali e completa il quadro con l'infinito.

procedere, ...

....

....

D. Osserva le forme evidenziate: qual è il significato di **metterci** e **volerci**? Completa il quadro.

▶ essere necessario
▶ impiegare un determinato tempo

E. Chiedi al compagno quanto ci mette ad arrivare a scuola e che percorso fa. Poi, rispondi alle sue domande.

- *Quanto ci metti per arrivare a scuola?*
- *Da casa mia ci vogliono 40 minuti ma io ci metto mezz'ora perché cammino velocemente.*

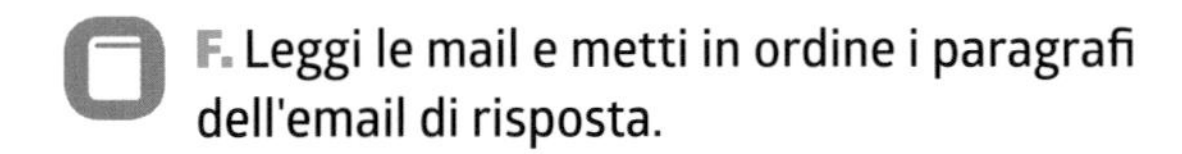

F. Leggi le mail e metti in ordine i paragrafi dell'email di risposta.

A: mariellanesti@email.com

Oggetto: Ci vediamo?

Cara Mariella,

Come stai? Stamattina ho visto Milena e mi ha detto che sei in vacanza a San Cataldo. Siccome anche noi pensiamo di andarci ad agosto, volevo chiederti alcuni consigli sulle spiagge, cosa visitare nei dintorni, i localini giusti... Tu fino a quando rimarrai in vacanza? Sarebbe bello incontrarsi a San Cataldo per una cena!
Un abbraccione,
Sonia

A: soniaricasoli@email.com

Oggetto: Re: Ci vediamo?

Ciao Sonia,

Nei dintorni dovresti visitare assolutamente Lecce. È bellissima e ci vogliono solo venti minuti in macchina. Noi abbiamo fatto una passeggiatona di tre ore nel centro storico: da visitare la cattedrale e, ovviamente, l'anfiteatro romano.

Che bella sorpresa, era veramente tanto che non ci sentivamo! Come stai? Davvero pensate di venire a San Cataldo? Io e Federico ci fermiamo fino al 10 agosto.

Il paesino è molto carino ma non ci metterete molto a visitarlo, è piccolissimo! La costa è spettacolare, non potete perdervi le rovine della porta di Adriano! Quando c'è il sole i colori sono stupendi ma devo dire che è meravigliosa anche se è nuvoloso.

Se venite, ci vediamo sicuramente! Possiamo andare a mangiare pesce fresco in un ristorantino buonissimo! Il mio numero è: 3283661787.

Ah, dietro la cattedrale il sabato mattina fanno il mercato, purtroppo quando siamo andati noi ha piovuto, ma pensiamo di tornarci il prossimo sabato perché è famoso per frutta e verdura fresche!

Un bacione!
Mariella

G. Osserva le parole evidenziate in giallo nel testo. Sono aggettivi alterati. I suffissi ne alterano il significato: quali sono accrescitivi e quali diminutivi? Confrontati con un compagno.

H. Sottolinea e osserva gli avverbi che terminano in **-mente** nell'email di risposta e completa il quadro. Hai capito come si formano?

gli avverbi in -mente ► p. 130

AGGETTIVO	AVVERBIO
ovvio/a	*ovviamente*
....	....
....	....

I. Osserva le strutture evidenziate nel testo, servono per parlare dei programmi per il futuro. Poi, completa il quadro.

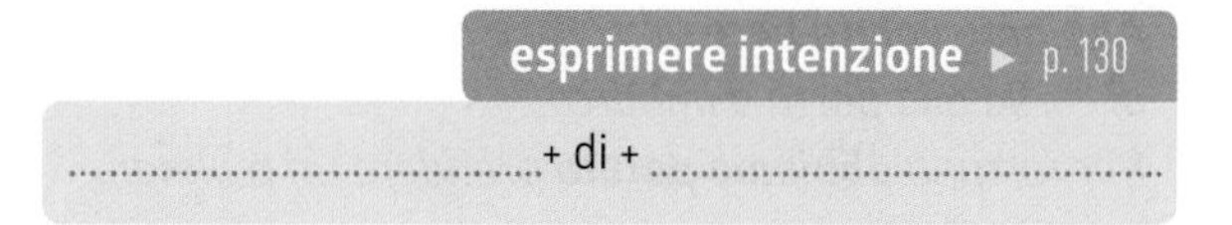

esprimere intenzione ► p. 130

.... + di + ...

L. Individua nella mail i riferimenti al tempo atmosferico e disegna il significato.

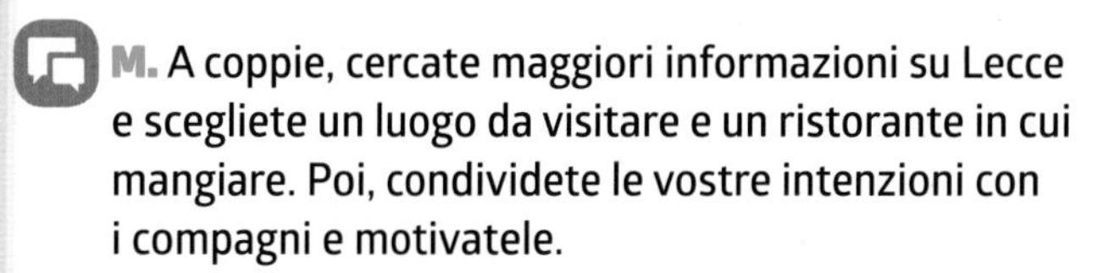

M. A coppie, cercate maggiori informazioni su Lecce e scegliete un luogo da visitare e un ristorante in cui mangiare. Poi, condividete le vostre intenzioni con i compagni e motivatele.

CI Prepara un itinerario di un giorno nella tua città o in una città che conosci. Dai indicazioni per gli spostamenti, specifica il tempo che ci vuole, dai consigli su ristoranti e prodotti tipici. Poi presentalo ai compagni.

Grammatica

I VERBI CON DUE AUSILIARI

Alcuni verbi, a seconda dell'uso transitivo o intransitivo, formano i tempi composti con l'ausiliare **essere** (uso intransitivo) o **avere** (uso transitivo).
Alcuni di questi verbi sono: **cominciare**, **iniziare**, **finire**, **salire**, **scendere**, **cambiare**.

*L'itinerario **è cominciato** ai piedi dell'Etna.*
***Hanno cominciato** il percorso a piedi dall'anfiteatro.*
*Il viaggio **è iniziato** il primo agosto ed **è finito** il 15 settembre.*
*Eva **ha cambiato** il volo per motivi di lavoro.*

L'AUSILIARE DEI VERBI: *POTERE*, *DOVERE* E *VOLERE*

I verbi **potere**, **dovere** e **volere** nei tempi composti richiedono l'ausiliare del verbo principale.

▸ con un verbo intransitivo: **essere**
***Siamo dovuti andare** all'ufficio oggetti smarriti.*

▸ con un verbo transitivo: **avere**
***Abbiamo voluto bere** un caffè e poi siamo andati di corsa alla porta d'imbarco.*
*Per fortuna **abbiamo potuto** prendere un pullman per Casablanca.*

METTERCI E *VOLERCI*

Volerci significa "essere necessario".
• *Quanto (tempo) **ci vuole** per arrivare?*
○ ***Ci vorranno** dieci minuti.*

Uno dei significati di **metterci** è "impiegare un tempo determinato".
*Il treno **ci mette** un'ora ad arrivare a Venezia.*

AVVERBI IN *-MENTE*

Aggiungendo il suffisso **-mente** a un aggettivo si ottengono degli avverbi.

Gli aggettivi in -**o/a** formano l'avverbio dal femminile singolare + il suffisso **-mente**.
ovvio → ovvia + mente → ovvia**mente**
libero → libera + mente →libera**mente**

Gli aggettivi in **-e** formano l'avverbio dalla forma unica.
breve + mente → breve**mente**

Gli aggettivi che terminano in **-le** o **-re** perdono la **-e** finale.
facile + mente → facil**mente**
particolare + mente → particolar**mente**

I NOMI E GLI AGGETTIVI ALTERATI

È possibile aggiungere dei suffissi ai nomi e agli aggettivi per alterarne il significato: quantità, qualità, giudizio del parlante.

-ino: diminutivo
ristorante → ristorant**ino**
bella → bell**ina**

-one: accrescitivo
paese → paes**one**
passeggiata → passeggiat**ona**

PENSARE DI + INFINITO

Usiamo questa struttura per esprimere un'intenzione.
***Pensiamo di fare** un giro per l'Italia quest'estate.*

AVERE BISOGNO DI + SOSTANTIVO / INFINITO

Usiamo questa struttura per esprimere necessità.
***Ho bisogno di andare** in ferie perché sono molto stanco.*
*Per andare negli Stati Uniti **hai bisogno di un visto**.*

I CONNETTIVI CAUSALI

Usiamo i connettivi **perché, siccome, poiché, dato che** e **visto che** per indicare una causa, un motivo.

*Non mi hanno fatto salire sull'aereo **perché / poiché** avevo il passaporto scaduto.*
***Visto che / Dato che** volevo un ricordo del viaggio originale, sono andato nei negozietti di artisti locali.*
*Abbiamo mangiato in una trattoria, **dato che / visto che** volevamo provare i piatti tipici.*

Quando utilizziamo **siccome**, la frase che contiene la causa precede quella con la conseguenza.

***Siccome** a me piace conoscere persone che vivono nei luoghi che visito, uso sempre il couchsurfing.*

I CONNETTIVI TEMPORALI

Usiamo i connettivi **mentre**, **quando**, **intanto**, **nel momento in cui** per localizzare un fatto nel tempo.

***Mentre** eravamo nel volo Venezia-Roma ci hanno avvisato che l'aereo per Casablanca partiva dall'uscita 27.*
***Quando** ci siamo resi conto che le nostre valigie non c'erano, siamo dovuti andare all'ufficio oggetti smarriti.*
*Io ho fatto la denuncia e **intanto** mio marito ha telefonato all'albergo di Ischia per avvisare del ritardo.*
***Nel momento in cui** siamo arrivati in albergo a Capri, abbiamo riavuto la mia valigia.*

1. Evidenzia il connettivo causale. Poi, riscrivi le frasi con il connettivo siccome.

1. Luca è andato in aeroporto in taxi perché l'aereo partiva presto. → *Siccome l'aereo partiva presto, Luca è andato in aeroporto in taxi.*
2. Elisa ha chiamato in albergo poiché voleva sapere se c'era l'asciugacapelli.
   → ....
3. Paolo non è potuto partire dato che aveva dimenticato la carta d'identità.
   → ....
4. Non vi abbiamo aspettato visto che il treno partiva.
   → ....
5. Sono partiti con due ore di ritardo perché l'aereo aveva un guasto.
   → ....

2. Unisci le frasi con un connettivo causale.

1. Marina e io andiamo in treno. Odiamo l'aereo.
2. Roberta ama camminare. Risparmia sui trasporti.
3. I nonni andavano sempre in bicicletta. Non avevano la macchina.
4. Non abbiamo molti soldi. Dormiamo in ostello.
5. Non ho bisogno di una cartina. Ho sempre con me il mio smartphone.

3. Completa le frasi con le forme corrette dei verbi al passato prossimo.

1. Il viaggio (cominciare) .... male perché c'era sciopero dei treni.
2. Quando Carla (finire) .... di preparare la valigia, sono partiti.
3. L'Erasmus in Olanda (cambiare) .... la mia vita.
4. La mia vita (cambiare) .... quando ho scoperto l'India...
5. Le vacanze (finire) .... e ora progetto le prossime!
6. (iniziare) .... a viaggiare da solo quando avevo 17 anni.
7. Dopo aver preso la patente, Marco (cominciare) .... a fare le vacanze in macchina da solo.
8. La conferenza sul Nepal (iniziare) .... dieci minuti fa.

4. Completa le frasi con i verbi metterci **e** volerci.

1. Per arrivare a Mestre da Treviso, noi .... mezz'ora in macchina.
2. Con il treno regionale .... quasi due ore per arrivare a Milano da Torino.
3. Ma quanto .... tu e Nina ad arrivare? Vi stiamo aspettando!
4. Scusa, sai dirmi quanto .... per arrivare in centro?
5. Siamo vicino al Duomo, stiamo camminando velocemente, ... due minuti per arrivare da te!

5. Completa il testo con i connettivi temporali: mentre, quando, intanto, nel momento in cui.

Tre anni fa sono stato in Brasile e il viaggio è stato un disastro. Ho viaggiato con una compagnia francese e .... sono arrivato all'aeroporto di Parigi, c'era Daniele ad aspettarmi. Lui .... aveva già messo il bagaglio in stiva. .... bevevamo un caffè, non ci siamo accorti che il nostro volo era stato cancellato. .... siamo andati al gate ci hanno detto che c'era un guasto al motore. .... io mi preoccupavo per il nostro programma, ... Daniele stava già organizzando una soluzione alternativa: è un vero viaggiatore, sempre con una soluzione!

6. Scrivi l'avverbio dei seguenti aggettivi. Poi, scrivi una frase per ciascuno.

1. lento → ....
2. veloce → ....
3. particolare → ....
4. vero → ....
5. facile → ....
6. breve → ....

7. Unisci le frasi con la struttura avere bisogno di **+ infinito.**

a. Quando visito città nuove mi perdo sempre.
b. Quest'anno andremo una settimana in campeggio.
c. Davide va a lavorare in Germania.
d. Quest'anno vado a fare un viaggio in India.
e. Giorgia e Marco devono rinnovare la carta d'identità.
f. Visiteremo il sud della Francia in bici.
g. Vai a Londra?

1. Avete bisogno di allenarvi.
2. Ho bisogno di uno zaino grande.
3. Avrà bisogno di un buon dizionario!
4. Allora avrete bisogno di un sacco a pelo.
5. Hanno bisogno di foto recenti.
6. Ho bisogno di una bussola.
7. Hai bisogno di rinfrescare il tuo inglese!

Parole

Il viaggio

1. Completa le mappe mentali.

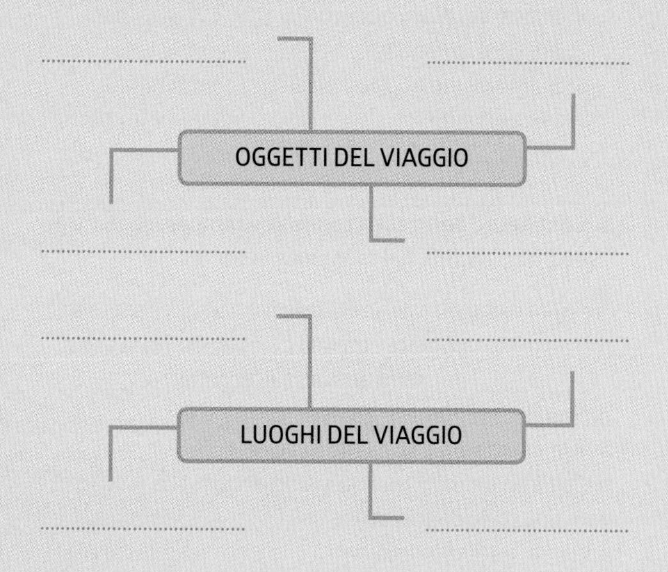

2. Completa le frasi con le seguenti parole.

noleggiare | ritardo | risparmiare | smarrire | sciopero | scalo

a. Non siamo partiti perché c'era .... dei controllori.
b. Quando sono andato in Argentina ho fatto uno .... a Madrid.
c. Devi leggerti i consigli per viaggiare low cost perché si può .... tanto!
d. Quest'estate pensiamo di .... una macchina e fare un giro per la Toscana.
e. Abbiamo dovuto aspettare due ore perché l'aereo è partito in ....
f. La guida ti dà consigli su come evitare di .... i bagagli.

3. Completa la lista di combinazioni.

Le indicazioni stradali

4. Abbina le seguenti indicazioni al pittogramma corrispondente.

andare / proseguire / procedere dritto
svoltare / girare a destra
svoltare / girare a sinistra
fare la rotonda

1. ....
2. ....
3. ....
4. ....

5. Disegna il pittogramma per le seguenti parole.

a. incrocio
b. rotonda
c. uscita
d. semaforo
e. curva

Il tempo meteorologico

6. Abbina le frasi alle illustrazioni.

1. Piove
2. Fa freddo
3. Fa caldo.
4. C'è il sole.
5. È nuvoloso.

I verbi del viaggio

7. Completa la lista di combinazioni.

viaggiare	in macchina	
stagione	alta	
cancellare		
mezzi	di trasporto	
prendere		
perdere		

Il segnale discorsivo: *proprio*

46

8. Completa il dialogo con le frasi sotto. Poi, ascolta e verifica. Osserva le parole in grassetto, che funzione hanno? A cosa corrispondono nella tua lingua?

- Fiorella, qual è stato il viaggio più disastroso della tua vita?
- ○ ....
- Perché?
- ○ Beh, volevamo dormire in campeggio, solo che l'amica che doveva portare la tenda... l'ha dimenticata a casa...
- Ma va? Non ci credo!
- ○ ....
- E cosa avete fatto?
- ○ Eh, abbiamo dovuto dormire in macchina.
- ....
- ○ Per niente...

1. Sì, sì, è andata **proprio** così!
2. Mm... fammi pensare... Il viaggio all'isola d'Elba! È stato **proprio** un disastro!
3. Non **proprio** comodo direi...

47

1. Spesso, nella lingua parlata, due parole si "legano" formando un raddoppiamento nella pronuncia della consonante. Ascolta la registrazione e sottolinea i raddoppiamenti nella pronuncia.

1.
- Hai già acquistato i biglietti dell'aereo?
- ○ Beh, certo! E poi ho prenotato anche l'hotel.
- Che bello! Non vedo l'ora di partire!

2.
- Oggi sono andata a comprare un nuovo sacco a pelo.
- ○ Sai già dove andare a dormire?
- Non ancora. Deciderò all'ultimo momento.

3.
- L'anno scorso ho fatto un viaggio di tre mesi.
- ○ Ma dai! E dove sei stata?
- In America Latina.
- ○ Ma sei partita da sola?
- Sì, è stato un viaggio molto emozionante

48

2. Ascolta la registrazione, fai attenzione all'intonazione e completa le frasi con punto fermo (.), punto interrogativo (?) o punto esclamativo (!).

a. Siamo andati al deposito bagagli perché avevano smarrito le nostre valigie ....
b. Lo sciopero dei treni è finito ieri ....
c. Ci siamo fermate tre giorni a Vicenza e siamo rimaste incantate dalla città ....
d. Pietro ha deciso di fare un viaggio in bicicletta ....
e. Per andare da Roma a Torino ti consiglio di prendere il treno ....
f. Quest'anno farò un bel viaggio in Patagonia ....

49

3. Ascolta la registrazione e indica quale suono senti in ciascuna parola.

	[kw]	[gw]
a.		
b.		
c.		
d.		
e.		
f.		

Viaggiare in Tv

**Gli italiani amano viaggiare, li puoi trovare in qualsiasi angolo del mondo! E la televisione italiana è ricca di programmi televisivi dedicati al viaggio, che da decenni ispirano gli itinerari e le mete degli italiani.
Vi proponiamo una selezione dei programmi più visti.**

Sette Meraviglie

Un viaggio alla (ri)scoperta dei siti patrimonio UNESCO italiani. L'idea è quella di proporre una nuova prospettiva sui monumenti simbolo del Bel Paese, in chiave contemporanea e cinematografica, grazie all'alta definizione e alle tecnologie di ripresa più avanzate.

Sito www.sky.it/settemeraviglie

Mondo Insieme

In questo programma Licia Colò, storico volto legato alla documentaristica di viaggio, ci porta alla scoperta del mondo attraverso i racconti di molti tipi di viaggiatori. Presenta vari modi di viaggiare dal low cost al viaggio "lento", a quello spirituale, ecc. Insomma, un salotto in cui le storie di viaggio si incontrano e si intrecciano.

Sito www.tv2000.it/ilmondoinsieme

Kilimangiaro - Tutto un altro mondo

Il programma condotto da Camila Raznovich propone documentari in cui i film-maker del Kilimangiaro ci accompagnano tra avventure, paradisi, natura, storie e vita cittadina. Nella trasmissione intervengono personaggi dello spettacolo o del mondo della cultura e spesso vengono presentate coreografie e rappresentazioni teatrali e circensi di compagnie provenienti da tutto il mondo.

Sito www.kilimagiaro.rai.it

Vicini di Viaggio

Simone Chiesa, film-maker e viaggiatore per passione, ci accompagna tra arte, cucina, paesaggio e cinema con un obiettivo: scoprire gli eventi che riescono a creare legami tra le persone. Le reali mete di un viaggio sono (anche) le persone che incontriamo, e quindi niente hotel o sistemazioni di lusso: Simone dorme sul divano di chi è disposto ad ospitarlo per la notte.

Sito www.laeffe.tv/programmi/vicini-di-viaggio

Viaggiare in TV

A. Come ti informi per programmare un viaggio? Guardi documentari, leggi riviste e diari di viaggio? Parlane con un compagno.

- *Io di solito mi informo sui siti Internet delle riviste di viaggio...*

B. Leggi i testi. Quale programma ti piacerebbe vedere? Perché? Parlane con un compagno.

Donnavventura

Mescolando documentario e reality di viaggio, ogni stagione del programma consiste in una spedizione realizzata da un team di sole donne. Il percorso prevede sempre mete estreme, escursioni ma anche momenti di lusso e relax.

Sito www.donnavventura.com

Sereno variabile

Programma della rete RAI, condotto e ideato da Osvaldo Bevilacqua e amato dagli italiani fin dagli inizi, nel lontano 1979. Il programma è entrato nel Guinness dei primati come trasmissione televisiva di viaggi di più lunga durata del mondo. Il conduttore viaggia attraverso il territorio italiano e propone idee per conoscere meglio realtà, storia, enogastronomia e cultura di luoghi più e meno famosi.

Sito www.serenovariabile.rai.it

C. Naviga sul sito di uno dei programmi citati, puoi guardare il video di presentazione o una parte di una puntata. Raccogli maggiori informazioni e presentale al compagno.

Programma: ....
....
Conduttore/i: ....
....
Canale: ....
....
Format: ....
....
Luoghi: ....
....

D. Ascolta la conversazione tra due amiche e indica se le seguenti affermazioni sono vere o false.

50

	V	F
1. Entrambe hanno già visto il programma.		
2. Il programma propone itinerari per il finesettimana in città europee.		
3. Entrambe amano i programmi di viaggio su youtube.		
4. La puntata che decidono di guardare è su la Venaria Reale.		

E. Nel tuo Paese quali sono i programmi di viaggio più belli? Scegline uno e scrivi una breve presentazione. Poi, proponila alla classe

Descrivere varie tipologie di turisti

A. A gruppi, leggete l'elenco delle tipologie di turisti e pensate a cosa piace fare a ciascuno.

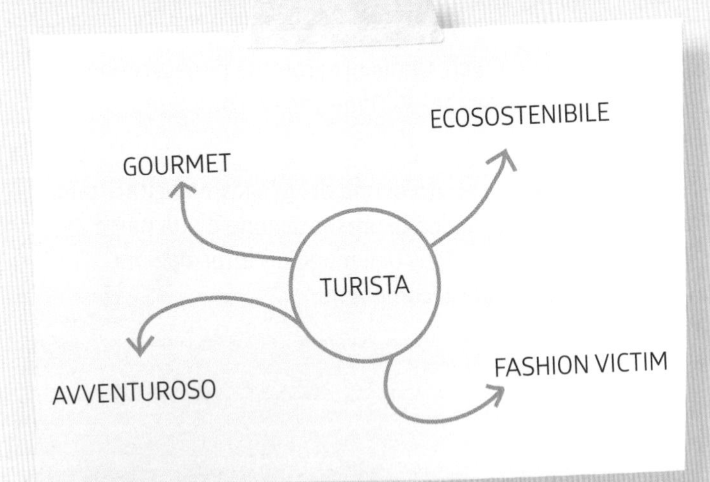

B. Scrivete una descrizione per ciascun tipo di turista: cosa gli piace fare, dove gli piace andare, come si prepara al viaggio. Abbinate almeno una foto a ciascuna descrizione.

C. Presentate alla classe le vostre descrizioni e confrontatele con quelle degli altri.

STRATEGIE PER LAVORARE

Prima di un'esposizione orale, fai dei provini, ti aiuterà a stare più tranquillo e ti renderà sicuro di quello che devi dire.

Pubblicate la descrizione su Tripadvisor o simili, potreste ispirare altri viaggiatori.

Raccontare un'esperienza di viaggio particolare o memorabile

A. Pensa a un'esperienza di viaggio positiva o negativa. Annota luogo, avvenimenti, particolari che vuoi raccontare.

B. Scrivi il racconto del viaggio che hai scelto. Puoi arricchirlo con delle immagini.

C. Appendi il racconto in classe e leggi almeno un racconto di un compagno.

STRATEGIE PER LAVORARE

Costruire una mappa mentale con i punti che si vogliono trattare nel testo, aiuta a organizzare i contenuti.

Condividi il tuo racconto su un blog di viaggi.

Com'è andato il compito?

A. Fai un'autovalutazione delle tue competenze.

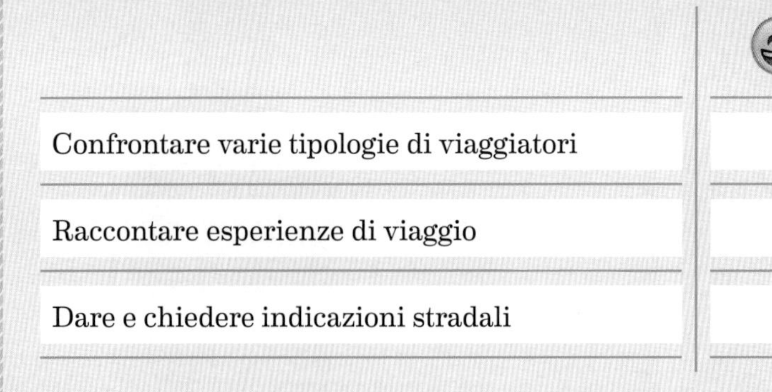

Confrontare varie tipologie di viaggiatori				
Raccontare esperienze di viaggio				
Dare e chiedere indicazioni stradali				

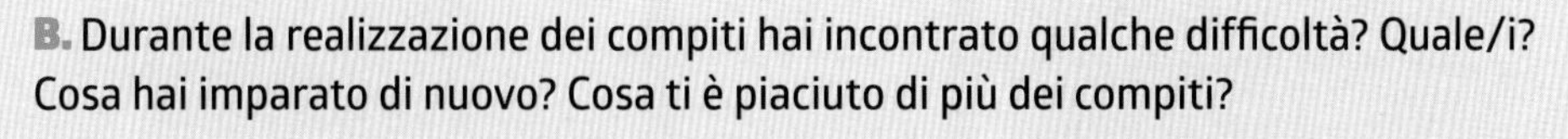

B. Durante la realizzazione dei compiti hai incontrato qualche difficoltà? Quale/i?
Cosa hai imparato di nuovo? Cosa ti è piaciuto di più dei compiti?

C. Valuta il compito dei tuoi compagni e poi parlane con loro.

La presentazione è chiara.				
Hanno utilizzato i contenuti dell'unità.				
Il lessico utilizzato è adeguato.				
È originale e interessante.				
La pronuncia è chiara e l'intonazione corretta.				

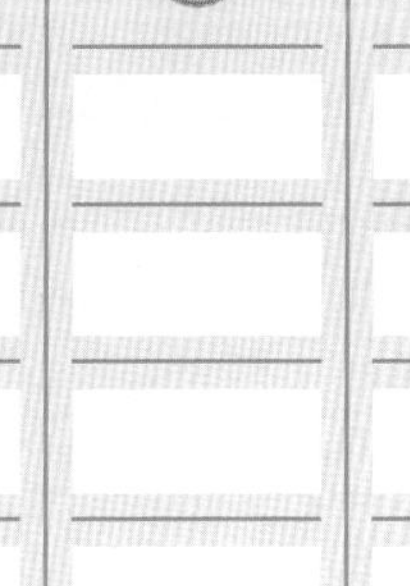

8 *Fatti e misfatti*

CF COMPITI FINALI
- **Redigere il decalogo civico della classe**
- **Scrivere la propria opinione su un tema di civismo**

COMPITI INTERMEDI
- Salvare un elemento del patrimonio
- Favorire la buona convivenza in classe
- Esprimere la propria opinione su arte e vandalismo

1. Patrimonio e civismo

A. Osserva la fotografia: cosa ti colpisce di più?

B. Osserva la nuvola di parole: quali parole associ all'immagine? Confronta le tue scelte con un compagno.

C. Rileggi le parole della nuvola e completa. Poi confronta la tua lista con un compagno.

Parole che conosco: ....

....

Parole che non conosco ma capisco: ....

....

Parole che non capisco: ....

....

D. Se vuoi, alla fine dell'unità fai una proposta alternativa per questa doppia pagina.

▲ *Parco Dora, lotto Vitali (Torino)*

2. SOS patrimonio culturale!

A. Prova a definire cosa è per te il patrimonio culturale di un Paese. Poi leggi la definizione del dizionario.

> **Patrimonio culturale** insieme dei beni culturali, artistici, ambientali ecc. di una persona o un Paese ai quali si riserva una particolare protezione legale perché, per le loro caratteristiche, appartengono a una comunità.

B. Secondo te, quali di questi elementi fanno parte del patrimonio culturale italiano, perché? Parlane con un compagno.

1 ▲ *I Mamuthones (maschere tradizionali, Sardegna)*

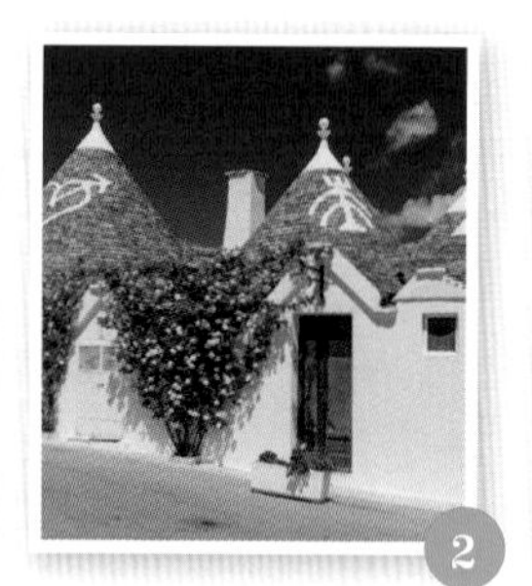
2 ▲ *I trulli di Alberobello*

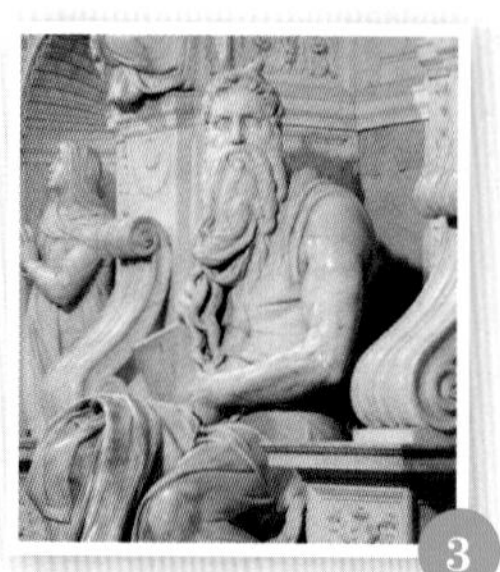
3 ▲ *Il Mosè di Michelangelo*

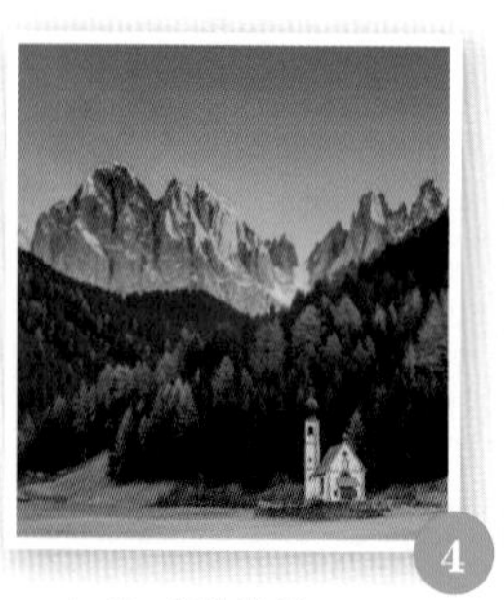
4 ▲ *La Val di Funes (Dolomiti)*

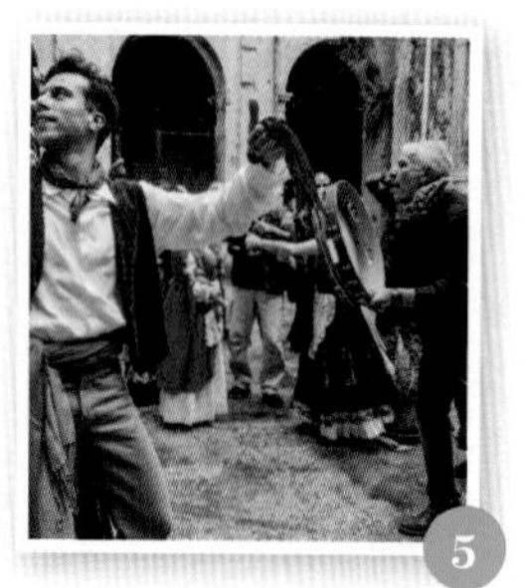
5 ▲ *La tarantella*

C. Leggi il testo di questa campagna di sensibilizzazione per la tutela del patrimonio culturale italiano. La situazione nel tuo Paese è simile o differente? Parlane con i compagni.

La bellezza salverà il mondo. Chi salva la bellezza?

Italia al primo posto per patrimonio e all'ultimo per la sua tutela

4976 beni del patrimonio culturale italiano: musei, gallerie, collezioni, aree archeologiche, monumenti

53 beni culturali italiani iscritti nella Lista del patrimonio mondiale dell'Unesco (il 4,8% del totale mondiale)

0,32% del denaro pubblico destinato alla tutela e alla valorizzazione del patrimonio culturale

2.500 persone denunciate per reati contro il patrimonio

La tutela e la valorizzazione dei beni culturali significano civiltà. Lo Stato italiano è uno degli stati europei che investe meno in servizi culturali, e i cittadini mostrano indifferenza verso il proprio patrimonio.

IL PATRIMONIO SEI TU SALVALO!

D. Leggi i post del forum per la tutela del patrimonio culturale italiano e sottolinea le idee che condividi.

Marco G. Lo Stato dovrebbe organizzare un piano di conservazione dei beni a rischio. In questo modo, salveremmo opere di grande valore e favoriremmo il turismo e l'economia in generale!

Robertino Sono d'accordo con te, Marco G., però lo Stato da solo non può fare tutto. Anche i privati potrebbero contribuire.

Cris87 Io metterei più video-sorveglianza e darei multe salate a tutti i vandali che rovinano il nostro patrimonio. Forse, così, avrebbero meno voglia di rovinare i beni comuni.

Mary_14 Sono inglese ma vivo in Italia da molti anni. Cari italiani, al vostro posto investirei più denaro pubblico in tutela e valorizzazione.

Luca_xx Mary_14 ha ragione! Sarebbe una buona soluzione anche promuovere il turismo culturale.

E. Osserva il condizionale presente (forme evidenziate al punto D) e indica per cosa si usa. Confronta con un compagno.

- ☐ per fare affermazioni
- ☐ per esprimere opinioni
- ☐ per fare ipotesi
- ☐ per dare consigli
- ☐ per dare ordini

F. Quali sono gli infiniti dei verbi evidenziati al punto D? Poi indica a che persona è coniugato ciascuno. Lavora con un compagno.

G. E tu, cosa faresti per il patrimonio culturale? Partecipa alla discussione del forum.

3. Il braccio armato della cultura

A. Leggi l'intervista al capitano Rossetti del Comando Tutela Patrimonio Culturale dei Carabinieri e annota le attività che svolge questo gruppo di polizia.

L'INTERVISTA

Di che cosa si occupa il Comando Tutela Patrimonio Culturale dei Carabinieri?
Innanzitutto diciamo che si tratta di un primato italiano: è il primo nucleo di polizia al mondo specializzato in questo settore ed è attivo dal 1969. Collaboriamo direttamente con il Ministero dei Beni e delle Attività Culturali e ci occupiamo dei reati contro il patrimonio culturale, tra cui, in primo luogo, il furto e la contraffazione di oggetti d'arte, ma anche del controllo di siti archeologici e paesaggistici, e delle misure di sicurezza di musei, archivi, biblioteche... Per concludere vale la pena citare la nostra Banca dati: un database informatico di 5,8 milioni di oggetti e 600mila immagini che ha permesso di recuperare moltissime opere rubate.

Quali sono i reati più comuni commessi?
Il furto di opere d'arte e gli scavi clandestini. Molto comuni sono anche la contraffazione di opere d'arte e il traffico illegale di beni culturali, e infine ricordiamo anche il vandalismo.

Quali sono le misure di prevenzione?
L'attività di prevenzione si svolge soprattutto con visite e verifiche nei musei e nelle aree di interesse paesaggistico e archeologico. E poi un controllo costante del commercio, sia in rete sia in gallerie d'arte sia in mercati di settore. Infine, svolgiamo verifiche sui beni in commercio e sui documenti che attestano la loro originalità.

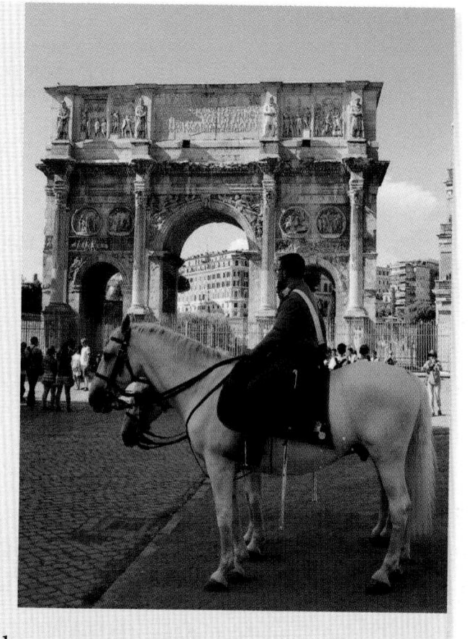

Carabinieri a cavallo controllano l'area archeologica di Colosseo e Arco di Costantino a Roma

B. Cerca il significato di queste parole ed espressioni sul dizionario.

furto · vandalismo · contraffazione · traffico illegale · scavi clandestini

C. Le parole ed espressioni evidenziate al punto A servono ad organizzare il discorso, abbinale alla funzione corrispondente.

i connettivi ▸ p. 146

per iniziare un discorso	....
per aggiungere informazioni	....
per concludere un discorso	....

D. Ascolta la seconda parte dell'intervista al capitano Rossetti e indica quali affermazioni sono presenti. (51)

- ☐ Prima del 2001 gli atti vandalici non erano puniti.
- ☐ Gli atti vandalici più gravi sono puniti con multe di 2.000 €.
- ☐ Per lo Stato italiano gli atti vandalici sono reati.
- ☐ Rompere una statua è un reato grave.
- ☐ La cronaca non tratta casi di atti vandalici.
- ☐ I vandali non hanno un vero e proprio obiettivo.

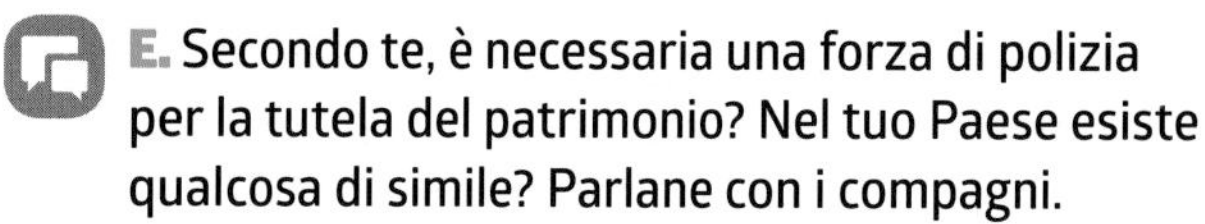

E. Secondo te, è necessaria una forza di polizia per la tutela del patrimonio? Nel tuo Paese esiste qualcosa di simile? Parlane con i compagni.

CI **LO SALVEREI COSÌ**
Scegli un elemento del patrimonio del tuo Paese (o di un altro) che secondo te dovrebbe essere conservato meglio e scrivi cosa faresti per recuperarlo.

4. Senso civico all'italiana

A. Osserva questa mappa mentale sul senso civico: cosa aggiungeresti? Poi pensa a dei comportamenti che rispettano il senso civico e parlane con un compagno.

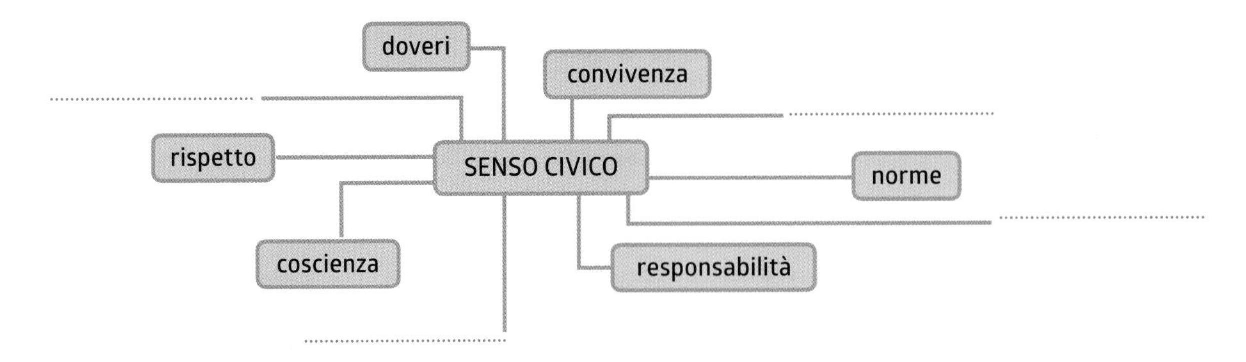

- *Beh, secondo me, un esempio è parlare a bassa voce al cellulare per non disturbare gli altri.*
- *Un altro buon esempio è portare all'ufficio degli oggetti smarriti un portafoglio trovato per strada.*

B. Ecco alcuni comportamenti consigliati per il senso civico in Italia: quali di questi sono frequenti anche nel tuo Paese? Poi pensa se ne aggiungeresti altri.

I luoghi pubblici, la guida, l'ambiente, il rumore, i rifiuti, il vandalismo: in cinque punti, ecco con quali comportamenti possiamo migliorare la convivenza civile nel nostro Paese.

1 I giardini pubblici sono luoghi preziosi per la collettività e si devono salvaguardare: se si portano a passeggio i cani, bisogna lasciare l'area pulita da eventuali escrementi.

2 Quando si è alla guida di un veicolo vicino a delle strisce pedonali è indispensabile ridurre la velocità per potersi fermare se qualcuno desidera attraversare. Inoltre si deve guidare con molta attenzione in prossimità di scuole e centri per l'infanzia.

3 L'abbandono di rifiuti per strada e in altri luoghi pubblici è indice di mancanza di rispetto per l'ambiente naturale e sociale. Occorre lasciare i rifiuti nei luoghi destinati alla raccolta e allo smaltimento.

4 Si deve evitare di parcheggiare l'auto in doppia fila. Allo stesso modo è necessario lasciare libero l'accesso ai marciapiedi ai pedoni e, soprattutto, alle sedie a rotelle e ai passeggini.

5 Gli schiamazzi e i rumori disturbano il vicinato: è doveroso preoccuparsi dei nostri vicini se facciamo dei lavori in casa, ascoltiamo la musica ad alto volume oppure organizziamo una festa.

C. Le forme evidenziate al punto B esprimono obbligo e necessità. Osserva da cosa sono seguite.

D. Conosci altri modi per esprimere obbligo e necessità? Cercali nel testo al punto B e poi confronta con un compagno.

E. Annota tre comportamenti non rispettosi e tre rispettosi del senso civico diffusi nel tuo Paese. Poi confronta con un compagno: avete annotato gli stessi comportamenti?

F. Una rivista online propone ai suoi lettori la domanda "Come si può migliorare il senso civico nella nostra società?". Leggi le risposte: sei d'accordo? Parlane con un compagno.

- *Secondo me, è giusto / è doveroso... denunciare i vandali.*
- *Sì, sono d'accordo però..*

G. Nei tweet al punto F trovi del lessico utile per parlare del senso civico. Completa le seguenti liste di parole e poi confronta con un compagno.

valori positivi e negativi = *solidarietà,* ....
....
....

verbi = *sostenere,* ....
....
....

52

H. In Italia più di 6 milioni di persone fanno volontariato. Leggi le seguenti frasi e indica con quali sei d'accordo. Poi ascolta l'intervista a Camilla, volontaria in una casa d'accoglienza per rifugiati, e confronta le tue scelte.

1. È utile per le persone in difficoltà.	☐
2. Fa star bene con sé stessi.	☐
3. Permette di mettere a disposizione le proprie competenze.	☐
4. È un modo intelligente di impiegare il tempo libero.	☐
5. Contribuisce alla crescita della persona.	☐
6. Aiuta a creare contatti.	☐
7. È un'esperienza utile per il proprio futuro.	☐

I. Ecco alcune attività di volontariato: capisci di cosa si tratta? Lavora con un compagno e consulta il dizionario e/o Internet. Annota il lessico utile delle attività che ti interessano di più.

- ▶ protezione animali
- ▶ sostegno ai senzatetto
- ▶ organizzazione attività in centri giovanili
- ▶ adozione a distanza di minori
- ▶ sostegno psicologico ai malati terminali
- ▶ pulizia di zone verdi e spiagge
- ▶ tutela dei monumenti
- ▶ accompagnamento dei disabili

L. E tu fai oppure hai fatto o ti piacerebbe fare volontariato? Di' quali attività fai, hai fatto o ti piacerebbe fare.

- *Io collaboro nella protezione animali / ... secondo me aiuta...*
- *A me piacerebbe dare sostegno ai senzatetto perché...*

CI **SENSO CIVICO IN CLASSE**

Con un compagno, scrivi tre comportamenti rispettosi della buona convivenza in classe e tre comportamenti non rispettosi. Condividete le vostre proposte con i compagni e, tutti insieme, scegliete il comportamento più rispettoso e quello meno rispettoso.

5. Arte o vandalismo?

A. Cosa associ all'arte di strada? Scrivi una lista di cinque parole e condividila con i compagni. Poi cerca il significato di questi verbi.

▶ imbrattare ▶ ribellarsi ▶ abbellire ▶ valorizzare ▶ danneggiare ▶ riqualificare ▶ decorare

B. Leggi l'articolo e sottolinea le informazioni che ti sembrano più interessanti. Poi confronta con i compagni.

L'arte di strada

Graffiti sui mezzi pubblici, murales sui palazzi, poesie sull'arredo urbano. Ecco come l'arte di strada sta cambiando l'immagine delle città.

I versi poetici di Ivan Tresoldi

Emergenza graffiti

Le scritte e i disegni con le bombolette spray si trovano ovunque: stazioni della metro, serrande dei negozi, vagoni dei treni, edifici storici e monumenti. Alcuni graffitari lo fanno per ribellarsi alla società, altri per comunicare in modo indipendente e altri ancora per esprimere la propria creatività. Alcuni cittadini si sono organizzati per ripulire i quartieri imbrattati. Ma il graffitismo non è solo sporcare, è anche decorazione ed espressione di versi poetici.

Un murales di Orgosolo

Muri come quadri per tutti

I murales abbelliscono le periferie degradate e le valorizzano perché sono arte destinata alla strada e gratis per tutti. Molti Comuni mettono a disposizione degli spazi per i muralisti per riqualificare i quartieri periferici, ma alcuni artisti preferiscono lavorare nell'illegalità. Per promuovere il valore di questa forma d'arte, a Roma è nato il Museo di Urban Art, un'esposizione a cielo aperto con opere di artisti di fama mondiale. Oltre alle metropoli, i murales caratterizzano alcuni borghi storici in cui si possono ammirare opere di valore artistico e culturale.

Arredo urbano reinterpretato da Clet

Il design dell'arredo urbano

Dalla pittura sul muro l'arte di strada si sposta sull'arredo urbano per modificarlo e dargli una nuova identità: segnali stradali ridipinti in modo creativo, poesie scritte su panchine o incollate ai lampioni. Trasformazioni che risvegliano la coscienza dei passanti e li spingono a riflettere.

C. Rileggi l'articolo e completa le seguenti liste di parole. Poi confronta con un compagno.

spazi dell'arte urbana = *mezzi pubblici,* ....

....

....

motivi ed effetti = *ribellarsi, abbellire* ....

....

....

D. Quali forme di arte di strada ti piacciono e quali no? Perché? Conosci qualche artista o qualche opera in particolare?

E. Leggi le opinioni di alcuni cittadini sull'arte di strada: quale condividi? Parlane con un compagno.

ALESSANDRO

“Se sono vere opere d'arte, penso che si commetta un errore a cancellarle. Ma se sono scritte senza valore, allora, dal mio punto di vista è bene fare pagare agli autori le spese per cancellarle. Credo che sia necessario multarli.”

CARLOTTA

“Credo che la società abbia il dovere di sostenere la cultura. L'anno scorso c'erano delle poesie attaccate alla fermata dell'autobus. La gente le leggeva e ne parlava. Poi i vigili urbani hanno trovato e multato l'autore. Ecco, secondo me è ingiusto e contro la cultura.”

ORNELLA

“Io abito in centro e spesso vedo dei disegni sui muri di palazzi antichi. Anche se alcuni pensano che si tratti di arte contemporanea, a mio avviso i veri artisti non danneggiano il patrimonio architettonico e artistico. Sarebbe un controsenso.”

F. Osserva le frasi evidenziate al punto E: che funzione hanno?

- ☐ presentano un'informazione
- ☐ esprimono un'opinione
- ☐ esprimono un desiderio

G. In alcune delle frasi evidenziate al punto E compare un nuovo tempo verbale: il congiuntivo presente. Sottolinea le forme verbali e indica l'infinito corripondente.

H. Rileggi le frasi evidenziate al punto E e completa la regola d'uso.

esprimere opinioni ► p. 146

.... / .... / ....
+ verbo all'indicativo

.... / .... **che** + verbo al congiuntivo

53

I. Leggi titolo e sottotitolo di un articolo. Secondo te, cosa è successo? Parlane con un compagno. Poi ascolta un critico d'arte e verifica le tue ipotesi.

Bologna, Blu cancella tutti i suoi murales: "No all'arte di strada privatizzata"

Azione in polemica contro gli organizzatori della mostra sulla Street Art che hanno staccato dai muri le opere degli artisti di strada per trasferirli nel museo.

53

L. Riascolta l'intervista e indica se le seguenti affermazioni corrispondono all'opinione del critico d'arte.

1. Blu ha fatto bene a cancellare i murales.	☐
2. I murales appartengono ai proprietari dei muri.	☐
3. Se si trasferiscono in un museo, i murales perdono il loro significato artistico.	☐
4. È giusto pagare il biglietto per vedere i murales di un grande artista.	☐
5. Bisogna trasferire i murales in un museo per conservarli.	☐

M. Riconsidera attentamente la vicenda di Bologna dal punto di vista del Comune, responsabile della promozione e della conservazione dei beni artistici, e di Blu, l'artista dei murales. Chi ha ragione, secondo te? Scrivi un breve testo.

CI **ARTE O VANDALISMO?**

Arte o vandalismo? Scegli il tuo punto di vista, cerca degli esempi e annota gli argomenti a favore della tua opinione. Esponi quello che pensi ai compagni.

Grammatica

IL CONDIZIONALE PRESENTE

MULTARE	METTERE	INVESTIRE
mult**erei**	mett**erei**	invest**irei**
mult**eresti**	mett**eresti**	invest**iresti**
mult**erebbe**	mett**erebbe**	invest**irebbe**
mult**eremmo**	mett**eremmo**	invest**iremmo**
mult**ereste**	mett**ereste**	invest**ireste**
mult**erebbero**	mett**erebbero**	invest**irebbero**

ESSERE	AVERE
sarei	avrei
saresti	avresti
sarebbe	avrebbe
saremmo	avremmo
sareste	avreste
sarebbero	avrebbero

I verbi irregolari al condizionale sono gli stessi che presentano l'irregolarità anche al futuro.

dovere → dovrei
fare → farei
dire → direi
andare → andrei
sapere → saprei
volere → vorrei
vivere → vivrei
vedere → vedrei

Usiamo il condizionale presente per fare dichiarazioni ipotetiche sul presente e sul futuro, in questo modo rappresentiamo una realtà ipotetica.

*Lo Stato **dovrebbe** tutelare seriamente il patrimonio.*
***Multerei** chi non rispetta la convivenza civile.*

PER ORGANIZZARE UN DISCORSO

Per iniziare un discorso:
innanzitutto**, **in primo luogo**, **prima di tutto**, **per prima cosa**, **per cominciare

Per aggiungere informazioni:
ma anche**, **poi**, **anche**, **e**, **inoltre

Per concludere un discorso:
per concludere**, **infine**, **in conclusione

*Per tutelare il patrimonio culturale, **innanzitutto** si dovrebbe organizzare un piano di restauro, **poi** ci vorrebbe più controllo sulle opere e **inoltre** è necessario valorizzare i beni. **Infine** bisognerebbe potenziare l'educazione civica a scuola.*

ESPRIMERE OBBLIGO E NECESSITÀ

Per esprimere la necessità e l'obbligo in modo impersonale usiamo diverse costruzioni con l'infinito:

si deve / devono
bisogna, **occorre** + infinito
è necessario / doveroso / indispensabile

***Si deve ridurre** la velocità nei centri residenziali.*
***Bisogna essere** più solidali.*
***È doveroso aiutare** le persone in difficoltà.*

***Si deve** punire il vandalismo.*
***Si devono** punire i vandali.*

IL CONGIUNTIVO PRESENTE

AIUTARE	COMMETTERE	INVESTIRE	FAVORIRE
aiut**i**	commett**a**	invest**a**	favor**isca**
aiut**i**	commett**a**	invest**a**	favor**isca**
aiut**i**	commett**a**	invest**a**	favor**isca**
aiut**iamo**	commett**iamo**	invest**iamo**	favor**iamo**
aiut**iate**	commett**iate**	invest**iate**	favor**iate**
aiut**ino**	commett**ano**	invest**ano**	favor**iscano**

ESSERE	AVERE
sia	abbia
sia	abbia
sia	abbia
siamo	abbiamo
siate	abbiate
siano	abbiano

Usiamo il congiuntivo quando presentiamo un fatto possibile o probabile e non come sicuro. Di solito il verbo al congiuntivo si trova nelle frasi secondarie.

ESPRIMERE UN'OPINIONE

***Secondo me**, i murales sono opere d'arte.*
***A mio avviso**, occorre denunciare i vandali.*
***Dal mio punto di vista**, il senso civico è indispensabile.*
***Penso che** i graffiti siano atti incivili.*
***Credo che** occorra promuovere la solidarietà tra concittadini.*

Quando usiamo l'indicativo affermiamo qualcosa, quando usiamo il congiuntivo non affermiamo. Per questo le opinioni espresse con *secondo me*, *a mio avviso*, *dal mio punto di vista* sono più "forti".

1. Inserisci le forme verbali nelle frasi corrispondenti.

favoriremmo dovrebbero avremmo sarebbe contribuirebbero bisognerebbe si tutelerebbe dovrebbe

a. Con più investimenti .... meglio il patrimonio artistico.
b. In un Paese solidale anche i privati .... ai restauri delle opere.
c. Il Comune .... investire di più in cultura, ma al momento non ha denaro.
d. Svendere tutto alle multinazionali non .... la soluzione giusta.
e. Con una migliore conservazione dei nostri tesori .... anche il turismo.
f. .... educare i bambini ad apprezzare l'arte.
g. A mio avviso .... bisogno di più video-sorveglianza.
h. Le forze dell'ordine .... collaborare maggiormente tra loro.

2. Completa la lettera di un cittadino al sindaco con i connettivi adeguati.

Egregio Signor Sindaco, credo che si commetta un errore a spostare i murales in un museo. ...., perché il contesto della strada è un elemento artistico essenziale per queste opere. Penso .... che trasferirle in un museo non rispetti la volontà degli autori perché le hanno create per essere sempre accessibili e gratuite. Secondo me, bisogna considerare che si tratta di opere nate per deteriorarsi nel tempo. E ...., credo che sia doveroso chiedere il permesso agli artisti.

3. Completa le frasi con i seguenti verbi coniugati al congiuntivo presente.

investire • avere • danneggiare
promuovere • essere • educare

a. Non credo che i murales .... l'arredo urbano.
b. Penso che il buon esempio dei genitori .... i bambini al rispetto della comunità.
c. Credete che lo Stato .... abbastanza per tutelare il patrimonio?
d. Non pensiamo che .... giusto multare eccessivamente per dei graffiti.
e. Crediamo che lo Stato .... molta responsabilità nell'educazione civica.
f. Pensi che la società .... il senso civico?

4. Cerchia l'opzione corretta.

a. Mario crede che fare il servizio civile **favorisce** / **favorisca** la crescita personale.
b. A mio avviso, lo Stato non **aiuta** / **aiuti** a sufficienza gli emarginati.
c. Pensate veramente che non **ha** / **abbia** senso fare leggi più severe?
d. Pensiamo che **sono** / **siano** necessari più investimenti pubblici.
e. Molti non credono che i graffiti **abbelliscono** / **abbelliscano** i quartieri.
f. Secondo Antonio **è** / **sia** necessario più senso civico nel Paese.

5. Per ogni frase cancella l'opzione o le opzioni sbagliate.

a. Penso che lo Stato **è doveroso** / **abbia il dovere** / **sarebbe necessario** di investire di più.
b. **È** / **Sarebbe** / **Sia** indispensabile arrestare i vandali.
c. Siamo sicuri che la scuola **abbia** / **ha** / **bisogna** un ruolo centrale nell'educazione al senso civico.
d. Dal nostro punto di vista, il commercio illegale delle opere d'arte **sia** / **è** / **sarebbe** molto diffuso.
e. **Si devono** / **Si deve** / **Occorre** fermare gli incivili che imbrattano i muri.
f. La gente **dovrebbe** / **si deve** / **dovrebbero** essere più solidale.
g. Qualche persona crede che svolgere del volontariato non **siano** / **sono** / **sia** un dovere civile.
h. Credo che **occorra** / **sia necessario** / **è doveroso** denunciare i comportamenti incivili.

6. Leggi il titolo e il sottotitolo di questa notizia e scrivi un commento per dire cosa ne pensi.

Poesia di strada multata

Da quasi sei mesi, ogni tre giorni, un poeta misterioso appendeva i suoi versi alle fermate degli autobus. La gente apprezzava: leggeva le poesie, le commentava, lasciava altri versi in risposta. Ma la legge non sembra amare la letteratura: è stata rintracciata l'autrice, una giovane di 27 anni, ed è stata multata per non aver rispettato il decoro urbano.

Il patrimonio culturale

1. Completa le frasi con le seguenti parole ed espressioni.

tutela | degrado | promozione | vandalismo | senso civico | beni culturali | valorizzazione

a. In Italia non viene dato il giusto peso alla .... e alla .... del patrimonio culturale.
b. La Cina è il secondo Paese dopo l'Italia per numero di .... iscritti nella Lista dell'Unesco.
c. Molti luoghi italiani di interesse storico e artistico sono lasciati nel .... a causa dei pochi fondi destinati ai servizi pubblici.
d. Il .... è un grande problema dato dalla noia e dalla mancanza di ....
e. La .... del turismo potrebbe essere una buona opportunità per risollevare l'economia del Paese.

2. Completa la seguente mappa mentale.

3. Traduci nella tua lingua questi beni culturali.

monumenti: ....
scavi archeologici: ....
opere d'arte: ....
edifici storici: ....
tradizioni: ....

Senso civico

4. Collega i verbi della colonna sinistra ai loro sinonimi.

a. tutelare	**1.** sporcare
b. valorizzare	**2.** rovinare
c. denunciare	**3.** proteggere
d. riqualificare	**4.** dare valore
e. imbrattare	**5.** migliorare
f. danneggiare	**6.** segnalare alla polizia

5. Scrivi delle frasi con le seguenti parole.

solidarietà | convivenza | responsabilità | rispetto | inciviltà

a. ....
b. ....
c. ....
d. ....
e. ....

6. Inserisci le seguenti parole nella colonna corrispondente.

graffiti | murales | monumenti | edifici storici | versi poetici | arredo urbano | mezzi pubblici | quartieri degradati | stazioni della metro

tipi di arte	spazi dell'arte

I verbi del civismo

7. Completa la lista di combinazioni.

I segnali discorsivi: *va beh, chiaro, guarda*

54

8. Inserisci nelle seguenti frasi il segnale discorsivo adeguato. Scegli tra **guarda**, **va beh** e **chiaro**. Poi verifica con la registrazione.

a.

- Ieri siamo stati a un festival di arte di strada fantastico!
- ...., fantastico, adesso non esageriamo, era carino.

b.

- Secondo me l'arte di strada non è assolutamente vandalismo, e chi lo pensa dovrebbe informarsi meglio!
- ...., questa è la tua opinione.

c.

Io trovo la poesia di strada veramente stimolante. Poi, ..., è sempre una questione di gusti.

d.

- Cerco di arrivare puntuale, ma dipende da che ora esco dall'ufficio.
- ...., non ci sono problemi!

e.

- ...., secondo me dovresti chiedere scusa a Marina. Sei stato troppo duro.

f.

..........................., puoi lasciare le chiavi qui, sul tavolo.

9. Traduci le frasi nella tua lingua: a cosa corrispondono **va beh**, **chiaro** e **guarda**?

a. ....

= ....

b. ....

= ....

c. ....

= ....

d. ....

= ....

e. ....

= ....

f. ....

= ....

55

1. Leggi le frasi, poi verifica l'intonazione con la registrazione.

a. Si dovrebbe insegnare Storia dell'Arte dai primi anni di scuola.
b. La gente non rispetta l'ambiente: è pieno di rifiuti questo parco!
c. Dovreste essere più rispettosi verso l'ambiente.
d. Il mio vicino è un vero maleducato, fa quello che vuole senza preoccuparsi se dà fastidio agli altri!
e. Dovresti partecipare a questo concorso artistico, è interessante.
f. Hanno cancellato tutti i murales in periferia, è ingiusto!

56

2. Completa le frasi con e, ed, a o ad. Poi verifica con la registrazione.

a. Si dovrebbe pensare ..... alcune soluzioni radicali per riqualificare questa città.
b. Bisogna istruire ..... educare i cittadini al rispetto dei beni pubblici.
c. Si devono multare gli incivili che sporcano muri con disegni ..... scritte.
d. Organizzare il festival di Street Art è stato bello ..... entusiasmante.
e. Il Comune ha invitato i cittadini ..... partecipare al progetto per ripulire la città.
f. Bisogna educare i bambini ..... apprezzare l'arte fin da piccoli.

57

3. Inserisci l'accento aperto (`) o chiuso (´) sulle vocali in grassetto.

a. Ieri al lavoro è arrivato un nuovo coll**e**ga.
b. Questa strada coll**e**ga Firenze, Pisa e Livorno.
c. Al progetto artistico hanno partecipato v**e**nti bambini.
d. Questa settimana sono previsti forti v**e**nti da nord-est.
e. In Italia ci sono molte l**e**ggi che tutelano il patrimonio artistico.
f. Quali libri l**e**ggi, di solito?
g. Antonio e Cinzia sono un po' t**e**si perché domani hanno un esame.
h. Ci sono interessanti t**e**si sulle pitture preistoriche.

Artisti di strada tra passato e presente

Fin dalla Preistoria gli uomini hanno lasciato testimonianze della loro vita quotidiana: lo dimostrano i graffiti della Val Camonica, primo Patrimonio dell'Umanità riconosciuto dall'Unesco in Italia. In età contemporanea, l'arte di strada ha cominciato ad espandersi nel Bel Paese dai primi anni Duemila. Tra legalità e illegalità, tra protesta sociale e prodotto artistico, questo tipo di arte continua a far parlare di sé e a dividere l'opinione pubblica.

Artisti di strada in Italia... Vandali?

Di grande effetto è il lavoro del collettivo romano Sbagliato, che rappresenta paesaggi tra il reale e l'immaginario che confondono lo spettatore. Il torinese Pixel Pancho, invece, crea giganteschi e colorati personaggi meccanici.
Nel corso degli anni alcuni artisti italiani hanno raggiunto una notorietà anche all'estero. È il caso di Blu, artista bolognese inserito da «The Guardian» tra i dieci migliori street artist al mondo: ha lavorato con la Tate Modern di Londra e il MOCA di Los Angeles, ma le sue opere più significative si possono ammirare sui muri di molte città italiane.
Un'esponente femminile riconosciuta a livello internazionale è AliCè. L'artista ha realizzato murales in varie città italiane e straniere, catturando l'attenzione di giornali come il «New York Times», ma questo non è bastato al tribunale di Bologna per considerare le sue creazioni come opere d'arte: nel 2016, infatti, AliCè è stata condannata a pagare una multa per aver "imbrattato" la città con dei murales. Un episodio simile ha toccato anche Ma Rea, artista urbano che lascia le sue poesie in giro per le città: il comune di Torino lo ha multato per azioni contro il decoro della città. Il confine tra arte e vandalismo è molto sottile e assolutamente soggettivo.

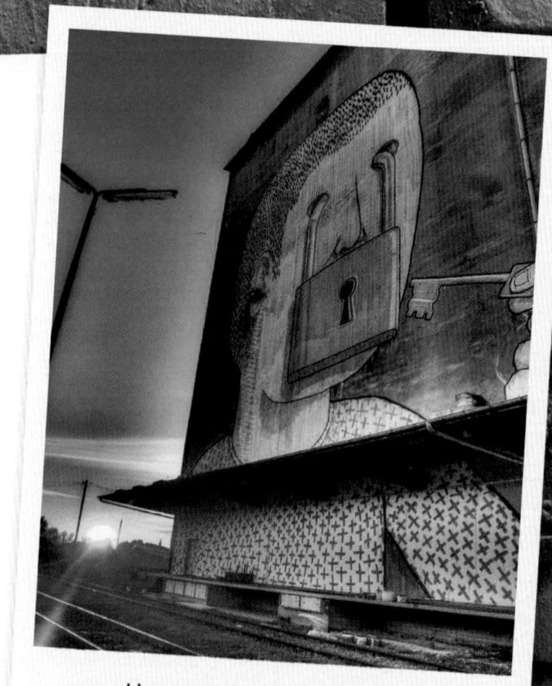
Un murales di Blu in Austria

Il reale e l'immaginario del collettivo Sbagliato

Un personaggio meccanico di Pixel Pancho

Murales di AliCè

Versi poetici di MaRea su una strada

Festival di Arte di Strada in Italia

Negli ultimi anni queste manifestazioni sono molto diffuse, unite dall'intenzione di valorizzare gli spazi comuni e avvicinare i cittadini all'arte di strada. Uno dei festival più conosciuti è "Memorie Urbane", che si tiene in diverse cittadine del Lazio e a Caserta, in Campania, e che ospita artisti famosi in tutto il mondo. Ci sono poi il "Subsidenze Festival" di Ravenna, il "Mura Mura Fest" di Pizzo Calabro, il "Cheap Festival" di Bologna, il "FestiWall di Ragusa" e moltissimi altri dove arte e spazio urbano si incontrano.

Arte di strada in Italia

A. Secondo te, a quando risalgono le prime forme di graffito? Prima di leggere il testo, scambia le idee con un compagno.

B. Leggi il testo e rispondi alle seguenti domande. Poi confronta con un compagno.

1. Qual è lo scopo dell'arte di strada contemporanea?

   ....

   ....

   ....

2. Perché la Street art divide l'opinione pubblica?

   ....

   ....

   ....

3. Quali artisti sono stati multati? Perché?

   ....

   ....

   ....

4. Qual è l'obiettivo dei festival di Street Art?

   ....

   ....

   ....

C. In base alla conoscenza che hai dell'Italia, secondo te in quali zone della città sarebbe bello vedere delle opere di strada? Perché? Parlane con dei compagni.

58

D. Ascolta la registrazione e annota le informazioni che ritieni più importanti e interessanti. Poi confronta con un compagno.

....

....

....

....

....

E. Scegli un artista di strada che ti piace e descrivi brevemente una sua opera. Seleziona delle immagini per illustrare la tua presentazione.

Redigere il decalogo civico della classe

A. A gruppi, pensate a cosa vi dà fastidio a lezione e a cosa vi fa piacere. Prendete nota e fate un elenco di atteggiamenti positivi e negativi per la convivenza in classe.

B. Condividete il vostro elenco con gli altri compagni e considerate i loro commenti. Quindi scrivete i 10 comportamenti che ritenete necessari per una buona convivenza a lezione e in classe in generale.

C. Realizzate il vostro decalogo civico nel formato che preferite e presentatelo ai compagni.

STRATEGIE PER LAVORARE

Lo stile del decalogo è particolare, consultate dei modelli e rivedete bene i contenuti dell'unità.

Caricate il vostro decalogo su un social network per condividerlo con altri studenti.

Scrivere la propria opinione su un tema di civismo

A. Pensa a un tema di civismo che ti interessa in particolare o che ritieni importante.

B. Annota i problemi e le probabili soluzioni in maniera schematica. Poi scrivi un testo tipo articolo di opinione in cui esponi il problema e come lo risolveresti. Trasmetti in modo chiaro il tuo punto di vista.

C. Condividi la tua opinione con i compagni, leggi i testi degli altri e commentate tutti insieme.

STRATEGIE PER LAVORARE

Oltre a leggere testi per avere un modello di stile, fai uno scaletta di quello che vuoi dire.

Cerca dei forum in cui si parla del tema che hai scelto e posta la tua opinione.

Com'è andato il compito?

A. Fai un'autovalutazione delle tue competenze.

	😄	😊	😕	😥
esprimere ipotesi e opinioni				
organizzare un discorso				
esprimere obbligo e necessità				
parlare di patrimonio e senso civico				

B. Durante la realizzazione dei compiti hai incontrato qualche difficoltà? Quale/i?
Cosa hai imparato di nuovo? Cosa ti è piaciuto di più dei compiti?

😄	😥

C. Valuta il compito dei tuoi compagni e poi parlane con loro.

	😄	😊	😕	😥
La presentazione è chiara.				
Hanno utilizzato i contenuti dell'unità.				
Il lessico utilizzato è adeguato.				
È originale e interessante.				
La pronuncia è chiara e l'intonazione corretta.				

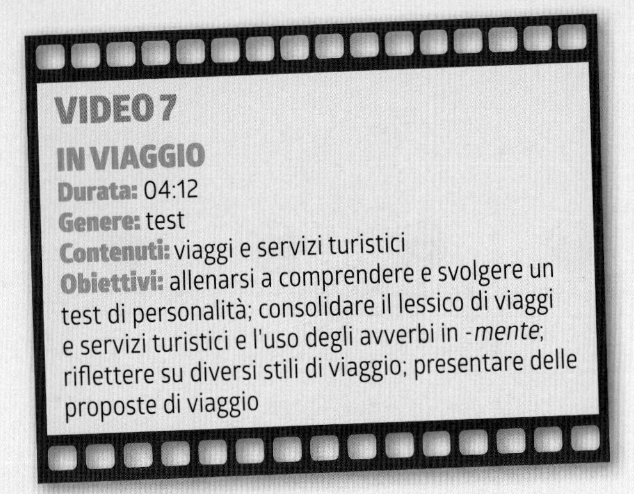

VIDEO 7

IN VIAGGIO

Durata: 04:12

Genere: test

Contenuti: viaggi e servizi turistici

Obiettivi: allenarsi a comprendere e svolgere un test di personalità; consolidare il lessico di viaggi e servizi turistici e l'uso degli avverbi in *-mente*; riflettere su diversi stili di viaggio; presentare delle proposte di viaggio

1. Ti riconosci nel profilo del test? Perché? Parlane con un compagno.

- *Sì, preferisco viaggiare con qualche comodità perché...*

2. Guarda di nuovo il video e prendi appunti per completare il quadro con le caratteristiche del turista e del viaggiatore.

TURISTA	VIAGGIATORE
1.	1. ....
2.	2. ....
3.	3. ....
4.	4. ....
5.	5. ....
6.	6. ....
7.	7. ....
8.	8. ....

3. Quali sono altre differenze tra il classico turista e il classico viaggiatore? Parlane con un compagno. Puoi prendere spunto dalle seguenti proposte.

- ambiente e risorse del luogo
- tradizioni e lingua del posto
- organizzazione del viaggio
- strumenti per informarsi
- tipo di viaggio (crociera, campeggio...)
- durata del viaggio e numero di tappe

4. Abbina gli elementi delle due colonne per creare delle espressioni relative ai viaggi e ai servizi turistici.

1. gente	a. di trasporto
2. strada	b. in camera
3. mezzi	c. turistici
4. alloggio	d. del luogo
5. bagno	e. guidata
6. minimo	f. confortevole
7. visita	g. principale
8. percorsi	h. indispensabile

5. Completa le frasi con le espressioni al punto 4.

1. Basta! Non ne posso più delle scomodità del campeggio! Quest'anno voglio qualche servizio in più e un .... !
2. La .... comincia alle 9 e dura circa 3 ore. Portate un paio di scarpe comode!
3. Sto cercando una stanza con il .... È davvero scomodo dover uscire per andare a fare la doccia!
4. Quando sei in viaggio, esci dai soliti .... e prova a passeggiare un po' senza una meta: scoprirai molte cose interessanti.
5. Cerchiamo di evitare la .... , è così affollata a quest'ora!
6. Per scegliere un buon posto dove mangiare bisogna andare nei posti frequentati dalla ....
7. Ogni volta che viaggio porto sempre troppe cose. Da quest'anno voglio partire solo con uno zaino e portare con me il ....
8. In questa città i .... sono molto efficienti: in poco tempo si può arrivare dappertutto!

6. Con i tuoi compagni, fai una breve ricerca e proponi due programmi di viaggio: uno per un turista, l'altro per un viaggiatore. Nei programmi, inserisci informazioni su meta, alloggio, mezzi di trasporto, cose da vedere e possibili attività.

VIDEO 8

GRAFFITI

Durata: 02:56
Genere: servizio televisivo
Contenuti: graffiti, arte e vandalismo
Obiettivi: allenarsi a comprendere un servizio televisivo su un progetto artistico e a esprimere la propria opinione su graffiti; consolidare l'uso del lessico legato al civismo e al patrimonio culturale; proporre dei graffiti per riqualificare un quartiere

1. Guarda il video e annota le informazioni che ritieni più importanti.

....

....

2. Guarda di nuovo il video e cerchia l'opzione corretta.

1. 39C Bolzano Graffiti Jam è un evento artistico **che si organizza nel centro di Bolzano / di livello nazionale e internazionale**.
2. Lo scopo dell'evento è **promuovere l'arte dei graffiti / avvicinare la gente ai musei e alle gallerie d'arte**.
3. In questo genere di evento gli artisti **si conoscono e si confrontano / possono realizzare graffiti dove vogliono**.
4. Durante l'evento, a Bolzano **si fanno dei corsi per i nuovi artisti / arrivano artisti dall'estero**.
5. Con il progetto *Murarte* il Comune **espone in strada le tele degli artisti / permette agli artisti di disegnare su alcuni muri**.

3. Cosa ne pensi dei graffiti? Secondo te bisogna dare degli spazi o la creazione deve essere libera?

- *Io credo che sia giusto lasciare libertà agli artisti perché...*
- *Io invece penso che sia necessario dare degli spazi a posta perché...*

4. Completa le frasi con le seguenti parole.

civiltà | patrimonio | rispetto | multa | vandalismo | educazione | divieto | regolamento

1. I vandali che hanno danneggiato la fontana hanno ricevuto una .... di 1000 euro.
2. Credo che l'Italia dovrebbe valorizzare di più il proprio .... culturale.
3. Secondo me bisogna insegnare l' .... civica già nelle scuole.
4. La nostra associazione organizza dei progetti per insegnare ai giovani il .... dei beni pubblici.
5. Il Comune ha installato delle telecamere per cercare di risolvere il problema del .... nelle aree pubbliche.
6. Il .... vieta di fare foto perché il flash potrebbe danneggiare i dipinti.
7. Danneggiare i beni pubblici è un segno di poca ....
8. In questo parco c'è il .... di giocare a pallone, andiamo al campo di calcio qui vicino.

5. Secondo te, cosa si può fare per combattere il vandalismo? Parlane con un compagno. Puoi prendere spunto dalle seguenti proposte.

- restaurare più spesso le opere d'arte
- aumentare la sorveglianza
- fare multe ai vandali
- sensibilizzare i ragazzi nelle scuole
- coinvolgere i cittadini in progetti di riqualificazione

- *Secondo me è necessario fare più controlli...*
- *Invece secondo me innanzitutto bisogna...*

6. Insieme ai tuoi compagni, pensa a una zona della città che si può riqualificare con dei graffiti e proponi degli spunti per i disegni, tenendo conto del tipo di quartiere e del messaggio che volete trasmettere.

I Fori Imperiali

TIPOLOGIA
area archeologica

EPOCA
I sec. a.C. - II sec. d.C.

LOCALITÀ
Roma

PERIODO CONSIGLIATO
tutto l'anno

PER COMPLETARE LA VISITA
Colosseo, Circo Massimo

TI PUÒ INTERESSARE
Villa Adriana a Tivoli

SITI WEB
www.sovraintendenzaroma.it/i_luoghi/roma_antica/aree_archeologiche/fori_imperiali
www.italia.it/it/idee-di-viaggio/arte-e-storia/roma-i-fori-imperiali.html

Una veduta dei Fori Imperiali di Roma

Le piazze degli imperatori romani

L'area dei Fori Imperiali è una delle aree archeologiche più ricche e affascinanti del mondo. Si trova nel cuore di Roma, tra piazza Venezia e il Colosseo, e comprende una serie di piazze monumentali costruite per volontà di alcuni imperatori romani tra il I secolo a.C. e il II secolo d.C.
In questo periodo Roma diventa una grande capitale, con un gran numero di abitanti: per questo motivo è necessario ampliare l'antico Foro Romano (centro politico e amministrativo della città) e costruire nuove piazze e nuovi edifici pubblici.

Il Foro di Traiano con al centro la Colonna

Raffigurazione dei Fori durante l'epoca imperiale

Giulio Cesare ordina la costruzione del primo Foro, che prende il suo nome. I lavori finiscono nel 46 a.C., prima della morte di Cesare (44 a.C.). In seguito, il successore Ottaviano inaugura il Foro di Augusto, che diventa la sede di un grande tribunale, delle riunioni del Senato e di un tempio dedicato al dio Marte. Infatti, una delle caratteristiche dei Fori Imperiali è la presenza di un tempio: nelle nuove piazze, quindi, si mescolano vita civile e vita religiosa. Nel Foro di Vespasiano (71-75 d.C.) c'è un tempio dedicato alla Pace; nel Foro di Nerva, inaugurato nel 97 d.C., un tempio dedicato a Minerva (la dea Atena dei Greci); nel Foro di Traiano si trova un santuario dedicato allo stesso imperatore, **proclamato*** "dio" dal Senato dopo la sua morte.

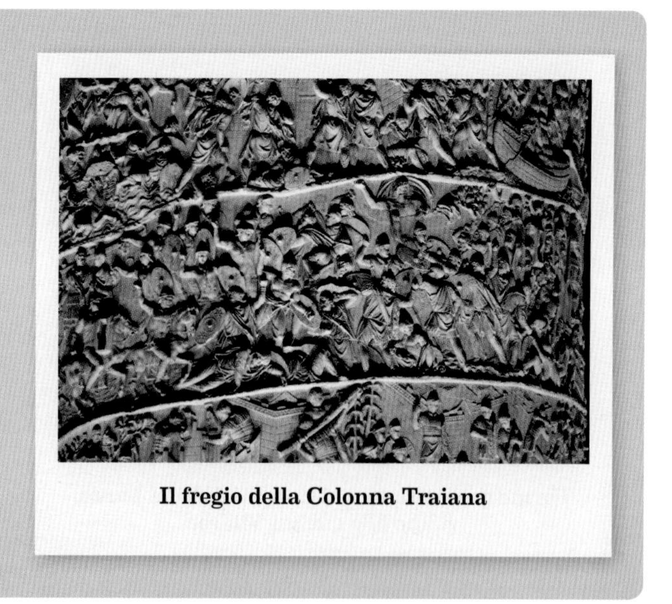
Il fregio della Colonna Traiana

VORREI APPROFONDIRE:

....

....

MI PUÒ INTERESSARE ANCHE:

....

....

SITI WEB UTILI:

....

....

La Colonna Traiana

La Colonna Traiana è un importante monumento costruito nel I secolo d.C. che si trova al centro del Foro di Traiano. È alta circa 30 metri ed è decorata con un lungo **fregio*** che raffigura la storia delle guerre combattute tra i Romani e i Daci. La Dacia era una regione dell'Europa centrale (corrispondente oggi alla Romania e alla Moldavia) che l'imperatore Traiano conquista nel 106 d.C. La Colonna ricorda proprio questa vittoria e, in generale, celebra il potere degli imperatori. La decorazione è molto interessante anche dal punto di vista artistico perché sale a **spirale*** intorno alla Colonna e il fregio raffigura i fatti più importanti delle guerre di Dacia con uno stile originale e molto espressivo.

I Fori Imperiali oggi

Nell'antichità, alte **mura*** circondavano i Fori. Oggi sono visibili solo i **resti*** degli antichi monumenti, che però sono ancora utili per capire la grandezza e l'importanza dell'area durante l'epoca imperiale.

Inoltre, negli anni '30 del Novecento, Mussolini fa costruire lungo i Fori una strada da utilizzare per le **parate*** militari. La strada ha modificato completamente l'aspetto originario dell'area, ma offre ancora oggi una visione spettacolare dei Fori.

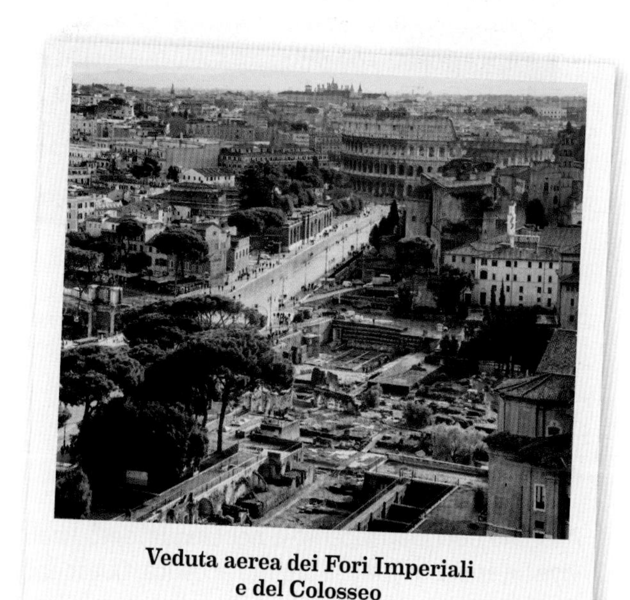
Veduta aerea dei Fori Imperiali e del Colosseo

GLOSSARIO

proclamato = ...
fregio = ...
spirale = ...
mura = ...
resti = ...
parate = ...

Cerca un antico monumento o un'area archeologica del tuo Paese. Come era prima e come è oggi? Raccogli informazioni storiche e qualche immagine per mostrare le principali differenze fra passato e presente.

Ville rinascimentali

TIPOLOGIA
residenze nobiliari con giardini

EPOCA
XV-XVI secc.

LOCALITÀ
Italia centro-settentrionale

PERIODO CONSIGLIATO
da marzo a ottobre

PER COMPLETARE LA VISITA
Villa Medici a Fiesole

TI PUÒ INTERESSARE
affreschi di Paolo Veronese a Villa Barbaro

SITI WEB
www.villalarotonda.it/it/homepage.htm
www.villadimaser.it/
www.visitpalladio.com/palladio

Forme geometriche nei giardini di Villa Lante, vicino alla città di Viterbo

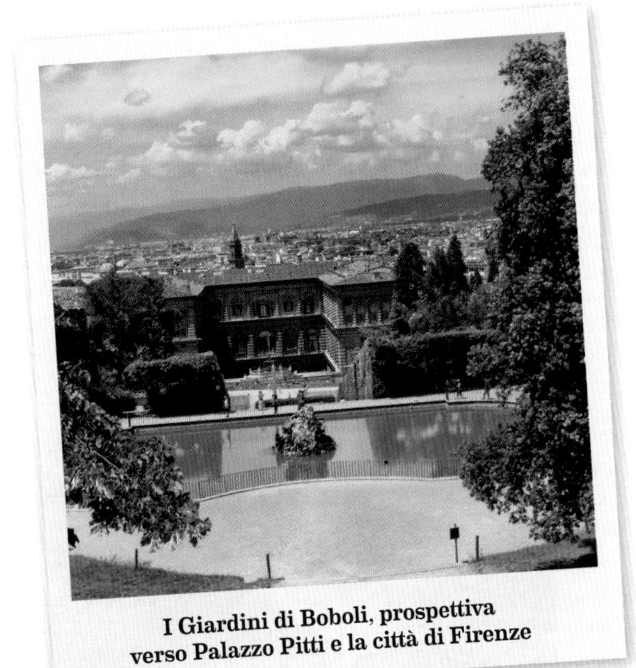

I Giardini di Boboli, prospettiva verso Palazzo Pitti e la città di Firenze

Architettura e natura

Alla fine del Quattrocento e nel Cinquecento l'Italia vive un'epoca di intensa attività artistica. Quest'epoca è conosciuta con il nome di Rinascimento: l'ideale degli artisti che vivono in questi anni, infatti, è di far rinascere l'antica arte greca e romana, che diventa un modello da imitare. In questo periodo, le famiglie più ricche e potenti iniziano a **commissionare*** ville in campagna, dove si trasferiscono per lunghi periodi di **villeggiatura***, soprattutto in estate. Le nuove ville progettate dagli architetti del Rinascimento sono lussuose, comode e circondate da ampi giardini. In particolare, in questi anni si diffonde una tipologia di giardino chiamato "all'italiana", con spazi divisi in modo geometrico grazie a piante e alberi; un'altra caratteristica dei "giardini all'italiana" è la presenza di fontane, statue e laghetti artificiali. I più famosi giardini rinascimentali sono quello di Boboli a Firenze, il giardino di Villa Lante vicino a Viterbo e quello di Villa d'Este a Tivoli. Le ville sono grandi e spesso decorate con dipinti e sculture che dimostrano l'importanza e la ricchezza dei proprietari.

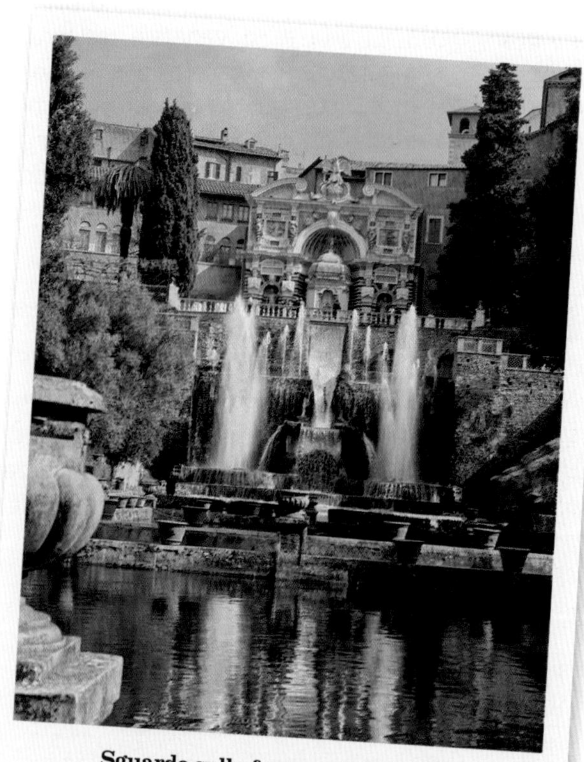

Sguardo sulla fontana di Nettuno, all'interno del giardino di Villa d'Este

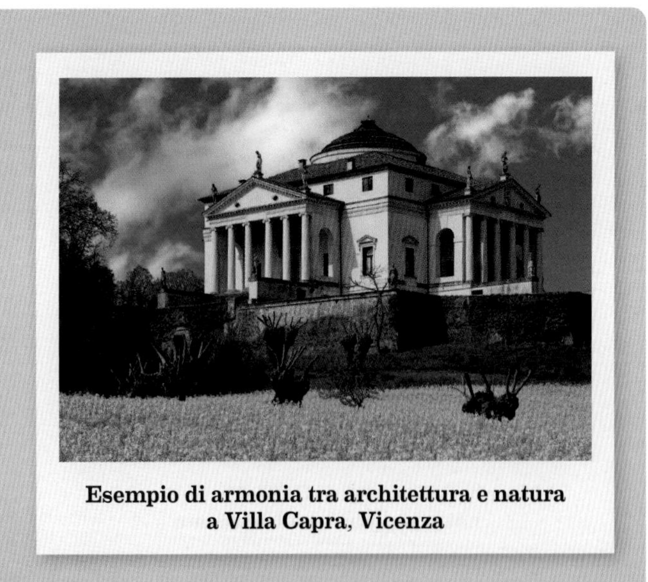

Esempio di armonia tra architettura e natura a Villa Capra, Vicenza

VORREI APPROFONDIRE:

....

....

MI PUÒ INTERESSARE ANCHE:

....

....

SITI WEB UTILI:

....

....

Le ville del Palladio

Andrea Palladio (1508-1580) è uno dei più famosi architetti del Rinascimento. Lavora a Venezia e nelle zone più interne del Veneto, dove progetta ville meravigliose per molte famiglie nobili. Le caratteristiche delle ville ideate da Palladio sono la **simmetria***, la presenza di elementi tipici dell'architettura classica (come colonne e cupole) e l'armonia che si realizza tra l'edificio e l'ambiente naturale che lo circonda. La villa più famosa di Palladio è senza dubbio Villa Capra, a Vicenza, progettata nel 1570 circa e conosciuta anche come "La Rotonda", per la forma circolare della sala centrale. La villa, che assomiglia a un tempio, è presente dal 1994 nella lista dei Patrimoni dell'Umanità dell'UNESCO.

Giardini "fantastici"

In alcuni giardini si possono osservare statue e sculture che hanno lo scopo di stupire, rallegrare o, in alcuni casi, spaventare gli ospiti.
A Bomarzo, nel Lazio, l'architetto Pirro Ligorio (1513-1583) progetta il Parco dei Mostri, commissionato dal principe Orsini. Nel parco ci sono molte sculture in pietra che raffigurano esseri fantastici nascosti tra gli alberi.
Nella Villa Medici di Pratolino, in Toscana, lo scultore Giambologna (1529-1608) crea una statua alta 14 metri che rappresenta il dio Appennino che schiaccia con la mano sinistra la testa di un drago.

Il gigante di Pratolino, conosciuto come il Colosso dell'Appennino

GLOSSARIO

commissionare	=	....
villeggiatura	=	....
simmetria	=	....

Fai una ricerca sulle ville di cui si parla nel testo. Scegli quella che più ti piace e cerca argomenti utili per convincere un amico a visitarla.

I Macchiaioli

TIPOLOGIA
movimento artistico

EPOCA
seconda metà del XIX sec.

CENTRO PRINCIPALE
Firenze (Toscana)

TI PUÒ INTERESSARE
Galleria d'Arte moderna di Palazzo Pitti
Museo civico Giovanni Fattori
Pinacoteca di Brera

SITI WEB
www.atlantedellarteitaliana.it/
www.polomuseale.firenze.it/musei/pitti.php?m=palazzopitti
YouTube – I Macchiaioli (Treccani Channel)

I Macchiaioli riuniti al Caffè Michelangiolo nei primi anni del Novecento

Pittura all'aperto

Nella seconda metà dell'Ottocento, mentre in Francia si sviluppa l'Impressionismo, a Firenze alcuni pittori toscani danno vita a un importante movimento artistico, quello dei Macchiaioli. Questi artisti hanno un luogo di riferimento, il Caffè Michelangiolo, dove spesso si riuniscono per discutere di arte e politica. Come i loro colleghi francesi, questi pittori iniziano a dipingere all'aperto, a contatto diretto con la natura e con la realtà, cercando in questo modo di rinnovare la pittura italiana. Il nome *Macchiaioli* deriva dal modo di dipingere: una pittura semplificata, basata sul contrasto tra macchie di colore chiaro e macchie di colore scuro. I pittori più importanti di questo movimento sono Giovanni Fattori, Silvestro Lega e Telemaco Signorini: i loro quadri hanno in comune la presenza di figure semplificate, colori **stesi*** in modo quasi omogeneo, **contrapposizioni*** forti tra luci e ombre.

Giovanni Fattori, *Il campo italiano alla battaglia di Magenta* (1862)

Giovanni Fattori

Nelle opere di Giovanni Fattori (1825-1908), artista più rappresentativo del gruppo, si possono ammirare soggetti tipici della realtà quotidiana dipinti **dal vero***. Ad esempio, nel quadro *La signora Martelli a Castiglioncello* si vede una donna **ritratta*** nel giardino della sua casa, in un paesino della costa toscana. Qui la luce calda dell'estate filtra fra gli alberi, creando un forte contrasto tra i colori chiari e quelli scuri.

Giovanni Fattori, *La signora Martelli a Castiglioncello* (1866-1870)

I quadri di Fattori raffigurano anche scene di vita militare. Un esempio è il quadro intitolato *Il campo italiano alla battaglia di Magenta*, che rappresenta una battaglia combattuta nel 1859 contro gli Austriaci. Per dipingere il quadro, Fattori era andato personalmente nel luogo della battaglia, a Magenta. Nella scena dipinta, il combattimento è già finito: un carro-ambulanza raccoglie i feriti rimasti sul campo, mentre alcuni soldati si allontanano.

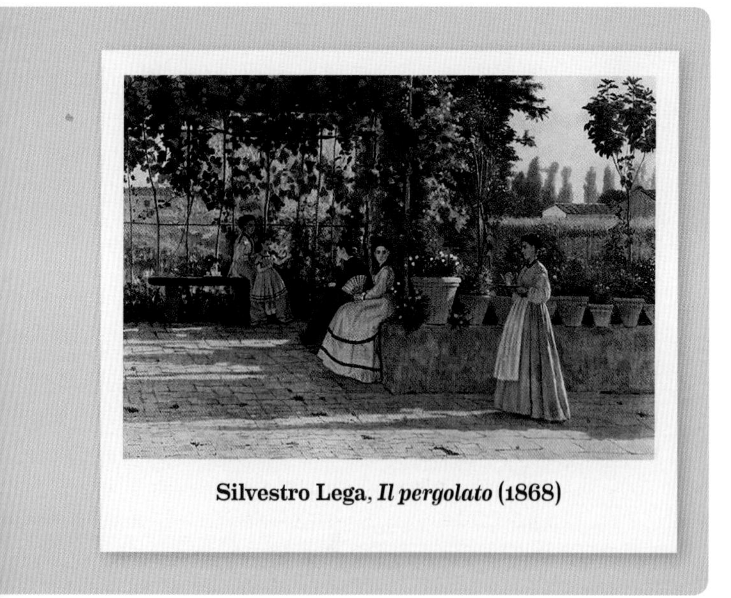
Silvestro Lega, *Il pergolato* (1868)

VORREI APPROFONDIRE:

....

....

MI PUÒ INTERESSARE ANCHE:

....

....

SITI WEB UTILI:

....

....

Silvestro Lega

Un altro famoso pittore del gruppo dei Macchiaioli è Silvestro Lega (1826-1895). Nei suoi quadri troviamo spesso personaggi che svolgono attività tipiche della vita quotidiana, come donne che passeggiano, leggono o suonano il pianoforte. Nel quadro *Il pergolato*, ad esempio, alcune donne sono protagoniste di una scena tipicamente italiana: il rito del caffè dopo pranzo. In questo dipinto, l'atmosfera è tranquilla e luminosa: la luce filtra attraverso il **pergolato*** e crea un vivace gioco di contrasti sul pavimento.

Telemaco Signorini

Telemaco Signorini (1835-1901) ama raffigurare soprattutto i luoghi intorno alla città di Firenze. Nel quadro intitolato *Piazzetta a Settignano,* ritrae la piazza di un piccolo paese che si trova sulle colline fiorentine. Anche Signorini, come Lega, sceglie quindi di dipingere momenti di vita quotidiana. Le macchie illuminate e quelle in ombra creano un'atmosfera tranquilla e un paesaggio soleggiato, tipico della Toscana.

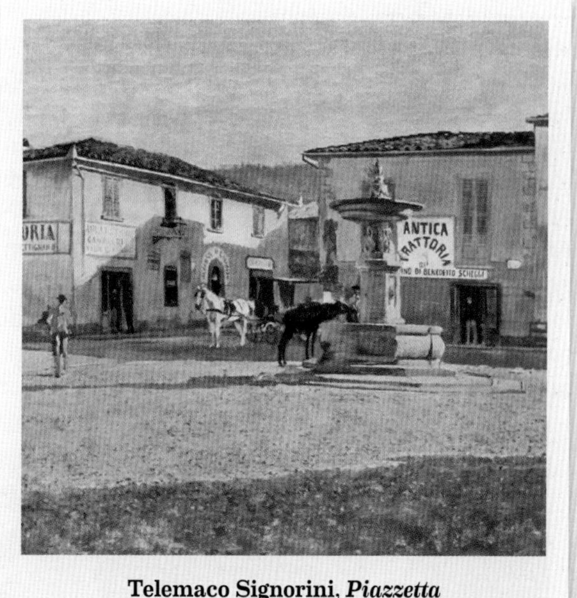

Telemaco Signorini, *Piazzetta a Settignano* (1881)

GLOSSARIO

stesi = ...
contrapposizioni = ...
dal vero = ...
ritratta = ...
pergolato = ...

Scegli un pittore che ti piace, raccogli informazioni sul suo modo di dipingere e fai una breve presentazione. Infine, mostra ai tuoi compagni tre quadri: solo uno deve appartenere al pittore che hai scelto. In base alla tua presentazione, potranno indovinare il quadro del tuo pittore?

Alessandro Volta

PROFESSIONE
fisico e chimico

EPOCA
XVIII-XIX secc. (1745-1827)

CORRENTE SCIENTIFICA
fisica sperimentale

CONTRIBUTI ALLA SCIENZA
scoperta del metano,
invenzione della pila e del primo generatore di corrente elettrica

TI PUÒ INTERESSARE
Tempio Voltiano, Como

SITI WEB
www.alessandrovolta.it
YouTube - Canale AlessandroVoltaInfo

Ritratto di Alessandro Volta

Un'invenzione "elettrizzante"

Cosa fa funzionare i cellulari, i computer, le televisioni e ogni altro apparecchio tecnologico che usiamo ogni giorno? La risposta è: l'elettricità.
Alle origini della corrente elettrica (elettricità in movimento) c'è la pila, la geniale invenzione di Alessandro Volta.
All'inizio della sua sperimentazione, Volta non pensava all'elettricità. Nel suo laboratorio di Como, lo scienziato in realtà cercava qualcosa capace di animare la materia morta, cioè di far muovere gli **automi***, gli antenati dei moderni robot.

Sul lago di Como si trova un museo scientifico interamente dedicato al genio di Volta: il Tempio Voltiano

Vita da scienziato

Volta nasce a Como, in Lombardia, nel 1745, nel secolo dell'Illuminismo, in un'epoca molto attenta alle scienze e alla tecnica.
La sua famiglia cerca di convincerlo a dedicarsi a studi **umanistici***, ma Volta si interessa alle scienze e, in particolare, alla fisica.
Infatti, a soli diciotto anni, scopre alcuni segreti dell'elettricità che richiamano l'attenzione di alcuni scienziati europei. A 24 anni pubblica la sua prima opera scientifica e solo cinque anni dopo diventa professore di fisica alle Regie Scuole di Como. L'invenzione che permette a Volta di conquistare fama e **prestigio*** nella comunità scientifica è la scoperta del metano (il gas che oggi arriva direttamente nelle nostre case). Nel 1779, lo scienziato diventa professore di Fisica sperimentale all'Università di Pavia, dove rimane per venti anni. Il 1800 è l'anno della sua massima affermazione scientifica: il 20 marzo comunica alla Royal Society di Londra l'invenzione della pila.

Nella banconota da diecimila lire compariva Volta insieme al primo modello di pila

VORREI APPROFONDIRE:

....

....

MI PUÒ INTERESSARE ANCHE:

....

....

SITI WEB UTILI:

....

....

La pila di Volta

L'invenzione della pila è il risultato di un lungo processo di osservazioni ed esperimenti. In particolare, Volta si ispira a un pesce, la torpedine, capace di trasmettere elettricità. L'inventore osserva l'**organo*** elettrico di questo pesce, ne ricostruisce uno in modo artificiale e crea, così, la struttura della pila: dischi di metalli diversi uno sopra l'altro (in pila) e tra di loro dei **cartoni*** bagnati di acqua e acido. Quando si unisce la parte superiore con la parte inferiore, si produce corrente elettrica.
Nel 1800 Volta comunica alla Royal Society la sua invenzione e riceve l'ammirazione della comunità scientifica internazionale. La pila viene presto utilizzata da scienziati di tutta Europa per applicazioni importanti come l'illuminazione elettrica e il telegrafo, fino alle numerose invenzioni che hanno cambiato molto la nostra vita di oggi.

Una ricostruzione della pila di Volta

GLOSSARIO

automi = ...
umanistici = ...
prestigio = ...
organo = ...
cartoni = ...

Secondo te, qual è l'invenzione più importante degli ultimi due secoli? Chi è l'inventore? Fai una ricerca, raccogli immagini e spiega ai tuoi compagni perché secondo te è la più importante.

Eleonora Duse

PROFESSIONE
attrice teatrale e capocomico

EPOCA
XIX-XX secc. (1858-1924)

OPERE INTERPRETATE
La principessa di Bagdad, La signora delle Camelie, Cavalleria rusticana, La donna del mare, Sogno d'un mattino di primavera

TI PUÒ INTERESSARE
Adelaide Ristori, Giacinta Pezzana, Gabriele D'Annunzio

SITI WEB
www.youtube.com/watch?v=op1X6P7e1BE
www.raistoria.rai.it/articoli-programma/la-duse-e-dannunzio-la-divina-e-il-poeta/25224/default.aspx

Eleonora Duse a 25 anni

Un talento divino

Eleonora Duse è considerata una delle più grandi attrici teatrali italiane di tutti i tempi. Soprannominata "la divina", con il suo stile di recitazione semplice, incanta il pubblico di tutto il mondo.
La Duse nasce a Vigevano nel 1858 da un famiglia di attori; riceve un'educazione insufficiente e discontinua mentre si muove con la compagnia teatrale del padre. Molto giovane, recita le sue prime parti teatrali e mostra subito il suo talento: analizza i personaggi e li propone in un'interpretazione raffinata e personale. Ancora adolescente entra nella compagnia del Teatro dei Fiorentini a Napoli e si fa conoscere negli ambienti intellettuali della città. Ma, purtroppo, la parentesi napoletana si conclude in maniera tragica e dolorosa: il giornalista Martino Cafiero prima conquista il cuore della Duse, poi, quando scopre che lei aspetta un bambino, la abbandona. Il figlio muore poche settimane dopo la nascita. In pochi mesi Eleonora recupera le forze ed entra a far parte della compagnia teatrale della città di Torino, dove finalmente ottiene il ruolo di **primadonna***. Qui, grazie al suo talento e alla sua determinazione, getta le basi della sua fama internazionale. A soli 22 anni è già **capocomico*** e regista dei lavori che sceglie e interpreta. La Duse, interpretando le opere di Dumas figlio, diventa la "rivale" di una delle più famose attrici del tempo, la francese Sarah Bernhard. Da *La principessa di Bagdad* a *La signora delle camelie* fino a *Denise*, Eleonora Duse diventa una "stella".

Teatro Eleonora Duse, Asolo

Una drammatica
Eleonora Duse

VORREI APPROFONDIRE:

....

....

MI PUÒ INTERESSARE ANCHE:

....

....

SITI WEB UTILI:

....

....

"La divina" tra amore e palcoscenico

La Duse ha sempre mostrato il desiderio di rompere con la tradizione teatrale, così decide di interpretare in modo alternativo i personaggi femminili di opere di Goldoni, Verga, Meilhac: nessun **eccesso***, costumi e accessori semplici, niente trucco, un uso della voce equilibrato e realistico.
Gli eccessi caratterizzano invece la sua vita privata: nel 1882 si sposa con l'attore Tablado Checchi, da cui ha la sua unica figlia, Enrichetta. Dopo solo tre anni, la Duse rompe il matrimonio e inizia una breve relazione con un altro attore. Sono gli anni di numerose tournée all'estero, dalle capitali europee alla Russia, dagli Stati Uniti al sud America.
Nel 1887 incontra Arrigo Boito, letterato, librettista e compositore, con cui mantiene una relazione segreta e culturalmente molto importante.
A 33 anni Eleonora incontra Gabriele D'Annunzio, poeta e scrittore amante della bella vita, del lusso e della cultura, con cui ha una relazione appassionata e **tormentata***. Dopo circa dieci anni, Eleonora riuscirà a uscire da questa relazione e a dedicarsi alla rappresentazione delle opere di Ibsen.
Nel 1916 gira il suo primo e unico film, *Cenere*, tratto dall'omonimo romanzo di Grazia Deledda, che rappresenta l'unico testimone di una Duse in movimento, dei suoi gesti e della sua recitazione moderna, potente e raffinata.

Eleonora Duse in una caricatura
di Carlo de Fornaro

GLOSSARIO

primadonna = ...
capocomico = ...
eccesso = ...
tormentata = ...

Qual è il tuo attore teatrale preferito? Raccogli informazioni sul suo stile di recitazione, proponi qualche foto dell'attore sul palcoscenico e fai una breve presentazione.

Alda Merini

PROFESSIONE
poetessa e scrittrice

EPOCA
XX sec. (1931-2009)

OPERE
La pazza della porta accanto, Aforismi e magie, Vuoto d'amore

TI PUÒ INTERESSARE
Salvatore Quasimodo, Eugenio Montale, Dacia Maraini

SITI WEB
www.raiplay.it/video/2011/02/In-memoria-di-Alda-Merini---Pazzia-damore-d1bf09fc-b1cf-4c22-81de-5444fd2484be.html

www.youtube.com/watch?v=ixpCzkh4ksY

Un ritratto di Alda Merini mentre "osserva" i suoi pensieri

La poetessa dei Navigli

Alda Merini, nata a Milano nel 1931, è stata una poetessa e scrittrice dallo stile appassionante, intenso e profondo. Fin da piccola si interessa alla letteratura e, ancora adolescente, pubblica le sue prima poesie. Scrittori come Eugenio Montale, Salvatore Quasimodo e Pier Paolo Pasolini si interessano al lavoro della Merini e la definiscono la "poetessa dei Navigli".
Intanto, su consiglio della famiglia, a 18 anni sposa Ettore Carniti, proprietario di alcune panetterie di Milano. Con lui ha quattro figlie: Emanuela, Barbara, Flavia e Simona.
Purtroppo, insieme alla nascita del suo talento, la giovane Alda comincia a vedere quelle che definirà "le prime ombre nella sua mente", che si manifesteranno con varia intensità per tutta la sua vita. Secondo i medici, la poetessa dei Navigli soffre, infatti, di un disturbo psichiatrico e per vari periodi è costretta al **ricovero*** in cliniche specializzate. Dopo la morte del primo marito, Alda si sposa con un medico pugliese e si trasferisce per un periodo in Puglia. Anche qui si ricovera per un periodo in un **manicomio***, esperienza dura e da cui nascono alcune delle opere più commoventi come le raccolte di poesie *La presenza di Orfeo*, *Paura di Dio* e *Nozze romane*, e l'opera in prosa *La pazza della porta accanto*.
Nella seconda metà degli anni '90, a Milano, il pubblico riscopre la sua poesia e la stessa Alda sembra essere guarita e piena di energie. Il musicista Giovanni Nuti decide di mettere in musica alcune poesie della Merini e insieme compongono un album presentato nel 2007. Dopo un'intera vita di dolore e passione, la poetessa milanese muore nel 2009 nella sua casa sui Navigli.

I Navigli a Milano

La targa dedicata ad Alda Merini sulla sua casa

VORREI APPROFONDIRE:

....

....

MI PUÒ INTERESSARE ANCHE:

....

....

SITI WEB UTILI:

....

....

Uno stile inconfondibile

La poetessa descrive l'esperienza della propria sofferenza e il suo mondo interiore con uno stile **limpido*** e **incisivo***.
La sua è una poesia spontanea, innocente, è una voce che racconta quello che si agita dentro di noi in modo semplice; crea una fusione di poesia e prosa, rendendo i suoi pensieri comprensibili a tutti.
Il suo stile è anche caratterizzato da **accostamenti*** di immagini che, a una prima lettura, sembrano senza connessioni logiche. Ma poi si comprende la sua poesia, sorprendentemente intensa.

Ho bisogno di poesia,
questa magia che brucia
la pesantezza delle parole,
che risveglia le emozioni e dà colori nuovi.
(Da *Non ho bisogno di denaro*)

Sono nata il ventuno a primavera
ma non sapevo che nascere folle,
aprire le zolle
potesse scatenar tempesta.
(Da *Sono nata il 21 a primavera*)

Accarezzami, amore
ma come il sole
che tocca la dolce fronte della luna.
(Da *Accarezzami, amore*)

La cosa più superba è la notte
quando cadono gli ultimi spaventi
e l'anima si getta all'avventura.
(Da *Superba è la notte*)

GLOSSARIO

ricovero	=	....
manicomio	=	....
limpido	=	....
incisivo	=	....
accostamento	=	....

Presenta ai tuoi compagni una poetessa o un poeta che ti piace molto. Scegli anche delle poesie da leggere e delle immagini per illustrarle.

Le Alpi valdostane

TIPOLOGIA
gruppo montuoso

LOCALITÀ
Valle d'Aosta

PERIODO CONSIGLIATO
tutto l'anno

ATTIVITÀ CONSIGLIATE
sci, arrampicata, trekking, escursioni

TI PUÒ INTERESSARE
Dolomiti

SITI WEB
www.lovevda.it
www.alpina-tour.com/it/
www.valledaosta360.com/

Il Monte Bianco visto dalla località Mont de la Saxe, Courmayeur

"Giganti" alpini

Circa ottanta milioni di anni fa, lo scontro fra il continente europeo e quello africano ha dato vita a delle straordinarie formazioni rocciose, le Alpi.
Questa catena montuosa attraversa l'Europa da est a ovest per oltre 1.200 chilometri. Alcune delle montagne più alte di questa catena costituiscono lo straordinario panorama della Valle d'Aosta, una regione del Nord Italia famosa, appunto, per le sue grandi montagne, mete turistiche affascinanti per chi ama l'**alpinismo*** e le escursioni. Lungo i confini di questa regione si trovano i famosi "giganti d'Europa", cioè montagne alte più di 4.000 metri, come il Monte Bianco, la **vetta*** più alta d'Europa (4810 m), il Monte Rosa (4634 m), il Cervino (4478 m) e il Gran Paradiso (l'unico, con i suoi 4.061 metri, interamente in territorio italiano). Queste montagne ospitano molti ghiacciai (più di 300!), da cui nascono i numerosi fiumi che portano acqua alla Dora Baltea.
Oltre ai ghiacciai, il panorama valdostano comprende anche laghi alpini, boschi, prati, villaggi tradizionali e aree protette, come il Parco Nazionale del Gran Paradiso, il più antico in Italia, istituito nel 1922. Questo Parco si estende su un ampio territorio tra Valle d'Aosta e Piemonte, che un tempo era riserva di caccia dei re italiani, ed è caratterizzato da un'ampia varietà di boschi e da diverse specie animali, come ad esempio lo stambecco alpino.

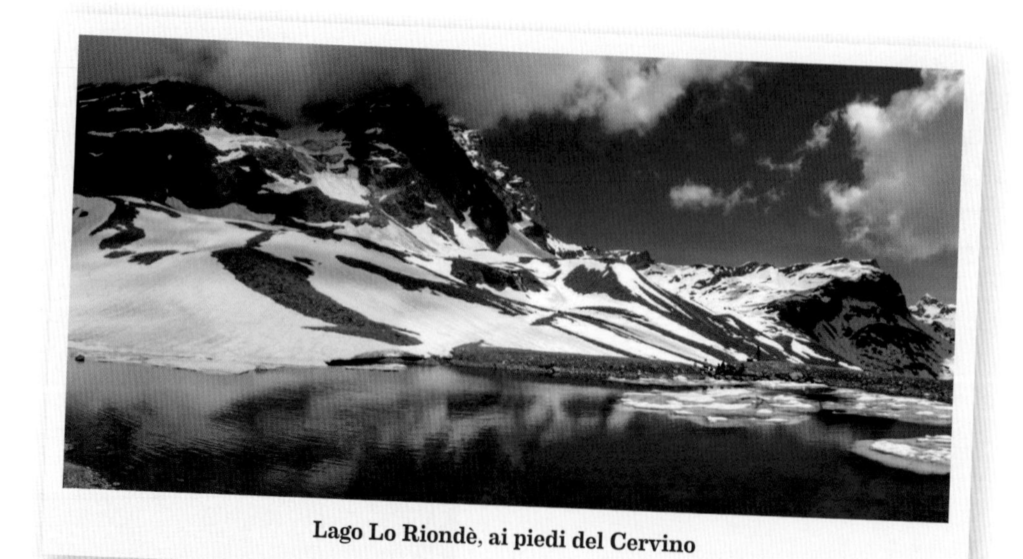

Lago Lo Riondè, ai piedi del Cervino

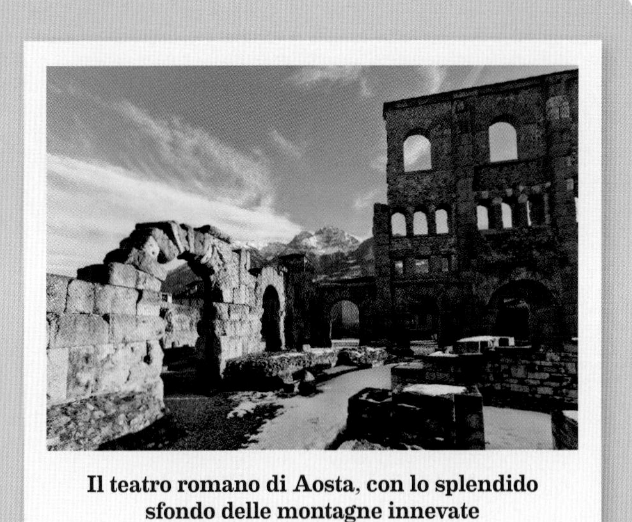

Il teatro romano di Aosta, con lo splendido sfondo delle montagne innevate

VORREI APPROFONDIRE:

....

....

MI PUÒ INTERESSARE ANCHE:

....

....

SITI WEB UTILI:

....

....

Non solo alpinismo

La Valle d'Aosta è famosa per il suo patrimonio naturale, ma è ricca anche da un punto di vista storico e culturale. Aosta è una città molto antica, le sue origini risalgono alla conquista dei Romani nel I secolo a.C. Sono numerose le tracce della presenza romana nella città, che allora si chiamava Augusta Praetoria: l'Arco di Augusto, il monumento simbolo di Aosta; il teatro e l'anfiteatro; la Porta Pretoria, che era l'ingresso principale. Queste rovine sono interessanti sia per il loro valore storico sia perché creano un contrasto unico con le montagne **innevate*** che si **innalzano*** intorno. Si possono ammirare anche incantevoli borghi medievali: un esempio è Bard, con il famoso castello di Chatelard.

La Valle d'Aosta è la meta perfetta per chi ama lo sci, le escursioni e le scalate, ma anche per gli amanti del cibo. È molto famoso un formaggio tipico valdostano, la Fontina. Il cibo è il protagonista delle **sagre*** della regione: sono molto famose la sagra della mela (in autunno), quella del prosciutto crudo e quella della Fontina (in estate), entrambi prodotti DOP (Denominazione di Origine Protetta).

Il forte medievale di Bard, uno dei più belli d'Italia

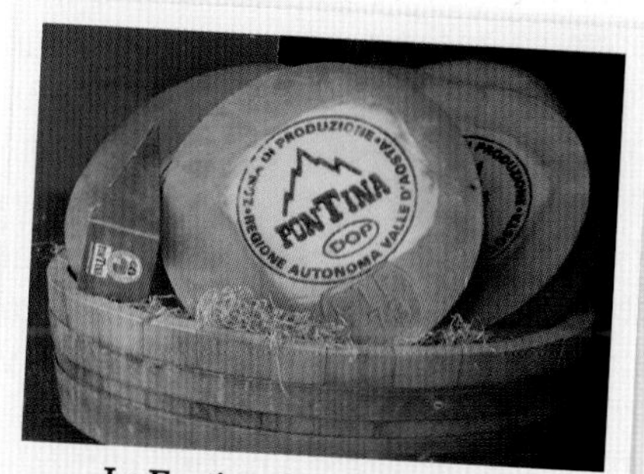

La Fontina, formaggio tipico valdostano con denominazione DOP

GLOSSARIO

alpinismo = ...
vetta = ...
innevate = ...
innalzano = ...
sagre = ...

Proponi ai tuoi compagni una visita guidata in un posto di montagna dove è possibile fare sport, visitare città ricche di storia e mangiare prodotti tipici. Indica un itinerario per il fine settimana.

La Maremma

TIPOLOGIA
area geografica

LOCALITÀ
Toscana

PERIODO CONSIGLIATO
tutto l'anno

ATTIVITÀ CONSIGLIATE
escursioni, visite guidate, birdwatching, gite a cavallo

TI PUÒ INTERESSARE
Parco naturale Appia antica (Lazio)

SITI WEB
www.tuttomaremma.com/
www.discovertuscany.com/it/maremma/
YouTube – Maremma. The secret heart of Tuscany (Camera di commercio della Maremma e Tirreno)

Mulino ad acqua del XV secolo nella laguna di Orbetello

Una natura da scoprire

La Maremma è un'area della Toscana che si estende tra Livorno e Grosseto. Anticamente era piena di **paludi***, ma oggi comprende un territorio molto vario, ricco di paesaggi diversi: spiagge, monti, colline e terme naturali. La Maremma ha una costa lunga 160 chilometri, con importanti località turistiche: a sud, Capalbio e Orbetello, con la sua famosa laguna; a nord, Follonica e Castiglioncello, dove è ambientato un classico del cinema italiano: *Il sorpasso*. Lungo la costa si possono trovare spiagge attrezzate, con molti comfort, ma anche spiagge più selvagge e solitarie, dove è possibile rilassarsi e prendere il sole in riva a uno dei mari più limpidi d'Italia. Gli amanti della natura potranno trovare in Maremma anche parchi e riserve naturali, come il Parco naturale della Maremma, che è un habitat naturale per molte specie di uccelli, cavalli, bovini e animali selvaggi, come volpi, cinghiali e lepri.

Relax e benessere sono garantiti invece alle terme di Saturnia, un sito famoso in tutto il mondo: la sorgente delle terme nasce in un **cratere*** vulcanico e scorre per diversi chilometri in aperta campagna, dove dà vita a cascate e a piscine naturali, libere e gratuite.

Cascate e piscine naturali di acqua termale a Saturnia

Mucche maremmane al pascolo

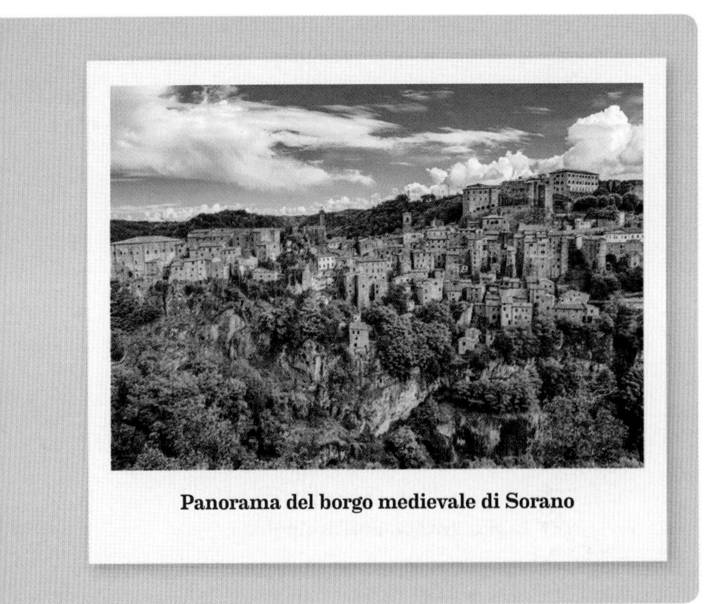

Panorama del borgo medievale di Sorano

VORREI APPROFONDIRE:

....

....

MI PUÒ INTERESSARE ANCHE:

....

....

SITI WEB UTILI:

....

....

Arte e storia in Maremma

L'antica popolazione degli Etruschi è stata la prima a costruire delle città nella zona della Maremma, come testimoniano molti siti archeologici del VII-VI secolo a.C. In seguito, sono arrivati i Romani, gli Spagnoli e, durante il Medioevo, alcune importanti famiglie nobili, come gli Aldobrandeschi, i Medici e i Lorena. Queste famiglie hanno lasciato numerose tracce del loro governo sul territorio: torri, castelli e borghi **fortificati*** come Santa Fiora e Sorano.

La città di Grosseto rappresenta bene le diverse civiltà e culture che hanno abitato in questa zona: il suo duomo e le mura fortificate ricordano il passato medievale; vicino alla città, il sito di Roselle testimonia l'antica presenza etrusca.

Il Duomo di Grosseto

I sapori della Maremma

La cucina della Maremma si basa su ingredienti semplici provenienti dalla terra e dal mare. Uno dei piatti più tipici della tradizione locale è la zuppa, sia di verdure sia di pesce. Nella Maremma del sud (Bassa Maremma) la zuppa di verdure prende il nome di "acqua cotta": era il cibo dei pastori che, oltre al pane, usavano gli ingredienti poveri che riuscivano a trovare in campagna. Sono molto diffusi anche i piatti a base di cinghiale. Inoltre, si producono varietà prestigiose di vini, come il Morellino di Scansano (rosso) e l'Ansonica Costa dell'Argentario (bianco), valorizzate da percorsi enogastronomici chiamati "strade del vino".

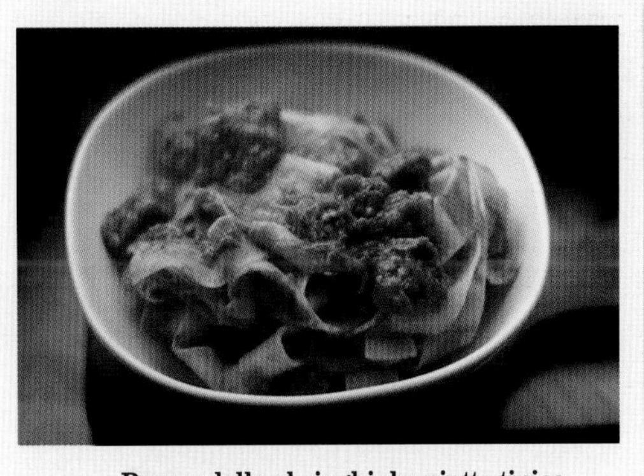

Pappardelle al cinghiale, piatto tipico della Maremma toscana

GLOSSARIO

paludi = ...
cratere = ...
fortificati = ...

La Maremma è un territorio ricco e vario che possiede molte bellezze. Scegli un elemento che ti interessa, fai una ricerca per approfondirlo e presentalo ai compagni.

L'arcipelago della Maddalena

TIPOLOGIA
arcipelago di isole

LOCALITÀ
Nord-est della Sardegna

PERIODO CONSIGLIATO
da maggio a ottobre

ATTIVITÀ CONSIGLIATE
escursioni, visite guidate, immersioni

TI PUÒ INTERESSARE
Parco geomarino di Capo Carbonara (sud-est della Sardegna)

SITI WEB
www.lamaddalenapark.it
www.sardegnaturismo.it

L'isola di La Maddalena, la più grande dell'arcipelago

Paradiso ricco di storia

L'arcipelago della Maddalena si trova a nord della Sardegna, la seconda isola più grande del Mediterraneo dopo la Sicilia. Comprende sette isole maggiori (La Maddalena, Caprera, Budelli, Santo Stefano, Santa Maria, Spargi e Razzoli) e circa 60 isole minori. Il mare in questa zona è limpido e cristallino come pochi al mondo.
Fino al Seicento questo arcipelago non aveva abitanti: prima di allora, esistevano solo tracce di basi militari dell'epoca dei Romani e un convento di monaci fondato nel Duecento. Nel Seicento, alcuni pastori provenienti dalla Corsica meridionale iniziano a colonizzare l'isola maggiore, La Maddalena. In seguito, la scoperta del corallo nei fondali attira nell'arcipelago pescatori liguri, toscani e campani.
L'arcipelago della Maddalena è famoso soprattutto per alcuni protagonisti della storia europea che qui hanno lasciato la loro **impronta*** memorabile. Ad esempio, Napoleone, che voleva conquistarlo, ma è costretto a rinunciare dopo la sconfitta in una battaglia contro un coraggioso marinaio di La Maddalena, Domenico Millelire. All'inizio dell'Ottocento, l'ammiraglio inglese Nelson rimane più di un anno nelle acque dell'arcipelago, dove voleva creare una base militare per la guerra contro i Francesi. Infine, Caprera è l'isola dove ha vissuto Giuseppe Garibaldi, il famoso "eroe dei due Mondi".

Una fortificazione nell'isola di Caprera, simbolo della costante presenza militare nell'arcipelago

La sterna comune, una delle specie di uccelli marini che sono protette all'interno del Parco

VORREI APPROFONDIRE:

....

....

MI PUÒ INTERESSARE ANCHE:

....

....

SITI WEB UTILI:

....

....

Un Parco naturale nelle acque del Mediterraneo

La Maddalena è un parco geomarino, cioè un'area protetta che comprende mare e terra. Infatti, grazie alla lunga assenza di abitanti, l'arcipelago ha mantenuto un ecosistema particolare, ricco di specie rare e interessanti per gli studiosi: esistono 100 diversi tipi di vegetazione e 36 tipi di habitat naturali; in più, nell'arcipelago arrivano tantissime specie protette di uccelli **migratori***. Per tutte queste ragioni, nel 1994 questo sistema di isole è diventato Parco Nazionale.

Cala Corsara, nell'isola di Spargi

La splendida spiaggia rosa dell'isola di Budelli

Paesaggi mozzafiato

Nell'arcipelago della Maddalena si trovano spiagge e calette **mozzafiato*** e il mare è limpidissimo: nelle sue acque si possono ammirare tutte le sfumature dell'azzurro, del verde e del blu. Bellissima è Cala Corsara, nell'isola di Spargi, dove la sabbia è finissima e il mare cristallino. Nell'isola di Budelli si trova invece la Spiaggia Rosa, che ha questo nome per il colore caratteristico della sabbia, dovuto alla presenza di piccoli pezzi di **gusci*** di alcuni animali marini.

GLOSSARIO

impronta = ...
migratori = ...
mozzafiato = ...
gusci = ...

Conosci altri parchi geomarini? Fai una ricerca e descrivi le caratteristiche naturali del luogo ai tuoi compagni. Inserisci delle immagini per illustrare.

Vetro di Murano

TIPOLOGIA
prodotto artigianale

PERIODO DI NASCITA
X secolo

LUOGO DI NASCITA
Venezia, Murano

TI PUÒ INTERESSARE
Museo del Vetro, Murano

SITI WEB
www.muranoglass.com/
www.museovetro.visitmuve.it/

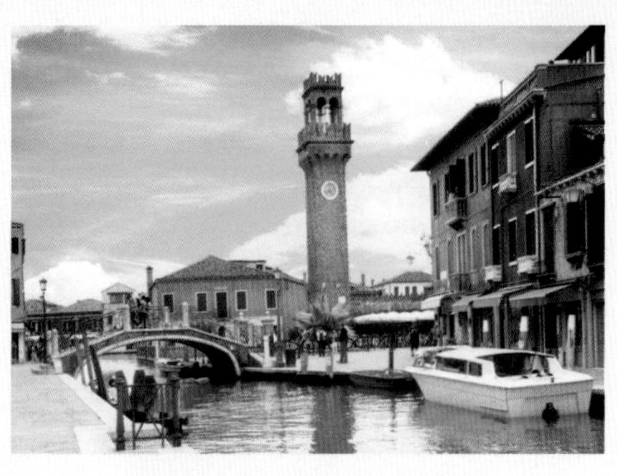

Veduta del centro di Murano, con il campanile sullo sfondo

L'isola del vetro

Murano è una delle principali isole della laguna di Venezia ed è famosa in tutto il mondo per la lavorazione e la produzione del vetro. Sembra una piccola Venezia, più tranquilla, con le tipiche case basse e colorate; quello che la distingue, però, è il gran numero di negozi di oggetti in vetro prodotti nelle **fornaci*** che si trovano sull'isola.
In origine la produzione del vetro avveniva a Venezia, dove quest'attività esisteva fin dal X secolo: i primi vetrai imitavano i lavori e le tecniche di artisti del Medioriente, soprattutto della Siria. Nel XIII secolo, i veneziani decidono di spostare la produzione a Murano: uno dei motivi riguarda le fornaci, cioè gli ambienti dove gli artigiani lavorano il vetro, che erano in legno e quindi potevano provocare incendi in città; inoltre, la posizione di Murano rispetto a Venezia proteggeva i veneziani dai fumi delle fornaci. Nel XV secolo, quando la produzione di vetro nel Medioriente entra in crisi, quella di Murano cresce fino a diventare la prima nel mondo, grazie anche all'invenzione del vetro "cristallino", cioè trasparente, simile al cristallo.
Ancora oggi il vetro di Murano è uno dei prodotti simbolo del Made in Italy, l'espressione più antica dell'arte del vetro italiana.

Interno di una fornace

Il lampadario di Murano: un esempio di creazione di Made in Italy

Oggetti decorativi in vetro di Murano

VORREI APPROFONDIRE:

....

....

MI PUÒ INTERESSARE ANCHE:

....

....

SITI WEB UTILI:

....

....

La magia del vetro

Le tecniche di lavorazione del vetro, tenute segrete per secoli, sono numerose e svariate. Una delle più note è quella del vetro soffiato: si **soffia*** attraverso una canna per modellare il vetro fuso. L'artigiano deve lavorare con molta rapidità perché in poco tempo il vetro si raffredda e diventa solido. È un bellissimo spettacolo assistere alla creazione di oggetti che sembrano vere e proprie sculture. Un'altra tecnica di lavorazione, molto antica, è quella del "vetro a lume", in cui si usa una fiamma a gas per **fondere*** vetro e poterlo, così, lavorare.

Lavorazione del vetro a lume

GLOSSARIO

fornaci	=	....
soffiare	=	....
fondere	=	....
canne	=	....

Per ottenere il vetro di Murrina, gli artisti vetrai realizzano delle **canne*** di vetro colorato, che tagliano poi in tanti piccoli pezzi, infine li combinano insieme per creare disegni di fantasia.

Creazione con il vetro di Murrina

Vetro lavorato con la tecnica del vetro soffiato

Scegli un prodotto artigianale tipico del tuo Paese o della tua città e presentalo ai tuoi compagni.

Commedia all'italiana

TIPOLOGIA
Genere cinematografico

PERIODO DI NASCITA
Anni Cinquanta

LUOGO DI NASCITA
Roma, Cinecittà

TI PUÒ INTERESSARE
Neorealismo

SITI WEB
Movieplayer.it – I grandi della commedia italiana
http://cinecittasimostra.it/

Claudia Cardinale, una delle attrici della Commedia all'italiana

Voglia di leggerezza

La "Commedia all'italiana" è un genere cinematografico nato in Italia negli anni Cinquanta. Il nome ha origine dal titolo di un film del regista Pietro Germi, *Divorzio all'italiana* (1961): il protagonista è un uomo sposato, di nome Fefè, che si innamora della cugina; in quegli anni in Italia non esisteva il divorzio, quindi Fefè decide di uccidere la moglie e di sposare la cugina. Per farlo, deve trovare un amante alla moglie: la legge italiana, infatti, dava condanne leggere (pochi anni di carcere) agli uomini o alle donne che uccidevano il **coniuge*** in caso di tradimento, perché la legge lo considerava "delitto d'onore".
Questo genere di commedia ha avuto molto successo fino agli anni Settanta-Ottanta: dopo la Seconda guerra mondiale, infatti, il pubblico preferiva alle storie drammatiche raccontate dai registi del Neorealismo (oggi invece molto amati dai **cinefili*** di tutto il mondo) quelle più leggere e divertenti delle commedie. In realtà, le commedie "all'italiana" hanno forti legami con il Neorealismo, perché non rappresentano solo situazioni comiche, che fanno ridere, ma raccontano anche i problemi della società (ad esempio, nel film di Germi, l'assenza del divorzio e il delitto d'onore) e i difetti degli italiani di quegli anni. Ironia e satira, linguaggio e personaggi popolari sono quindi gli elementi principali di questi film.

La locandina di ***Divorzio all'italiana***

Vittorio Gassman, Totò e Renato Salvatori in una scena del film *I soliti ignoti*

VORREI APPROFONDIRE:

....

....

MI PUÒ INTERESSARE ANCHE:

....

....

SITI WEB UTILI:

....

....

Grandi nomi del cinema

Secondo i **critici*** cinematografici, la prima commedia all'italiana è *I soliti ignoti* (1958) di Mario Monicelli, una parodia dei film sulle **rapine***: il film racconta la storia di una banda di ladri poveri e incapaci che sognano di fare una grande rapina. Alcuni degli attori che recitano in questo film sono grandi stelle del cinema italiano: Vittorio Gassman, che qualche anno dopo reciterà in un'altra famosa commedia, *Il sorpasso* di Dino Risi (1962); Marcello Mastroianni, indimenticabile protagonista del film *La dolce vita* di Fellini (1960); Totò, attore-simbolo del cinema comico italiano tra gli anni Quaranta e Sessanta. Un altro film rappresentativo della commedia all'italiana è *I mostri* di Dino Risi (1963), con 20 brevi episodi che raccontano i vizi degli italiani negli anni del boom economico. Infine, *Il medico della mutua* di Luigi Zampa (1968), in cui Alberto Sordi (altro attore-simbolo di questo genere) interpreta il **ruolo*** di un medico senza scrupoli. Tra le attrici più famose di quest'epoca troviamo Sophia Loren, Gina Lollobrigida, Monica Vitti e Claudia Cardinale.

GLOSSARIO

coniuge = ...
cinefili = ...
critici = ...
rapine = ...
ruolo = ...
svolta = ...

Fine di un'epoca

A metà degli anni Settanta il genere della Commedia all'italiana entra in crisi. A causa dei problemi economici, del terrorismo e dell'incertezza politica, passano gli anni della "dolce vita" e gli italiani perdono la voglia di sorridere con allegria. *Amici miei* di Monicelli (1975) segna la **svolta***: non c'è più il lieto fine, o il finale leggero; dietro agli scherzi e alle risate si nasconde una forte amarezza.

I protagonisti di *Amici miei*

Qual è il tuo genere cinematografico preferito? Presentalo ai tuoi compagni e mostra alcune scene dei film più rappresentativi.

Vini italiani D.O.C.

TIPOLOGIA
vini d'eccellenza

PERIODO DI NASCITA
1963 (istituzione della Denominazione di Origine Controllata)

LUOGO DI NASCITA
regioni italiane

TI PUÒ INTERESSARE
Vinitaly - Salone internazionale del vino e dei distillati (Verona)

SITI WEB
www.quattrocalici.it
www.vinitaly.com
www.politicheagricole.it

Annate storiche di vino Barolo

Il canto della terra

Qualche anno fa, un critico italiano, Luigi Veronelli, ha scritto che il vino è "il canto della terra verso il cielo". Questa definizione così poetica significa che il vino non è solo una semplice bevanda: è storia, tradizione, natura, passione... e, sempre di più, anche business.
In Italia la coltivazione della **vite*** per la produzione del vino ha origini antichissime: ad esempio, i Greci chiamavano il sud della penisola "Enotria" (terra della vite) e anche all'epoca dei Romani il vino era una delle bevande più consumate. Era molto diverso da quello che conosciamo oggi, tanto che per poterlo bere si aggiungeva molta acqua, fredda o calda; il vino puro era riservato alle divinità.

Vigneti in autunno, in Piemonte

Invecchiamento in botti a Montepulciano, in Toscana

Rispetto al passato, oggi i produttori di vino (non solo italiani) devono confrontarsi con molti elementi nuovi: l'esistenza di un mercato mondiale e di regolamenti internazionali, le moderne tecnologie e le tante possibilità che offrono per migliorare il lavoro di produzione, dalla **vendemmia*** dell'uva all'**invecchiamento*** del vino in **botti***. In generale, si può dire che la ricerca della qualità e il forte legame tra vino, cultura e territorio sono il motivo di questo grande successo italiano.

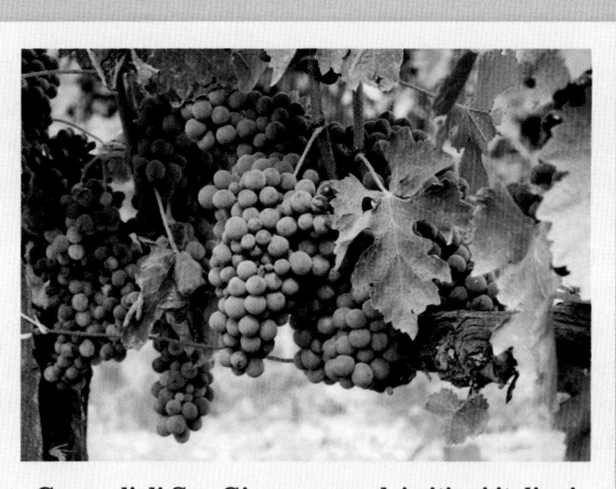

Grappoli di San Giovese, uno dei vitigni italiani più diffusi

VORREI APPROFONDIRE:

....

....

MI PUÒ INTERESSARE ANCHE:

....

....

SITI WEB UTILI:

....

....

L'Italia del vino

L'Italia è uno dei maggiori produttori di vino nel mondo e anche uno dei Paesi che vende di più all'estero. Tutte le regioni hanno i loro **vigneti***, in cui si producono vini di grande qualità. Alcuni di questi sono vini DOC o DOCG: queste sigle indicano il marchio di Denominazione di Origine Controllata (e Garantita), attribuito ai vini di una specifica zona geografica, con caratteristiche particolari che si trovano solo in quel territorio. Questi vini devono rispettare determinate regole di produzione e superare molti test prima di entrare nel mercato: regole e controlli servono, in generale, per garantire l'alta qualità del prodotto e la sua unicità. In Italia, alcune delle zone geografiche più importanti e famose per la produzione di vini DOC o DOCG sono: le Langhe, in Piemonte, dove si producono vini molto pregiati come il Nebbiolo e il Barolo; il Chianti, in Toscana, dove si producono il Chianti Classico e il Brunello di Montalcino; la Valpolicella, in Veneto, famosa per l'Amarone.

Un altro vino DOC molto venduto è il Prosecco, un vino bianco tipico delle regioni del Veneto e del Friuli Venezia Giulia: nel 2014 il Prosecco ha superato lo Champagne per numero di bottiglie vendute nel mondo.

GLOSSARIO

vite = ...
vendemmia = ...
invecchiamento = ...
botti = ...
vigneti = ...

Non solo DOC

In Italia oggi ci sono circa 330 vini a Denominazione di Origine Controllata. Ma i vini italiani sono molto più di 330 e tanti raggiungono livelli di eccellenza. In ogni regione del Paese lavorano piccoli e medi produttori che, grazie alla qualità dei loro vini, hanno conquistato il mercato italiano ed estero. In più, in Italia si organizzano molti eventi dedicati al vino: il più importante è Vinitaly, che si svolge ogni anno a Verona. Un appuntamento fondamentale per tutti gli amanti di questo "canto della terra".

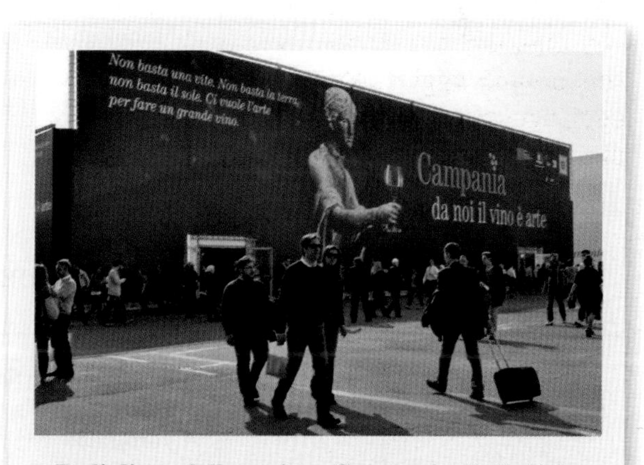

Padiglione della regione Campania al Vinitaly

Si dice che il mondo si divide fra gli appassionati della birra e gli amanti del vino. Nel tuo Paese, generalmente, si beve più birra o più vino? Puoi elencare birre o vini tipici del tuo Paese? Parlane con i tuoi compagni.

Presentazione

Gli esami di certificazione hanno l'obiettivo di valutare la competenza linguistico-comunicativa di un individuo secondo i livelli del QCER, attraverso una serie di test finalizzati a misurare le sue abilità (comprensione orale e scritta; produzione orale e scritta). Le certificazioni linguistiche ufficialmente riconosciute che attestano il livello A2 nella competenza dell'italiano come lingua straniera sono:

- La CILS (Certificazione di Italiano come Lingua Straniera) erogata dall'Università per Stranieri di Siena.
- Il PLIDA (Progetto Lingua Italiana Dante Alighieri) erogato dalla Società Dante Alighieri.
- Il CELI (Certificato di conoscenza della Lingua Italiana) erogato dall'Università per Stranieri di Perugia.
- La CERT.IT (Certificazione dell'italiano come lingua straniera) erogata dall'Università degli Studi Roma Tre.

Questa sezione serve a familiarizzare con la struttura degli esami. Per ogni test di abilità si propongono sempre 2 prove. Dunque, non s'intende fornire una riproduzione fedele ed esaustiva dei modelli d'esame, ma degli esempi di prove per conoscere e comparare le diverse certificazioni che attestano il livello A2.

CILS A2

TEST	NUMERO DI PROVE	TIPOLOGIA DELLE PROVE	DURATA
Ascolto	2	• Due prove a scelta multipla con 3 proposte di completamento	20' circa
Comprensione della lettura	3	• Scelta multipla con 3 proposte di completamento • Individuazione delle informazioni presenti nel testo • Abbinamento di testi	40'
Analisi delle strutture di comunicazione	3	• Riempimento degli spazi vuoti con aggettivi • Riempimento degli spazi vuoti con i verbi • Riempimento degli spazi vuoti con una delle 3 proposte di completamento	40'
Produzione scritta	2	• Scrivere un testo di 40-60 parole • Scrivere un testo di 25-40 parole	40'
Produzione orale	2	• Conversazione di 2-3 minuti circa • Monologo di 2 minuti circa	10' circa

L'esame CILS A2 offre tre moduli specifici: bambini, adolescenti e integrazione in Italia.
L'esame al quale noi ci ispiriamo è il modello standard CILS A2.

PLIDA A2

TEST	NUMERO DI PROVE	TIPOLOGIA DELLE PROVE	DURATA
Ascoltare	3	• Abbinamento delle immagini ai dialoghi • Scelta multipla con 3 proposte di completamento con immagini • Vero/falso	25'
Leggere	2	• Scelta multipla con 3 proposte di completamento • Abbinamento di testi	30'
Scrivere	2	• Scrivere due testi, ognuno di 75 parole circa	40'
Parlare	3	• Dialogo di presentazione di 1 minuto circa • Conversazione di 4 minuti circa • Monologo di descrizione di 3 minuti circa	10' circa

L'esame PLIDA A2 prevede anche il modulo PLIDA Juniores, destinato ad adolescenti dai 13 ai 18 anni.
L'esame al quale noi ci ispiriamo è il modello standard PLIDA A2.

CELI 1 A2

TEST	NUMERO DI PROVE	TIPOLOGIA DELLE PROVE	DURATA
Comprensione di testi scritti	5	• Abbinamento del testo a una delle 2 immagini proposte • Abbinamento delle immagini ai testi • Ricostruzione di frasi per abbinamento • Abbinamento di domande a risposte • Scelta multipla con 3 proposte di completamento	2 ore
Produzione di testi scritti	2	• Riempimento libero degli spazi vuoti • Scrivere un testo di 80-90 parole	
Comprensione dell'ascolto	4	• Analisi di dialoghi con risposta a scelta binaria • Abbinamento delle immagini ai testi • Individuazione delle informazioni presenti nel testo • Scelta multipla con due proposte di completamento	20'
Produzione orale	3	• Intervista • Conversazione su immagini • Role-play	10' circa

L'esame CELI 1 A2 offre anche due moduli specifici: migranti e adolescenti dai 13 ai 17 anni. L'esame al quale noi ci ispiriamo è il modello standard CELI 1 A2.

CERT.IT A2

TEST	NUMERO DI PROVE	TIPOLOGIA DELLE PROVE	DURATA
Ascoltare	4	• Scelta multipla con 3 proposte di completamento con immagini • Vero/falso • Analisi di dialoghi con risposta a scelta binaria • Scelta multipla con 3 proposte di completamento	20'
Leggere	3	• Scelta multipla con 3 proposte di completamento con immagini • Abbinamento di testi • Scelta multipla con 3 proposte di completamento	1 ora e 30'
Scrivere	2	• Scrivere un testo di 8-15 parole • Scrivere un testo di 25-30 parole	
Parlare	3	• Monologo di presentazione • Roleplay • Monologo di descrizione	5' circa

STRATEGIE PER LAVORARE

Leggi attentamente le istruzioni prima di iniziare ogni prova e cerca di gestire al meglio il tempo a tua disposizione.

- **Comprensione orale**: Durante il primo ascolto, concentrati sul significato generale e scegli la risposta corretta. Poi verifica le tue scelte durante il secondo ascolto.
- **Comprensione scritta**: La prima lettura serve a comprendere il senso generale del testo. Durante la seconda lettura concentrati sulle informazioni più importanti per svolgere la prova. Il contesto può aiutarti a capire il significato di una parola che non conosci.
- **Produzione scritta**: Prima di iniziare a scrivere, rifletti sulle informazioni che vuoi comunicare e organizza le idee in modo coerente. Cerca di esprimere le informazioni in modo chiaro e utilizza strutture non troppo complesse. Infine, controlla la correttezza formale del testo.
- **Produzione orale**: Segui attentamente le istruzioni dell'esaminatore. Esprimiti con calma e non avere fretta di parlare. A volte può essere utile inserire nel tuo discorso esperienze personali o esempi concreti.

Ascolto

59

Attività 1. Ascolta i testi e completa le frasi. Indica con una X la proposta di completamento corretta.

1. La cliente vuole
- ☐ a. andare al ristorante.
- ☐ b. mangiare una pizza.
- ☐ c. prenotare un tavolo.

2. Giulia invita Marco a
- ☐ a. vedere un film.
- ☐ b. studiare insieme.
- ☐ c. andare a casa sua.

3. Il signore vuole
- ☐ a. due biglietti per minori di 25 anni.
- ☐ b. due biglietti per Venezia.
- ☐ c. un biglietto di andata e ritorno.

4. Il signore chiede
- ☐ a. dei consigli contro il mal di schiena.
- ☐ b. un appuntamento dal medico.
- ☐ c. un medicinale per sua moglie.

5. Silvia vuole
- ☐ a. comprare un regalo.
- ☐ b. indossare il cappello di Marta.
- ☐ c. andare a una festa.

6. La signorina aspetta
- ☐ a. una bolletta da pagare.
- ☐ b. una lettera raccomandata.
- ☐ c. un oggetto comprato online.

60

Attività 2. Ascolta il testo: è un dialogo in un ufficio postale. Poi completa le frasi. Indica con una X la proposta di completamento corretta.

1. Il signore vuole
- ☐ a. andare all'estero.
- ☐ b. inviare denaro.
- ☐ c. fare una spedizione.

2. Il signore deve spedire a
- ☐ a. un amico.
- ☐ b. un parente.
- ☐ c. un collega.

3. Il signore ha bisogno di
- ☐ a. fare una spedizione economica.
- ☐ b. spedire in modo veloce.
- ☐ c. inviare due pacchi.

4. Per la spedizione ci vogliono
- ☐ a. ventiquattro ore.
- ☐ b. tre giorni.
- ☐ c. due settimane.

5. Per assicurare il pacco è necessario
- ☐ a. pagare cinque euro in più.
- ☐ b. compilare un modulo online.
- ☐ c. consegnare un documento d'identità.

6. Per controllare lo stato della spedizione si deve
- ☐ a. consultare il sito web.
- ☐ b. telefonare all'ufficio postale.
- ☐ c. inviare un messaggio.

Comprensione della lettura

Attività 1. Leggi il testo e completa le frasi. Indica con una X la proposta di completamento corretta.

Share.cdl.it

https://share.cdl.it

Muoversi con Share | Tariffe | Area di copertura | Istruzioni | Registrati | Accedi

Auto condivisa *Share*: come iscriversi e salire in macchina

Vuoi muoverti in città senza comprare una macchina? Prenota un'auto e poi parcheggiala dove vuoi!
Puoi iscriverti al servizio *Share* sia con la patente italiana che con una patente estera.
Usa la nostra applicazione. Collegati e seleziona l'opzione "solo auto", "solo scooter" oppure "auto + scooter".

L'iscrizione base è online e gratuita per i clienti con patente italiana: è sufficiente inviare una copia del documento d'identità. La spesa d'iscrizione per clienti con patente estera, invece, è di 10€.
Al termine della registrazione, il team *Share* ti invia una email di conferma per comunicarti che l'iscrizione è avvenuta con successo.

1. Con *Share* puoi
- ☐ a. parcheggiare gratuitamente.
- ☐ b. vendere scooter online.
- ☐ c. usare macchine condivise.

2. Per iscriversi a *Share* devi
- ☐ a. inviare un'e-mail.
- ☐ b. scaricare un'applicazione.
- ☐ c. superare un test di guida.

3. L'iscrizione è a pagamento per
- ☐ a. i clienti senza patente italiana.
- ☐ b. i clienti che non vivono a Roma.
- ☐ c. i clienti che scelgono lo scooter.

4. Per la conferma d'iscrizione devi
- ☐ a. telefonare al team *Share*.
- ☐ b. ricevere un'e-mail.
- ☐ c. pagare una tassa.

Attività 2. Leggi i testi e scegli le informazioni presenti (una per ogni testo).

> Italobus ti porta in Trentino. Dal 3 aprile raggiungi Rovereto e Trento tutti i giorni dalla stazione di Verona. Solo con Italo, a partire da 19,90€.

1. Italobus permette di raggiungere tutte le città del Trentino.
2. Italobus permette di viaggiare in Trentino per meno di 19,90€.
3. Italobus permette di arrivare a Trento dalla stazione di Verona.

> Nel parco è vietato: fare entrare cani e altri animali, strappare e tagliare l'erba, fumare, utilizzare biciclette e altri mezzi di trasporto.

4. Nel parco non si può mangiare.
5. Nel parco non è possibile fumare.
6. Nel parco si può entrare in bicicletta.

> Vendo televisore usato a schermo piatto con casse, telecomando e istruzioni, color grigio cenere, 32 pollici. Buone condizioni, vendo perché non utilizzato. Il prezzo è di 190 euro non trattabili.

7. Il televisore è nuovo.
8. Il televisore è grigio.
9. Il televisore costa meno di 190 euro.

> Il biglietto BIT si convalida a ogni viaggio. È valido all'interno del territorio di Roma Capitale su tutti i mezzi di trasporto pubblico. Vale 100 minuti e permette 1 viaggio solo in metro.

10. Il biglietto BIT si convalida una volta al giorno.
11. Il biglietto BIT non è valido per i viaggi in metropolitana.
12. Il biglietto BIT permette di viaggiare in tutta la città di Roma.

Analisi delle strutture di comunicazione

Attività 1. Completa il testo con le forme giuste degli aggettivi che sono fra parentesi.

L' (0. autentico) autentica cucina italiana, quando e dove vuoi tu

Bottega Il Portico è il (1. nuovo) .... progetto gastronomico di street food, 100% Made in Italy: una (2. vero) .... rivoluzione culturale che cambia il nostro punto di vista sul cibo da asporto. Il ristorante, che si trova nel cuore della città di Bologna, punta infatti sull' (3. alto) .... qualità del prodotto e sulla rapidità del servizio. In questo spazio aperto è possibile gustare i sapori (4. antico) .... che hanno reso la cucina italiana tra le più amate al mondo, scegliere tra bontà (5. tipico) .... e sperimentazioni gastronomiche, comprare pasta (6. fresco) .... e altri prodotti (7. autentico) ....
Questo ambiente moderno e informale è il luogo ideale per una pausa pranzo pratica e (8. veloce) .... I clienti vivono un'esperienza (9. unico) .... non solo all'interno del ristorante, ma anche in ufficio, al parco, praticamente ovunque, grazie ai piatti da asporto.
Il segreto di questo ristorante? Puntare sulla velocità del servizio, senza rinunciare alle ricette (10. originale) .... della cucina italiana.

Attività 2. Completa il testo con le forme giuste dei verbi che sono fra parentesi.

Riunione di famiglia a Carmagnola

L'anno scorso la mia famiglia (0. organizzare) ha organizzato una grande festa a sorpresa per il compleanno di mia nonna nella piccola città di Carmagnola.
Tutti i miei parenti (1. partecipare) .... a questa riunione e quel giorno io (2. conoscere) .... per la prima volta alcuni zii che vivono in Australia dagli anni Cinquanta. Dopo il ritrovo, mia nonna ci (3. offrire) .... il pranzo in uno splendido agriturismo, dove tutti insieme (4. mangiare) .... piatti tradizionali all'aria aperta.
La sera io e i miei cugini (5. decidere) .... di fare una bella passeggiata per le strade del centro. I miei zii invece (6. andare) .... a giocare a carte al Bar Centrale e mio zio Enrico (7. suonare) .... la chitarra con alcuni abitanti del paese. A fine giornata, prima di andare a dormire, (8. trovarsi) .... tutti in piazza per salutarci. La nonna era visibilmente commossa: ci (9. dire) .... che erano anni che non si sentiva così felice! Per tutti noi quella giornata (10. essere) .... un'indimenticabile occasione per riscoprire i nostri valori familiari.

Produzione scritta

Attività 1. **Racconta il tuo primo giorno di scuola o di lavoro. Devi scrivere da 40 a 60 parole.**

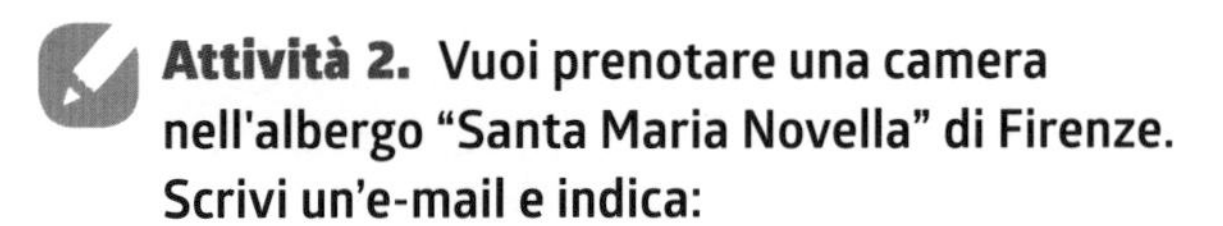

Attività 2. **Vuoi prenotare una camera nell'albergo "Santa Maria Novella" di Firenze. Scrivi un'e-mail e indica:**

- i tuoi dati (nome e cognome, data di nascita,);
- informazioni sul soggiorno (il numero delle notti, il periodo del tuo viaggio, l'orario del tuo arrivo).

Devi scrivere da 25 a 40 parole.

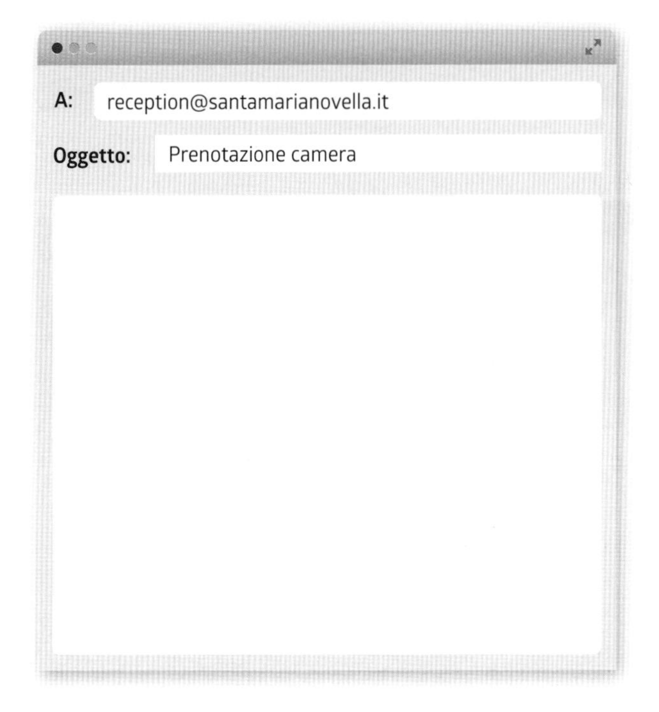

A: reception@santamarianovella.it

Oggetto: Prenotazione camera

Produzione orale

Attività 1. **La prova ha le caratteristiche di una conversazione faccia a faccia. Dovrai presentarti e parlare di te nella seguente situazione:**

L'insegnante vuole conoscerti prima di iniziare il nuovo corso d'italiano. Rispondi alle sue domande:

- Come ti chiami?
- Quando hai iniziato a studiare la lingua italiana?
- Perché hai deciso di studiare italiano?
- Hai visitato l'Italia?
- Cosa pensi della civiltà e della cultura italiana? Quali aspetti ti piacciono e quali invece no?

Attività 2. **Parla di uno dei seguenti argomenti o descrivi l'immagine. Devi parlare per 2 minuti circa.**

- Il tuo ristorante preferito o un piatto che ti piace molto.
- Una tradizione del tuo Paese.
- La seguente immagine.

Comprensione di testi scritti

Attività 1. Leggi la frase e osserva le illustrazioni. Indica quale illustrazione rappresenta l'azione giusta.

1. Si consiglia di consumare frutta e verdura a ogni pasto.

A

B

2. Attenzione! Treno in arrivo al binario 2. Allontanarsi dalla linea gialla.

A

B

3. Portone automatico: vi preghiamo di non spingere a mano.

A

B

4. È vietato entrare in biblioteca con borse, zaini, giacche e ombrelli.

5. Tutti i nostri operatori sono occupati. Attendere in linea.

Attività 2. Ricostruisci le frasi divise in due parti. Scrivi la lettera (A-L) accanto al numero corrispondente (1-7).

1.	2.	3.	4.	5.	6.	7. ....

1. Signore, se vuole ordinare da bere
2. Quando viaggio in treno
3. Se vuoi perdere peso
4. Quando Marta tornerà in Portogallo
5. Marco ha cambiato casa
6. Quando sono a Bologna
7. Non torno in Sicilia

a. perché viveva lontano dal centro.
b. vado a mangiare nei ristoranti tipici.
c. ha fatto una lunga passeggiata.
d. da quando ero piccolo.
e. le abbiamo scritto una cartolina.
f. leggo sempre un libro.
g. troverà i suoi amici all'aeroporto.
h. perché ha perso il treno.
i. devi fare sport.
l. deve prima pagare alla cassa.

Produzione di testi scritti

Attività 1. Leggi il testo. Riempi gli spazi vuoti con una sola parola.

Attori stranieri che amano l'Italia

“Conosco questo Paese da molto tempo. Infatti il (1) .... primo ruolo da attore è stato in uno spettacolo teatrale in Italia più di trenta anni (2) .... Mi sono subito innamorato degli italiani: loro hanno (3) .... grande passione per la vita e sono molto accoglienti. Per questo ogni (4) .... che vado in Italia mi sento a casa.”

David Sterling

“Il mio amore per l'Italia è nato con il cinema italiano. Ad esempio, adoro i film di Fellini: (5) .... ho visti tutti moltissime volte. Prima andavo in Italia solo per brevi periodi, mentre (6) .... mi fermo anche per alcuni mesi. Infatti l'anno (7) .... ho comprato una casa vicino a Montalcino, (8) .... Toscana. Vorrei girare il mio prossimo film in questo bellissimo luogo.”

Hugh Wexler

Attività 2. Scrivi un racconto. Usa il passato. Scrivi da un minimo di 80 a un massimo di 90 parole.

Hai appena trovato una casa in affitto. Descrivi la tua esperienza in un'e-mail a un amico italiano. Segui la tabella e racconta le cose che **hai fatto** (Sì) e le cose che **non hai fatto** (No)

SÌ	NO
• cercare annunci su Internet	• fidarsi di annunci senza fotografie
• mettersi in contatto con un'agenzia immobiliare	• visitare appartamenti senza finestre
• cercare un appartamento vicino all'università	• scegliere un appartamento lontano dalla fermata dell'autobus
• fotografare le stanze e inviare una copia al proprietario	• pagare un anticipo prima di vedere la casa

A: ivan87@frmail.it

Oggetto: ricerca casa in affitto

Caro Ivan,

per trovare casa ho prima di tutto cercato annunci su Internet.

Comprensione dell'ascolto

61

Attività 1. **Ascolta i testi da 1 a 5 e indica:**

A) se la risposta è **affermativa**

B) se la risposta **non è affermativa**

1	▢ A ▢ B
2	▢ A ▢ B
3	▢ A ▢ B
4	▢ A ▢ B
5	▢ A ▢ B

62

Attività 2. **Ascolta i testi. Alcune frasi non sono presenti. Indica accanto alla frase:**

sì, se è presente - no, se non è presente

1. Ho iniziato in un ristorante famoso. sì ▢ no ▢
2. È sempre stata la mia passione. sì ▢ no ▢
3. Ci metto almeno un'ora. sì ▢ no ▢
4. Non posso lamentarmi dell'orario. sì ▢ no ▢
5. La seguo da quando ero piccola. sì ▢ no ▢
6. Sono contenta quando torno a casa. sì ▢ no ▢

Produzione orale

Attività 1. **Osserva le immagini e descrivi cosa è successo.**

Attività 2.

UN AMICO IN CITTÀ

Un tuo amico ti viene a trovare nella tua città. Ti chiede informazioni sui luoghi da visitare e sulle attrazioni turistiche più importanti. Tu sei felice di poter dare consigli e di spiegare cosa ti piace e cosa non ti piace della tua città.

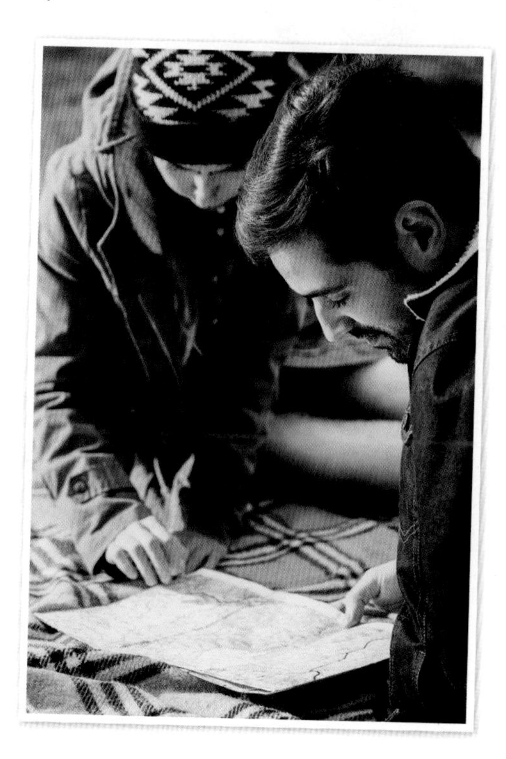

Ascoltare

Attività 1. Ascolta i dialoghi e rispondi alle domande. Per ogni dialogo scegli solo una delle tre possibilità.

63

1. *Dove si trova Luca?*

A

B

C
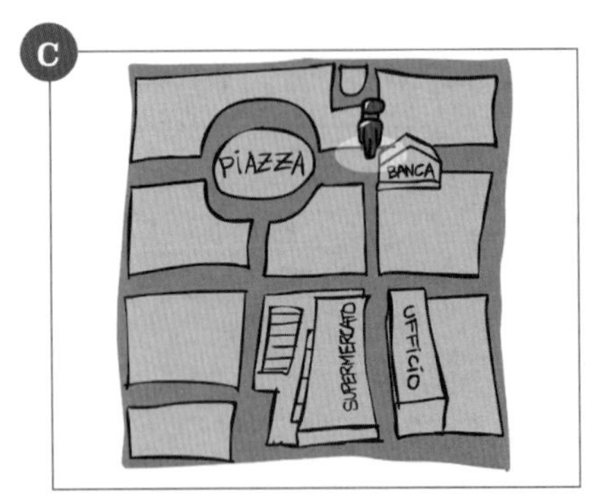

2. *Quale camicia compra il cliente?*

A

B

C

3. *Cosa hanno Giulio e Alessia per fare colazione?*

A

B

C

Attività 2. Ascolta il dialogo tra Roberta e Luigi e indica se le risposte sono vere o false.

64

	V	F
1. Roberta lavora come assistente di volo sugli aerei.	▢	▢
2. Roberta non ha più tempo per viaggiare.	▢	▢
3. Luigi è contento del suo nuovo lavoro.	▢	▢
4. Martina suona il violino da molto tempo.	▢	▢
5. Luigi lascia a Roberta un biglietto per il concerto.	▢	▢

Leggere

Attività 1. Leggi le domande. Indica una sola risposta corretta.

1. Ti trovi all'estero e hai bisogno di telefonare? Con la tariffa *In Viaggio* puoi chiamare e navigare durante la tua vacanza a soli 3€ al giorno! Attiva *In Viaggio* nei negozi Air o con un SMS. Scopri la migliore offerta per le tue vacanze!

   Con la tariffa In Viaggio è possibile
   - ▢ **a.** inviare SMS gratis.
   - ▢ **b.** avere riduzioni sui viaggi.
   - ▢ **c.** usare Internet all'estero.

2. Famosa pizzeria nel centro storico cerca personale per accogliere i clienti, servire ai tavoli e prendere le ordinazioni. Si richiede esperienza di almeno due anni. Contratto da luglio a settembre. Disponibilità a lavorare nel fine settimana e nei giorni festivi.

   Il ristorante cerca
   - ▢ **a.** un cameriere.
   - ▢ **b.** un pizzaiolo.
   - ▢ **c.** un lavapiatti.

3. Con la *Carta Insieme* puoi avere offerte speciali e prezzi ridotti in tutti i nostri supermercati! La carta è gratuita e puoi richiederla in tutti i punti vendita. Ti basta compilare il modulo per usare *Carta Insieme* subito.

   Con la Carta Insieme puoi
   - ▢ **a.** saltare la fila nei supermercati.
   - ▢ **b.** pagare meno quando fai la spesa.
   - ▢ **c.** partecipare a eventi gratuiti.

4. La Sala Mediateca aprirà al pubblico solo di mattina dalle 09:00 alle 13:00 per tutto il mese di marzo per lavori di rinnovamento. Sarà possibile chiedere materiali in prestito fino alle ore 12:30. Ci scusiamo per il disagio.

   La Sala Mediateca
   - ▢ **a.** offrirà nuovi servizi.
   - ▢ **b.** cambierà sede.
   - ▢ **c.** chiuderà di pomeriggio.

5. Giovedì: cielo quasi sereno. Temperatura minima 19°C, massima 26°C.
   Venerdì: cielo poco nuvoloso con deboli piogge occasionali. Si registrerà una temperatura massima di 29°C alle ore 15. Venti moderati da Nord-Ovest.

   Che tempo farà venerdì?
   - ▢ **a.** ci sarà più caldo.
   - ▢ **b.** ci saranno forti piogge.
   - ▢ **c.** ci sarà molto vento.

6. In caso di ritardo in arrivo dei treni Alta Velocità, Trenitalia ti riconosce un bonus pari al 25% del prezzo del biglietto che potrà essere utilizzato entro 12 mesi per l'acquisto di un nuovo biglietto.

   In caso di ritardo del treno puoi
   - ▢ **a.** viaggiare senza pagare il biglietto.
   - ▢ **b.** avere uno sconto sul prossimo biglietto.
   - ▢ **c.** utilizzare di nuovo lo stesso biglietto.

Attività 2. Leggi i messaggi. Abbina ogni messaggio (1-7) a una sola risposta (A-O).

1. Andiamo ora a fare la spesa?
2. Hai visto le mie chiavi?
3. Invitiamo Paolo a cena stasera?
4. Lavori questa domenica?
5. Mi dai l'indirizzo di Silvia?
6. Vieni con me al teatro Verdi domani sera?
7. Sono occupata. Ti posso richiamare tra un quarto d'ora?

a. Non ho voglia di vedere una partita... Odio il calcio!
b. Sì, però questa volta cucino io... Voglio provare una ricetta nuova.
c. Non posso leggere le e-mail perché non ci sono reti WI-FI.
d. No, il negozio resterà chiuso questo fine settimana. Vado al mare!
e. Sì, domenica scorsa sono andato in bicicletta!
f. Non ti preoccupare, la lezione non è ancora cominciata!
g. Fai con calma... Devo dirti una cosa, ma non è urgente.
h. Mi dispiace ma non posso, domani esco con mio fratello.
i. Ho controllato, ma non ci sono camere libere.
l. Sì, sono sul tavolo accanto alla frutta!
m. Sì, però andiamo in macchina... Non voglio trasportare borse pesanti!
n. No, se piove credo proprio che annulleranno il concerto...
o. Non ricordo il nome della via, però posso chiederlo a lei.

Scrivere

Attività 1. Sei stato a una festa di compleanno con i tuoi amici. Un tuo amico italiano ti ha scritto un messaggio. Scrivi 75 parole circa.

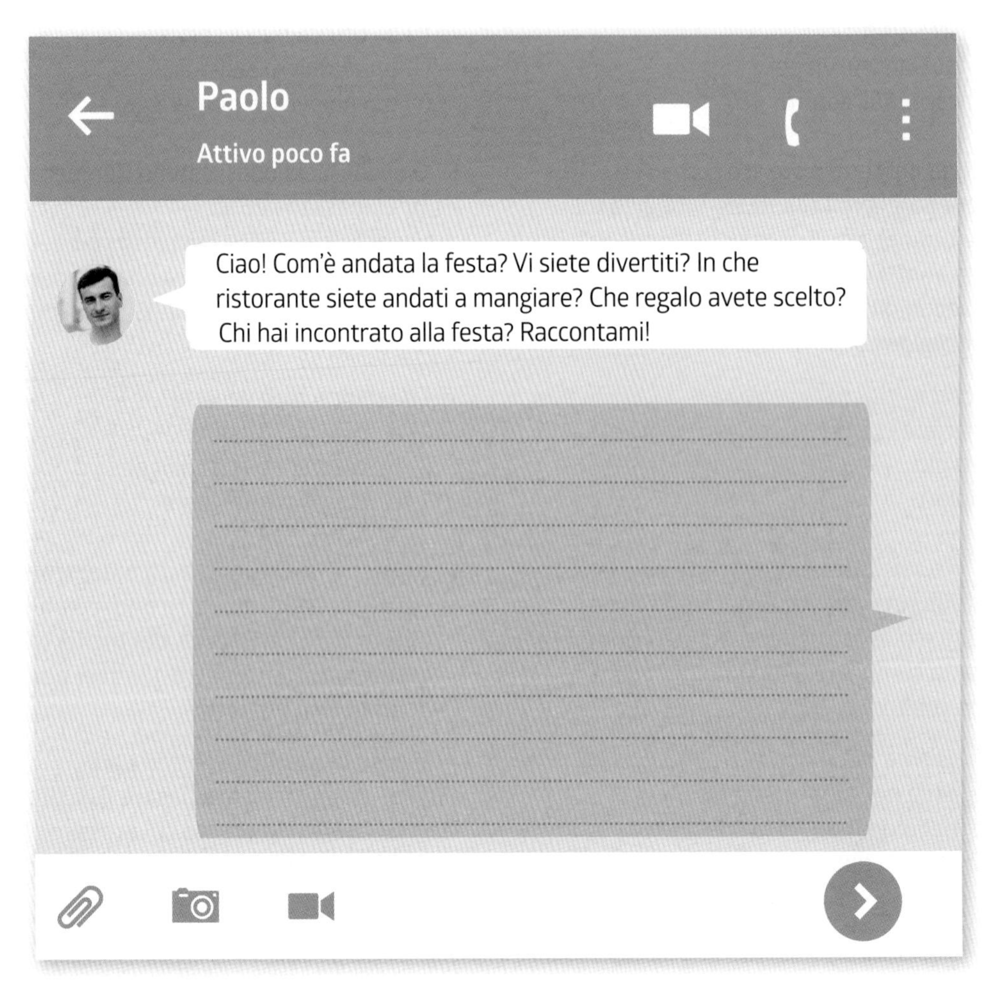

Attività 2. Scrivi 75 parole circa.

Un tuo amico ti viene a trovare, ma non puoi andare a prenderlo all'aeroporto. Scrivi una breve e-mail per spiegargli come raggiungere casa tua. Indicagli:

- quali mezzi di trasporto deve prendere
- in quale punto deve scendere
- la strada per arrivare a casa tua

Parlare

Attività 1. Scegli un argomento di conversazione. Rispondi alle domande che l'esaminatore ti può fare sull'argomento. La conversazione deve durare 4 minuti circa.

1. Vuoi prenotare un viaggio di una settimana in montagna per due persone. Vai all'agenzia di viaggi e ti informi sulle destinazioni, sui mezzi di trasporto, sulle date, sugli alberghi e sui prezzi.

Esempi di domande: *Buongiorno, in cosa posso aiutarla? - Che tipo di viaggio vuole fare? - Per quante persone e per quanto tempo? – Quale località di montagna preferisce? – In quali date vorrebbe viaggiare? – Quanto vorrebbe spendere?*

2. Vuoi comprare delle medicine perché hai un forte mal di testa. Vai in farmacia e spiega al farmacista come ti senti. Chiedi informazioni su quali medicine devi prendere e per quanto tempo.

Esempi di domande: *Salve, in cosa posso esserle utile? - Cosa si sente? – Soffre spesso di mal di testa? - È tanto tempo che ha mal di testa? – Che tipo di medicinale preferisce, pastiglie o iniezioni? – Può riposare nei prossimi giorni o è costretto/a a lavorare?*

Attività 2. Sulla base delle seguenti immagini, rispondi alle domande. Devi parlare per 3 minuti circa.

- Cosa ricordi della tua infanzia?
- Che carattere avevi da bambino?
- Cosa ti piaceva fare?

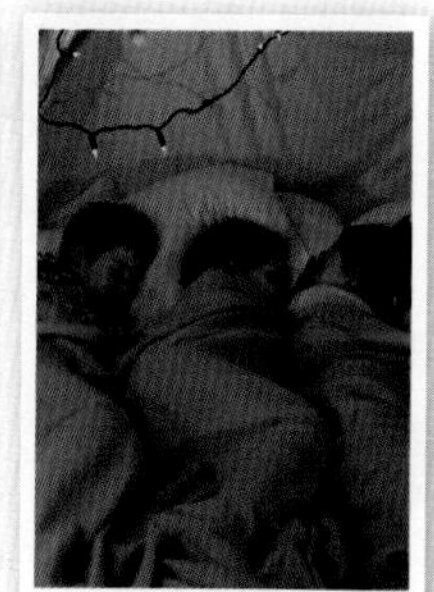

Ascoltare

Attività 1. Ascolta i testi. Indica se le informazioni sono vere (V) o false (F).

65

	V	F
1. La ragazza ha già un appuntamento.	▢	▢
2. La ragazza andrà a trovare un'amica.	▢	▢
3. Il treno partirà alle ore 12.	▢	▢
4. La pizza Bufalina contiene carne.	▢	▢
5. La signora non fa sport.	▢	▢
6. L'autobus ferma di fronte al teatro.	▢	▢
7. Il signore non è iscritto alla biblioteca.	▢	▢

Attività 2. Ascolta i dialoghi. Di cosa stanno parlando? Scegli l'immagine giusta.

66

1.

A

B

C

2.

A

B

C

3.

A

B

C

Leggere

Attività 1. Leggi i testi. Per ogni domanda indica la tua risposta (A, B o C).

1. Devi comprare un tavolo di legno con 4 sedie per il giardino. Puoi spendere fino a 200€ inclusa la consegna.

A

B

C

2. Tu e tre amici volete andare in vacanza per una settimana e decidete di prenotare un appartamento. Quale offerta scegliete?

A

B

C

3. Ti hanno invitato a una festa di laurea e hai deciso di comprare un paio di scarpe nere ed eleganti. Puoi spendere fino a 90€.

A

B

C

Attività 2. Abbina le descrizioni personali della colonna A agli annunci di lavoro della colonna B. Attenzione: c'è un annuncio in più!

1. Mi chiamo Andrea e sono romena. Ho esperienza come segretaria e come addetta all'accoglienza. Ho la patente B. Cerco lavoro da subito in questi due settori.
2. Sono Valentino e ho 19 anni. Sono diplomato e cerco lavoro in qualsiasi settore. Sono disponibile a trasferirmi.
3. Mi chiamo Stephen e sono di Londra. Ho 23 anni e studio Economia. Cerco lavoro part-time. Sono puntuale e motivato.
4. Il mio nome è Carla e studio Architettura. Cerco stage da 3 a 6 mesi in uno studio o in una fondazione.
5. Sono Chloé e vengo dalla Francia. Cerco lavoro part-time con i bambini da 3 a 8 anni. Ho già esperienza con molte famiglie.

a. Sono alla ricerca di una baby-sitter per un bambino di 5 anni, due settimane a luglio, mezza giornata. Compenso da concordare.

b. Ricerchiamo segretaria diplomata e con patente di guida, dinamica e ambiziosa. Chiamare per fissare un colloquio.

c. Ricerchiamo addetto alle pulizie per hotel di lusso di 4/5 stelle a Milano, con esperienza di almeno 2 anni nel settore.

d. Lo studio Mattei cerca un ingegnere e un architetto da inserire nel proprio reparto tecnico a Venezia. Contratto di stage di 5 mesi. Si richiede una buona conoscenza dei software più importanti.

e. Bar-panineria nel centro storico di Milano ricerca personale part-time. Requisiti: buona conoscenza della lingua inglese e tanta voglia di lavorare

f. Eventi Italia ricerca personale, anche senza esperienza, da inserire in villaggi turistici, hotel e navi da crociera. Ambiente dinamico e stimolante. Massimo 22 anni.

Scrivere

Attività 1. Leggi il seguente messaggio e rispondi. Scrivi tra 8 e 15 parole.

Attività 2. Scrivi a un tuo amico e dagli queste informazioni.

- dove sei stato in vacanza l'estate scorsa
- con chi sei partito
- che cosa hai fatto o che cosa hai visitato

Devi scrivere dalle 25 alle 35 parole.

Parlare

Attività 1. Vai in un negozio di telefonia per acquistare un nuovo cellulare. Chiedi al commesso:

- informazioni sui modelli disponibili a un certo prezzo
- se ci sono offerte o promozioni
- come puoi pagare il cellulare

La conversazione deve durare 2 minuti circa.

Attività 2. Descrivi la seguente immagine. Devi parlare per 1 minuto circa.

Esercizi

I PRONOMI DIRETTI E IL NE PARTITIVO

1. Abbina le seguenti domande alle frasi in basso per formare dei dialoghi. Poi indica a cosa si riferisce il pronome sottolineato nelle risposte.

1. Usi spesso il computer?
2. Conosci Mario e Serena?
3. Non trovo le forbici. Sai dove sono?
4. Vado in cartoleria, ti serve qualcosa?
5. Mi presti la tua calcolatrice?

a. Sì, li ho incontrati il mese scorso. ....
b. Sì, le matite! Ne compri due, per favore? ....
c. Solo un attimo. La sto usando io. ....
d. Tutti i giorni. Lo uso per lavoro. ....
e. Cerca nel cassetto, forse le ho messe lì. ....

2. Completa le frasi con i pronomi lo, la, li, le **o** ne.

1. Clara ha molti libri ma non .... presta volentieri.
2. Leggo molti libri, ... porto sempre due o tre con me quando vado in vacanza.
3. Mi servono delle penne colorate, ... uso spesso quando studio.
4. Mi puoi prestare un po' di scotch, per favore? Non .... ho più.
5. Ti piace questa cassettiera? .... voglio mettere sotto la scrivania.
6. Sono uscito senza portafoglio. Accidenti, ... dimentico sempre a casa!
7. Hai comprato un nuovo computer? Ma non .... hai già uno?
8. Bella, questa lampada per la scrivania! Che dici, ... regaliamo a Paolo?

GLI INDEFINITI

3. Cerchia l'opzione corretta.

1. Secondo me le nuove generazioni non sono poi **tutto** / **tanto** diverse da quelle precedenti.
2. Secondo me non **tutte** / **ogni** le persone della mia generazione sono superficiali: anzi, **alcuni** / **qualche** sono molto informati e attenti ai problemi globali.
3. Stefania non ha **qualche** / **nessun** problema a parlare in pubblico, è molto sicura di se stessa.
4. Andrea è piuttosto timido e **ogni** / **qualche** volta che incontra persone nuove si sente a disagio.
5. Ho fatto **tutto** / **ogni** da solo e ora sono molto soddisfatto del mio lavoro.
6. Alla festa sono venuti **alcuni** / **qualche** amici dell'università.

4. Completa le frasi con i seguenti indefiniti.

alcuni | tutte | nessuno | nessuna | ogni | qualche

1. Devo comprare delle penne. Non ne ho più ....
2. Simone è molto introverso e ha .... problema a esprimere le sue emozioni.
3. Giacomo è uscito con .... amici.
4. Sono andato alla festa ma non conoscevo .... e mi sono annoiato.
5. Alessandro è molto abitudinario: .... giorno fa le stesse cose!
6. .... le volte che incontro Anna arrossisco e mi sento a disagio.

CE L'HO

5. Completa i dialoghi con la costruzione ce **+ pronome diretto (**lo, la, li, le**).**

1.
- Avete le chiavi di casa?
- Sì, ...

2.
- Ho dimenticato di prendere il regalo per Marta!
- Tranquilla, ... io!

3.
- Per caso hai dei post-it?
- Mi spiace, non ...., li ho finiti!

4.
- Marco, hai preso il cellulare?
- Certo, ... in tasca.

5.
- Hai chiesto a Luigi se ci presta la sua macchina?
- Purtroppo non ...., l'ha portata a riparare.

I VERBI CON PREPOSIZIONE

6. Completa le frasi con le forme corrette dei verbi provare, cercare **e** riuscire.

1. Quando devo parlare con una persona, ... di guardarla negli occhi.
2. Se ti senti nervoso, ... a rilassarti facendo un po' di sport.
3. Sandro è un gran chiacchierone, non .... a capire quando è il momento di stare zitto!
4. Se parlare in pubblico ti rende nervoso, puoi .... a fare un corso di teatro, aiuta molto!
5. Irina ha cominciato da poco a studiare l'italiano e non .... ancora a esprimersi bene.

ESPRIMERE ANTERIORITÀ O POSTERIORITÀ

7. Trasforma le frasi usando prima **+ infinito presente o** dopo **+ infinito passato, come nell'esempio.**

Prima siamo andati a cena, poi siamo andati al cinema. → *Dopo essere andati a cena, siamo andati al cinema. / Prima di andare al cinema, siamo andati a cena.*

1. Prima ho preparato il discorso, poi ho parlato in pubblico.
   → Dopo ....
   ....
2. Prima mi sono laureato, poi mi sono trasferito in Francia.
   → Prima ....
   ....
3. Prima abbiamo fatto il disegno, poi abbiamo realizzato il progetto.
   → Dopo ....
   ....
4. Prima Antonella ha spento il computer, poi è uscita dall'ufficio.
   → Prima ....
   ....
5. Prima ho finito il progetto, poi sono andato in vacanza.
   → Dopo ....
   ....

EMOZIONI E COMUNICAZIONE

67

8. Un'esperta di comunicazione dà consigli su come parlare in pubblico. Ascolta la registrazione e completa il quadro indicando il problema e il consiglio per risolverlo.

	PROBLEMA	CONSIGLIO
1.		
2.		
3.		

67

9. Ascolta di nuovo la registrazione e scegli l'opzione corretta.

1. Sono molte le persone che:
   - ▢ a. devono parlare in pubblico.
   - ▢ b. hanno paura di parlare in pubblico.
   - ▢ c. arrossiscono e balbettano in pubblico.
2. Chi è timido e riservato deve:
   - ▢ a. evitare di parlare in pubblico.
   - ▢ b. parlare in modo efficace.
   - ▢ c. adottare delle strategie per gestire le emozioni.
3. Quando si prepara un discorso:
   - ▢ a. si possono preparare degli appunti.
   - ▢ b. si può chiedere aiuto a un esperto.
   - ▢ c. non è necessario conoscere bene l'argomento.
4. Per sentirsi più sicuri:
   - ▢ a. si può leggere il discorso.
   - ▢ b. si può interrompere il discorso.
   - ▢ c. si possono fare degli esercizi di respirazione.
5. Per non annoiare il pubblico:
   - ▢ a. il discorso non deve essere troppo lungo.
   - ▢ b. si possono fare delle domande.
   - ▢ c. si può concludere prima il discorso.

10. Cerchia l'opzione corretta.

1. Ieri ho incontrato Cristiana. Non ci vedevamo da tanto tempo e perciò ci siamo fermate a **esprimerci / chiacchierare** un po'.
2. Se non hai capito bene, chiedi al professore di **spiegare / comunicare** un'altra volta.
3. Luca **racconta / chiacchiera** sempre delle storie incredibili... secondo me a volte esagera un po'.
4. Anche se vive da anni in Germania, Elisa non ha imparato il tedesco e riesce a **spiegare / comunicare** solo grazie all'inglese.
5. Per riuscire a **esprimersi / raccontare** bene in un'altra lingua bisogna fare molta pratica.

11. Abbina ciascun nome al suo contrario. Aiutati con il dizionario se è necessario.

1. amore	a. tristezza
2. ricchezza	b. debolezza
3. felicità	c. insicurezza
4. sicurezza	d. odio
5. forza	e. povertà

68

12. Ascolta la registrazione e abbina ciascun aggettivo alla persona corrispondente.

silenzioso/a | nervoso/a | entusiasta | chiacchierone/a | timido/a

1. Matteo è ....
2. Mauro è ....
3. Clara è ....
4. Camilla è ....
5. Alberto è ....

SCRIVANIA E CARATTERE

12. Abbina le seguenti parole alle immagini corrispondenti. Aiutati con il dizionario se è necessario.

evidenziatore | matita | lampada | forbici | calcolatrice | calendario

1. ....
2. ....
3. ....
4. ....
5. ....
6. ....

13. Cerchia l'opzione corretta.

1. Michele è un ragazzo molto **affidabile** / **creativo**: ha sempre tante idee e riesce a realizzare dei bei progetti partendo da cose molto semplici.
2. Mio fratello si è subito ambientato nel nuovo ufficio: è molto **ordinato** / **socievole** e fa facilmente amicizia con le persone.
3. Costanza è molto stimata dai suoi colleghi di lavoro perché è precisa e **affidabile** / **anticonformista**: se ti serve aiuto puoi sempre contare su di lei.
4. Visto che condividiamo la scrivania, per piacere, puoi cercare di essere più **socievole** / **ordinato**? In questo caos non riesco a trovare niente!
5. Mara è **anticonformista** / **estroversa**: si veste in modo originale, ha hobby non convenzionali e non le importa niente di sembrare strana.

GENERAZIONI

14. Completa il cruciverba.

DEFINIZIONI VERTICALI

1. Aperto a nuove cose e idee.
2. Non approfondisce e si concentra sull'apparenza.

DEFINIZIONI ORIZZONTALI

1. Non accetta volentieri le regole.
2. È preparato perché ha letto notizie su un argomento.
3. Svogliato, poco attivo.
4. Idealista.

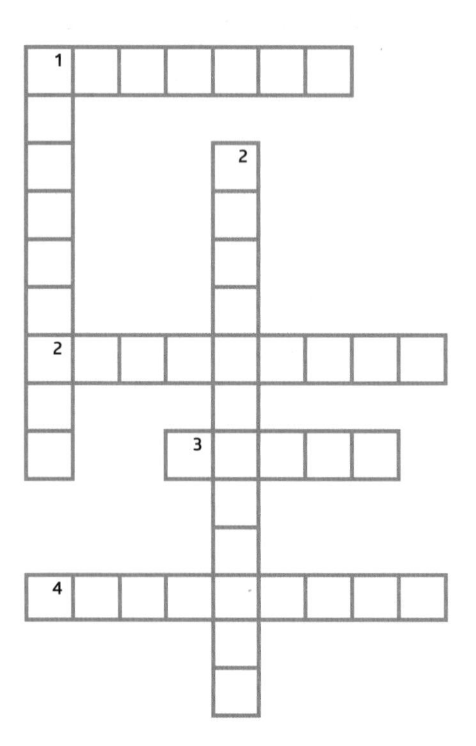

A. COMPRENSIONE SCRITTA

Leggi il testo e indica se le seguenti affermazioni sono vere o false.

5 cose che rivelano la nostra personalità

Volete sapere di più sulla personalità di qualcuno che avete appena conosciuto? Fate attenzione a questi cinque elementi rivelatori:

Stretta di mano Una stretta di mano ferma indica sicurezza e fiducia in se stessi e nelle proprie capacità. Una stretta debole, al contrario, è sinonimo di una personalità timida o addirittura introversa. Attenzione, però: una stretta troppo forte può essere anche segno di arroganza e superbia o, al contrario, un modo per nascondere un carattere insicuro.

Grafia Chi scrive con lettere larghe ha generalmente una personalità estroversa e comunica facilmente con gli altri. Al contrario, scrivere lettere strette e ravvicinate tra loro suggerisce una buona capacità di concentrazione, ma anche timidezza e riservatezza.

Gusti musicali I gusti musicali sono in grado di rivelare molto sul carattere di una persona. Secondo alcuni studi, chi preferisce jazz, blues e folk è sempre aperto a nuove esperienze e possiede una buona capacità di linguaggio. Chi ama la musica pop, invece, di solito è una persona atletica e molto socievole.

Colore preferito I colori evidenziano elementi importanti della personalità di ciascuno. Gli amanti del colore rosso, ad esempio, sono persone tenaci e determinate. Chi preferisce il giallo è un lettore appassionato, pronto a condividere con colleghi e amici le conoscenze acquisite, capace di trovare il lato positivo in ogni circostanza. Se il colore preferito è il verde, questo indica una persona leale e sincera, che affronta la vita con ottimismo.

Animale domestico Secondo alcune ricerche, i cani sarebbero gli animali scelti da chi è più energico, socievole e affidabile, mentre avere un gatto è sinonimo di un carattere sensibile, raffinato e indipendente. Infine, animali domestici come criceti, conigli e uccelli indicano una personalità creativa e anticonformista.

	V	F
1. Dalla stretta di mano si può capire se una persona è creativa.	▢	▢
2. Scrivere con lettere larghe indica una personalità aperta verso gli altri.	▢	▢
3. Di solito, chi ama jazz, blues e folk si esprime bene e con facilità.	▢	▢
4. Chi ama il rosso tende a essere aggressivo.	▢	▢
5. Chi ama leggere spesso preferisce il colore verde.	▢	▢
6. Chi preferisce i gatti ha difficoltà a comunicare con gli altri.	▢	▢

B. COMPRENSIONE ORALE

Ascolta la registrazione e cerchia l'opzione corretta.

69

1. Le due persone parlano **dei loro colori preferiti / del significato dei colori nelle varie culture**.
2. Il rosso è un colore che **porta fortuna in Cina / ha un significato positivo in Sudafrica**.
3. Sobrietà e calma sono due possibili significati del blu in **Italia / Cina**.
4. Il bianco **può avere significati molto diversi nelle varie culture / indica sempre pace e purezza**.
5. In Italia, **il nero ha sempre un significato negativo / può rappresentare eleganza e potere**.
6. Il colore verde in Italia è associato all'**amicizia / infedeltà**.

C. PRODUZIONE SCRITTA

Quali sono, secondo te, gli elementi che rivelano di più sul carattere di una persona? Perché? Scrivi un breve testo per esporre la tua opinione.

Esercizi

ESSERE O ESSERCI

1. Trasforma le frasi usando le forme dei verbi essere **o** esserci**, come nell'esempio.**

Il bagno è a sinistra della cucina. → A sinistra della cucina *c'è il bagno.*

1. La scrivania è di fronte alla finestra. → Di fronte alla finestra ....
2. In salotto ci sono le poltrone. → Le poltrone ....
3. A sinistra della cucina c'è la terrazza. → La terrazza ....
4. In fondo al corridoio c'è lo studio. → Lo studio ....
5. Gli scaffali sono accanto alla libreria. → Accanto alla libreria ....
6. Il comodino è tra il letto e l'armadio. → Tra il letto e l'armadio ....
7. Il televisore è in camera da letto. → In camera da letto ....
8. In cucina ci sono il tavolo e le sedie. → Il tavolo e le sedie ....

2. Completa le frasi con c'è, ci sono, è **o** sono.

1. Nel salotto del mio bilocale .... un divano nero.
2. Cerchi le uova? .... nel frigorifero.
3. .... una terrazza nella tua nuova casa?
4. La sala da pranzo .... a fianco della cucina.
5. L'appartamento di Gianni è piuttosto grande: .... quattro stanze!
6. Lo studio di Luca .... in fondo al corridoio.
7. Le stanze più luminose .... all'ultimo piano.
8. Al piano terra .... la cucina e il soggiorno.

I PRONOMI DIRETTI

3. Completa le frasi con i pronomi diretti adatti.

1. La lavatrice è utilissima, ... uso molto spesso.
2. Quanti libri! Metti.......... sulle mensole!
3. Questo divano è troppo ingombrante, dobbiamo sostituir.......... .
4. Che ci fanno qui le tue scarpe? Metti.......... nella scarpiera, per piacere.
5. Che bella questa poltrona! .... compriamo?
6. Vuoi cambiare le tende? Ma .... hai scelte tu!?

LE ESPRESSIONI DI LUOGO

4. Cerchia l'opzione corretta.

1. Il divano è tra **il** / **al** tavolino e la lampada.
2. La finestra è accanto **del** / **al** tavolo.
3. La poltrona è a destra **del** / **il** mobile.
4. La camera da letto è in fondo **al** / **del** corridoio.
5. Di fronte **alla** / **la** libreria c'è un divano.
6. Le mensole sono sopra **il** / **del** letto.

70

5. Ascolta questa conversazione tra marito e moglie che discutono sull'arredamento della loro nuova casa e completa il dialogo con le espressioni di luogo mancanti.

- Tesoro, allora... come sistemiamo il salotto? Secondo me possiamo mettere il divano .... scaffali, mentre il mobile della televisione sta meglio .... finestra. Che ne pensi?
- ○ Mah... secondo me la televisione sta meglio qui, ... divano, perché vicino alla finestra è troppo lontano! Perché non la mettiamo qui, ... libreria?
- Non so... non mi piace molto in quella posizione. E poi così la scrivania dove la mettiamo?
- ○ La scrivania va nello studio, insieme alle mensole con i libri.
- Non so, ci voglio pensare un attimo. Vediamo anche la camera da letto... dove lo mettiamo il letto? Io preferisco non metterlo .... finestra.
- ○ Allora possiamo metterlo vicino alla cassettiera, ... armadio.
- Sì, buona idea! Così c'è spazio anche per una piccola poltrona...

I COMPARATIVI (I)

6. Completa le frasi con i comparativi di maggioranza (+), minoranza (-) o uguaglianza (=).

1. Questa scrivania in stile moderno è .... funzionale .... mia. (-)
2. I tappeti che abbiamo comprato sono .... colorati .... tende. (+)
3. La cucina è grande .... il salotto. (=)
4. Secondo te, questa poltrona è .... comoda .... nostro divano? (+)
5. Il pianoterra è spazioso, ma è .... luminoso .... primo piano. (-)
6. Una casa modulare è comoda .... una casa tradizionale. (=)

7. Osserva le immagini e scrivi 5 frasi per paragonare i diversi stili di arredamento usando i comparativi di maggioranza, minoranza o uguaglianza. Puoi prendere spunto dai seguenti aggettivi.

spazioso | moderno | accogliente | luminoso | funzionale

1. ....
2. ....
3. ....
4. ....
5. ....

L'IMPERFETTO INDICATIVO (I)

8. Sottolinea le forme dell'imperfetto dei verbi essere **e** avere**.**

1. Cristiano aveva una casa molto piccola, ma era in centro e molto confortevole.
2. Quando ero uno studente, per un periodo ho abitato a Milano.
3. Prima queste sedie erano in soggiorno, ora le ho spostate in cantina perché non mi piacciono più.
4. Avevo un giradischi bellissimo, purtroppo adesso è rotto, ma ho ancora molti dischi.
5. Nella vecchia casa avevamo un camino, ma in quella dove viviamo adesso non c'è.
6. Questa casa è molto vecchia: i miei nonni l'hanno comprata quando eravamo bambini.

9. Completa le frasi con l'imperfetto dei verbi essere **o** avere.

1. (Io, avere) .... un monolocale in centro, ma (essere) .... troppo piccolo, così ho cambiato casa.
2. Quando (noi, essere) .... piccoli, abbiamo vissuto per un periodo a Genova.
3. La casa di Lucia (essere) .... piccola, ma gli spazi (essere) .... ben organizzati.
4. La nostra vecchia casa (avere) .... un bel giardino.
5. Quando (tu, essere) .... piccolo (tu, avere) .... una stanza solo per te?
6. I miei vecchi mobili non (avere) .... uno stile definito, ma (essere) .... pratici e funzionali.

10. Cerchia l'opzione corretta.

1. Mi piace il tuo nuovo appartamento, **è / era** molto luminoso! E poi, quello che **hai / avevi** prima **è / era** davvero piccolo!
2. Hai visto queste sedie? Sembrano quelle che **sono / erano** di moda negli anni Settanta! Anzi, forse **sono / erano** proprio di quel periodo.
3. Nadia **ha / aveva** un bel tavolo in stile rustico, ma l'ha dato via perché **è / era** troppo grande.
4. Quando **sono / ero** uno studente, **ho / avevo** dei coinquilini; adesso, invece, **ho / avevo** un appartamento per conto mio.
5. Secondo me adesso i mobili **sono / erano** più funzionali di come **sono / erano** negli anni Cinquanta.

IL LESSICO DELLA CASA

11. Elimina l'elemento estraneo in ciascuna stanza.

SOGGIORNO	divano / poltrona / televisore / lavandino / tappeto
CAMERA DA LETTO	comodino / armadio / doccia / letto / tenda
CUCINA	forno / frigorifero / lampadario / tavolo / scrivania
STUDIO	scaffali / letto / scrivania / sedia / libreria
BAGNO	specchio / lavandino / doccia / camino / vasca da bagno

12. Rileggi il testo a p. 38 e indica se le seguenti affermazioni sono vere o false.

	V	F
1. La casa modulare si costruisce in poco tempo e non inquina molto.	☐	☐
2. Nella casa modulare c'è la possibilità di unire moduli a quelli che già ci sono.	☐	☐
3. Nella prima casa la cucina e il salotto sono al pianoterra.	☐	☐
4. Nella prima casa ci sono due camere da letto matrimoniali.	☐	☐
5. Nella prima casa c'è un bagno al primo piano.	☐	☐
6. Appena si entra nel monolocale c'è il soggiorno.	☐	☐
7. Nel monolocale la cucina è di fronte al bagno.	☐	☐
8. Nella terza casa salotto e cucina sono in fondo al corridoio.	☐	☐
9. Nella terza casa c'è una sola camera da letto.	☐	☐
10. Nella terza casa c'è un bagno con vasca.	☐	☐

71

13. Ascolta la telefonata tra agente immobiliare e cliente e scegli l'opzione corretta.

1. L'appartamento ha:
☐ a. cucina e salotto separati.
☒ b. cucina e salotto insieme.
☐ c. salotto e zona notte in un unico spazio.

2. L'appartamento:
☐ a. è completamente arredato.
☐ b. non è arredato.
☒ c. ha alcuni mobili in stile vintage.

3. L'agente immobiliare dice che:
☐ a. in cucina non c'è spazio per la lavastoviglie.
☐ b. in cucina non c'è il frigorifero.
☒ c. la lavatrice si può spostare in bagno.

4. In bagno:
☒ a. non c'è la finestra.
☐ b. c'è la vasca da bagno.
☐ c. c'è poco spazio.

5. L'appartamento ha:
☐ a. un'ampia terrazza.
☒ b. una terrazza tranquilla.
☐ c. l'ingresso su una strada pedonale.

14. Abbina le seguenti parole alle immagini corrispondenti.

divano | quadro | tavolino | orologio | lampada | cuscino | poltrona | cassettiera

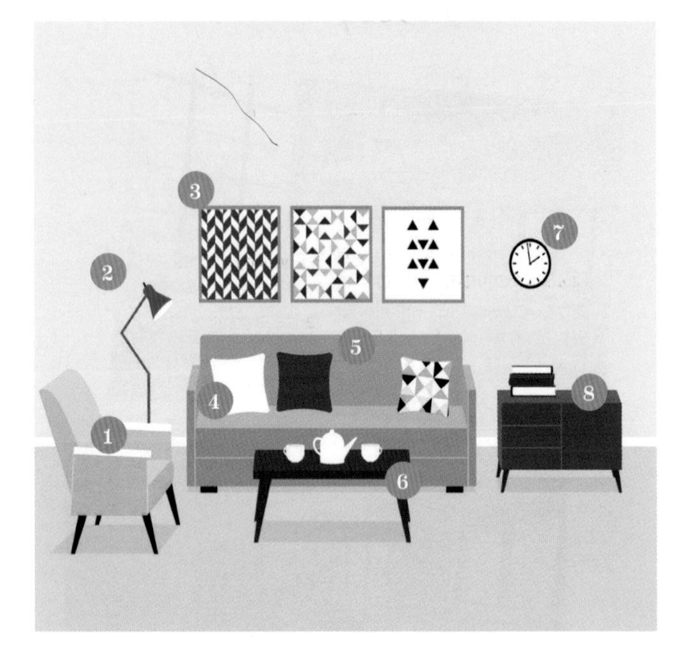

1. ....
2. ....
3. ....
4. ....
5. ....
6. ....
7. ....
8. ....

15. Abbina ciascun aggettivo al significato corrispondente. Aiutati con il dizionario, se è necessario.

1. luminoso	a. pratico da usare
2. spazioso	b. insolito, particolare
3. funzionale	c. molto colorato
4. confortevole	d. occupa molto spazio
5. monocromatico	e. ha molta luce
6. variopinto	f. di un solo colore
7. originale	g. ampio, grande
8. ingombrante	h. comodo, accogliente

A. COMPRENSIONE SCRITTA

Leggi il testo e indica se le seguenti affermazioni sono vere o false.

Arredare casa, una passione tutta italiana

Da sempre uno degli hobby degli italiani è arredare la casa conciliando comfort, funzionalità e senso estetico. Di seguito vi presentiamo alcune "regole" per arredare i principali ambienti della vostra casa in stile italiano.

Cucina

La cucina rappresenta lo spazio della casa più utilizzato dagli italiani e quindi è molto importante arredarla bene. Prima di tutto, si può scegliere un tavolo moderno con delle comode sedie di legno e posizionare sul tavolo una lampada a sospensione per creare un ambiente più moderno. Per dare un tocco di originalità, si possono aggiungere elementi di design, ma anche oggetti che sono sempre di moda come la classica macchina da caffè, un vassoio portafrutta o dei fiori in un vaso di ceramica. Se invece volete qualcosa di più divertente, potete mettere su un mobile una bilancia analogica.

Salotto

Se possibile, è meglio scegliere un morbido divano di colore rosso per rendere accogliente l'ambiente. Un divano di questo genere sarà bello da vedere e comodo da vivere! Vicino al divano, si può mettere un tavolino minimal in vetro dalle linee semplici su cui posizionare un posacenere dal design vintage o un piatto decorato.

Camera da letto

In questo ambiente deve assolutamente esserci una bella e tradizionale cassettiera con i piedini, che ricorda i mobili antichi. Per dare un tocco personale, potete scegliere un lampadario molto colorato o in cristallo. Infine, su un comodino può essere divertente posizionare il Cronotime, che è un tipo di orologio simile a un tubo, molto comune negli anni '80.

E ora che conoscete le regole base, divertitevi ad arredare la vostra casa!

	V	F
1. Le sedie in cucina devono essere comode.	☐	☐
2. Oggetti come bilance e macchine del caffè possono essere elementi di arredo.	☐	☐
3. Il divano deve essere soprattutto bello da vedere.	☐	☐
4. Per rendere originale il salotto, potete scegliere dei mobili vintage.	☐	☐
5. In camera da letto non può mancare un mobile con i cassetti.	☐	☐
6. Sul comodino potete mettere una lampada colorata o di cristallo.	☐	☐

B. COMPRENSIONE ORALE

1. Ascolta l'intervista a tre italiani che parlano della loro casa e completa il quadro con le informazioni mancanti. 72

	MARIO	ELENA	GIORGIO
tipo di abitazione	APARTAMEN	AP	CASA
luogo / città	ROME	MLAN	CAMPAGNA
dimensioni (grande-piccola)	PICCOLA	GRAANDE	GRANDE
arredamento	NO MODERN	MODERNO	RUSTICO.

2. Ascolta di nuovo la registrazione e rispondi alle seguenti domande. 72

1. Perché Mario dice che è stato difficile abituarsi alla nuova casa?
   ....
2. Quali elementi di arredo non piacciono a Elena?
   ....
3. Perché Giorgio non vuole vivere in città?
   ....

C. PRODUZIONE SCRITTA

Com'è la tua casa ideale? Scrivi un breve testo per descrivere la disposizione delle stanze e dei mobili, i colori, lo stile d'arredamento...

L'IMPERFETTO (II)

1. Completa le frasi con l'imperfetto dei verbi tra parentesi.

1. Quando (io, essere) .... bambino, (io, andare) .... sempre a scuola in bicicletta.
2. Mentre Marco (scrivere) .... la lista della spesa, (lui, ascoltare) .... la radio.
3. Ricordo che (noi, sentire) .... il canto degli uccelli quando (noi, studiare) .... a casa della nonna.
4. Quando (io, abitare) .... nella vecchia casa, (io, andare) .... al lavoro a piedi.
5. Io e i miei fratelli non (essere) .... molto studiosi e (noi, prendere) .... quasi sempre brutti voti.
6. (Voi, indossare) .... il grembiule, quando (voi, andare) .... alle scuole elementari?
7. La giornata scolastica (cominciare) .... alle otto e (finire) .... all'una.
8. Quando (io, vivere) .... in campagna (io, annoiarsi) .... un po' perché la sera non (esserci) .... mai niente da fare.

2. Completa il quadro con l'imperfetto dei seguenti verbi irregolari.

	BERE	DARE
io		
tu		
lui/lei /Lei		
noi		
voi		
loro		

	DIRE	FARE
io		
tu		
lui/lei /Lei		
noi		
voi		
loro		

3. Completa le frasi con l'imperfetto dei verbi tra parentesi.

1. Quando non (noi, fare) .... i compiti, la maestra ci (rimproverare) .... e spesso ci (dare) .... delle punizioni.
2. Ricordo ancora il mio compagno di banco: era un ragazzo molto timido e non (lui, dire) .... una parola.
3. Da bambino (tu, fare) .... le gite scolastiche?
4. Che incubo, la mensa della scuola! Ci (loro, dare) .... sempre la pasta scotta e poco condita.
5. Per merenda i miei compagni di classe (portare) .... dei dolci buonissimi, io invece (bere) .... solo un succo di frutta perché mia madre (dire) .... che i dolci mi (fare) .... male.

4. Completa il testo con l'imperfetto dei seguenti verbi.

esserci | arrivare | aiutare | divertirsi | correre | raccogliere | avere | lasciare | bere | salire | essere | andare | preparare

In vacanza dalla nonna

D'estate, in vacanza dalla nonna, (noi) .... sempre moltissimo perché lei ci .... giocare tutto il giorno. Ricordo che .... un grande campo dove (noi) .... e .... sugli alberi.

Quando .... il periodo della vendemmia, a fine agosto, il nonno .... l'uva e noi lo .... Poi, a metà pomeriggio, la nonna ci .... delle buonissime merende e (noi) .... del latte freschissimo.

Quando invece .... brutto tempo, (noi) .... spesso dai vicini di casa, che .... una grande soffitta piena di giochi.

Non dimenticherò mai quelle vacanze!

IMPERFETTO O PASSATO PROSSIMO?

5. Cerchia l'opzione corretta.

1. Quando **ero / sono stato** all'università, **partivo / sono partito** per un anno con il programma Erasmus.
2. Claudia si **laureava / è laureata** in Architettura, ma poi **trovava / ha trovato** lavoro in un settore completamente diverso.
3. Cristiano **viveva / ha vissuto** in Francia quando **conosceva / ha conosciuto** sua moglie.
4. Ogni giorno mi **svegliavo / sono svegliato** molto presto perché **abitavo / ho abitato** lontano dalla scuola.
5. Da piccola **ero / sono stata** molto studiosa. Solo una volta non **facevo / ho fatto** i compiti e la maestra mi **interrogava / ha interrogata** proprio quel giorno.

6. Completa il testo con l'imperfetto o il passato prossimo dei verbi tra parentesi.

Ciao Rossella,

non sai che mi (succedere) .... oggi!

Mentre (io, andare) .... al lavoro (io, incontrare) .... Francesco Amato! Te lo ricordi? A scuola (lui, avere) .... il banco dietro il nostro.

Ma sai che (lui, cambiare) .... tantissimo? Infatti non l'(io, riconoscere) .... subito! Prima (lui, avere) .... i capelli lunghi e (lui, portare) .... quelle magliette scolorite... adesso invece i capelli li (lui, perdere) .... quasi tutti e si veste decisamente meglio.

Insomma, (noi, fermarsi) .... a parlare e mi (lui, raccontare) .... un po' del suo lavoro, di quello che sta facendo... A dire la verità non (lui, smettere) .... più di parlare, e io (essere) .... in ritardo... e pensare che a scuola non (lui, dire) .... una parola!

Ah, (lui, dire) .... che vuole organizzare un incontro con i vecchi compagni di scuola e mi (lui, chiedere) .... il numero di qualche compagno di classe, ma secondo me (lui, volere) ....soprattutto il tuo!

Beh, fammi sapere se ti va di venire all'incontro!

A presto,

Lara

7. Leggi le frasi, trova 4 errori e correggili.

1. Mentre non **eri** (..................) a casa **sono venuti** (..................) a trovarci Maria e Carlo.
2. Quando **ho finito** (..................) l'università **trovavo** (..................) subito un lavoro anche se non **avevo** (..................) molta esperienza.
3. **Hai provato** (..................) a mandare il curriculum a questa azienda? Ieri **vedevo** (..................) che offrono diversi lavori interessanti.
4. Prima della crisi **abbiamo speso** (..................) di più, poi **abbiamo ridotto** (..................) le spese e ci siamo accorti che prima **compravamo** (..................) tante cose inutili.
5. La Repubblica Italiana **è nata** (..................) nel 1946, prima l'Italia **era** (..................) una monarchia.
6. Renato **smetteva** (..................) di studiare perché **voleva** (..................) fare un'esperienza di lavoro all'estero.

GLI INDICATORI DI TEMPO

8. Completa le frasi con i seguenti indicatori di tempo.

qualche volta | adesso | sempre | prima | una volta | poi | ogni volta

1. .... facevo l'impiegata, ... ho deciso di cambiare vita e .... ho un'azienda mia.
2. In estate andavamo .... nello stesso campeggio perché ci trovavamo bene ed era economico.
3. .... che penso alla scuola mi viene sempre in mente la mia professoressa di inglese: era così severa!
4. ...., quando eravamo bambini, i nostri genitori ci portavano a fare delle belle gite in montagna.
5. Alessandro non era per niente bravo nelle materie scientifiche, solo .... ha preso un buon voto in matematica.

Esercizi

IL LESSICO DELLA SCUOLA

9. Cerchia l'opzione corretta.

1. Da bambini, odiavamo il **quaderno / grembiule** della scuola e cercavamo tutte le scuse per non indossarlo.
2. Giacomo era un bravo studente ed è stato sempre **promosso / bocciato**.
3. Tutti i miei compagni di classe si lamentavano della **palestra / mensa**, ma a dire la verità a me il cibo piaceva.
4. Preparavo la **pagella / cartella** sempre di fretta, un attimo prima di andare a scuola. Ovviamente dimenticavo sempre qualche libro.
5. A scuola, Serena studiava tanto e aveva sempre buoni **voti / diplomi**.
6. Alle scuole elementari non ci lasciavano usare la **calcolatrice / lavagna** perché dovevamo imparare a fare i conti da soli.

LAVORO E SOCIETÀ

10. Abbina gli elementi delle due colonne per creare delle espressioni.

1. aprire	a. radici
2. fare	b. all'estero
3. trovare	c. un'azienda
4. mettere	d. la mancanza
5. mandare	e. il cv
6. ricevere	f. offerte di lavoro
7. trasferirsi	g. un impiego
8. sentire	h. esperienza

73 **11. Ascolta la registrazione e indica di cosa parlano questi ex compagni di scuola.**

1.
- ☐ a. aprire un'azienda
- ☐ b. trasferirsi all'estero

2.
- ☐ a. mercato del lavoro
- ☐ b. mandare cv

3.
- ☐ a. mettere radici
- ☐ b. fare esperienza professionale

4.
- ☐ a. valorizzare il talento
- ☐ b. aprire un'azienda

5.
- ☐ a. fare un Master
- ☐ b. ricevere delle offerte di lavoro

12. Completa il cruciverba.

DEFINIZIONI VERTICALI
1. Situazione di salute e ricchezza.
2. Chi ha problemi di salute perché mangia troppo poco.
3. Chi pesa troppo.

DEFINIZIONI ORIZZONTALI
1. Lingua parlata in una specifica zona geografica, diversa dalla lingua standard nazionale.
2. Situazione di grande difficoltà economica.
3. Che riguarda tutto il mondo.
4. Chi lascia il suo Paese per trasferirsi all'estero.

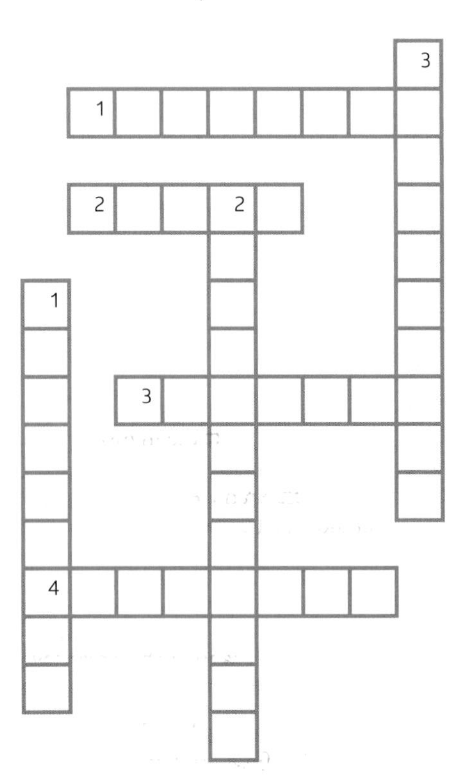

74 **13. Completa le frasi con le seguenti parole, poi ascolta la registrazione per verificare.**

boom | costume | tasso | crisi | calo

1. Il calo dei consumi è dovuto soprattutto all'aumento dei prezzi.
2. Il boom economico degli anni Sessanta è stato un periodo di grande benessere in Italia.
3. Nel mio Paese il tasso di natalità è piuttosto basso: nascono sempre meno bambini.
4. Il costume sociale è molto cambiato: ora sono diffusi stili di vita molto diversi dal passato.
5. In seguito alla crisi economica abbiamo dovuto ridurre le spese.

A. COMPRENSIONE SCRITTA

Leggi il testo e indica se le seguenti affermazioni sono vere o false.

La vita al tempo dei nonni

Molte cose sono cambiate rispetto ai tempi dei nostri nonni: lo stile di vita, il modo di fare la spesa, gli elettrodomestici, l'alimentazione, l'abbigliamento...

Per fare la spesa non c'erano i supermercati di oggi: bisognava acquistare i prodotti in piccoli negozi come la drogheria o la pescheria e alcune cose invece venivano portate direttamente a casa, come il latte. Molti prodotti e alimenti venivano preparati in casa, come per esempio la pasta, il pane e addirittura il sapone!

I pasti erano molto veloci e poveri: si mangiavano molti legumi, patate e polenta soprattutto in inverno, mentre il pesce non si mangiava quasi mai. Le uniche occasioni in cui si mangiava di più erano le feste: infatti per Natale e per Pasqua c'erano anche la carne arrosto e i dolci fatti in casa.

Quando faceva più caldo i bambini giocavano in strada perché era sicuro, non c'erano i pericoli di adesso. Non c'era traffico, le automobili erano poche e mancavano i mezzi di trasporto pubblico.

Gli unici elettrodomestici erano la radio o il grammofono e per mantenere i cibi in fresco si doveva comprare il ghiaccio da un venditore di strada.

Oggi abbiamo vestiti diversi per ogni occasione, ma al tempo dei nonni i bambini avevano pochi vestiti che si passavano da un fratello all'altro. In estate, indossavano magliette, pantaloni corti e non usavano le scarpe, invece in inverno portavano gli scarponi.

	V	F
1. Ai tempi dei nostri nonni non c'erano negozi di alimentari.	▢	▢
2. Alcuni alimenti si producevano in casa.	▢	▢
3. Durante le feste i pasti erano più ricchi.	▢	▢
4. I bambini giocavano in strada anche se era pericoloso.	▢	▢
5. I nostri nonni non potevano ascoltare musica in casa.	▢	▢
6. I bambini avevano pochi vestiti, spesso usati dai fratelli più grandi.	▢	▢

B. COMPRENSIONE ORALE

Ascolta la registrazione e scegli l'opzione corretta.

75

1. Marco:
   - ▢ a. non si è laureato.
   - ▢ b. frequenta un Master.
   - ▢ c. insegna all'università.

2. Marco:
   - ▢ a. si è iscritto al Master appena laureato.
   - ▢ b. fa un lavoro nel campo del Marketing.
   - ▢ c. fa un Master perché spera di trovare un lavoro migliore.

3. Silvia è andata a Berlino:
   - ▢ a. dopo l'università.
   - ▢ b. per lavorare.
   - ▢ c. per fare una nuova esperienza.

4. Silvia:
   - ▢ a. ha trovato lavoro a Berlino.
   - ▢ b. ha cercato lavoro prima in Italia e poi all'estero.
   - ▢ c. non si è più laureata.

5. Silvia:
   - ▢ a. pensa di aprire una sua azienda.
   - ▢ b. gestisce un'azienda da cinque anni.
   - ▢ c. non sente di aver imparato molto.

6. Silvia dice che:
   - ▢ a. per il momento vuole rimanere in Germania.
   - ▢ b. non si trova bene in Germania.
   - ▢ c. non tornerà mai più in Italia.

C. PRODUZIONE SCRITTA

La vita ai tempi dei nostri nonni era molto diversa da quella attuale. Ti hanno mai raccontato qualche loro ricordo? Scrivi un breve testo per descrivere la società di allora e com'è cambiata oggi.

Esercizi

I PRONOMI

1. Cerchia l'opzione corretta.

1. Ho detto all'imbianchino di dipingere di bianco le pareti, e lui **lo** / **la** / **le** / ha colorate di rosa!
2. Hai visto il martello? Di solito **lo** / **la** / **ne** lascio sempre qui, nella cassetta degli attrezzi.
3. Adesso non ho tempo per tosare l'erba, **lo** / **la** / **le** taglio la settimana prossima.
4. Mi servirebbe un pennello un po' più grande, **lo** / **li** / **ne** hai uno da prestarmi?
5. Non mi piace fare i lavoretti in casa, **lo** / **li** / **ne** faccio fare sempre a qualcun altro.

I PRONOMI CON GLI INFINITI

2. Trasforma le frasi sostituendo gli elementi sottolineati con il pronome adatto, come nell'esempio.

So decorare il legno. → *Lo so decorare / so decorarlo.*

1. Non sappiamo montare questa mensola.
   → ....
2. Puoi chiamare l'idraulico?
   → ....
3. Voglio decorare questi vasi.
   → ....
4. Puoi aiutare Anna e Lucia?
   → ....
5. Sai aggiustare la televisione?
   → ....

I PRONOMI CON IL PASSATO PROSSIMO

3. Completa i dialoghi con il passato prossimo e il pronome adatto, come nell'esempio. Fai attenzione all'accordo del participio passato.

- Hai comprato le viti? ○ Sì, *le ho comprate*.

1.
- Avete fatto riparare la lavastoviglie?
- ○ Sì, ... riparare.

2.
- Hai chiamato il tecnico del computer?
- ○ No, ...

3.
- Hai dipinto le pareti?
- ○ Sì, ... la settimana scorsa.

4.
- Quanti bicchieri hai rotto?
- ○ .... tre.

5.
- Avete preso gli attrezzi?
- ○ Sì, ...

STARE + GERUNDIO

4. Completa le frasi con la costruzione stare + gerundio**.**

1. Carla (dipingere) .... un bellissimo quadro.
2. Il fabbro si è già messo al lavoro: in questo momento (sostituire) .... la serratura di casa nostra.
3. I lavori sono quasi finiti. Proprio adesso (noi, finire) .... di dipingere la cucina.
4. (Voi, costruire) .... un mobile da soli? Che bravi!
5. Adesso non posso uscire: ho appuntamento con l'idraulico e lo (aspettare) ....

IL CONDIZIONALE PRESENTE

5. Completa le frasi con il condizionale presente dei verbi tra parentesi.

1. (Tu, potere) .... aiutarmi ad appendere questo quadro?
2. Quanto (io, volere) .... essere bravo a fare i lavoretti in casa!
3. Le piante non hanno un bell'aspetto... Secondo me (voi, dovere) .... chiamare un giardiniere esperto.
4. Mi scusi, (Lei, potere) .... chiudere la finestra?
5. È questa la serratura che (voi, volere) .... sostituire? Ma funziona perfettamente!

6. Leggi le frasi e indica la funzione del condizionale: una richiesta gentile (R), un consiglio (C), o un desiderio (D).

	R	C	D
1. Potreste darmi il martello?			
2. Non buttare il computer, potresti farlo riparare!			
3. Vorresti aiutarmi a dipingere la porta?			
4. Come mi piacerebbe trovare un idraulico puntuale!			
5. Vorrei proprio imparare a dipingere!			
6. Questo tubo è rotto, dovresti sostituirlo.			

I VERBI POTERE E SAPERE

76

7. Cerchia l'opzione corretta, poi ascolta la registrazione per verificare.

1. L'idraulico dice che non **sa** / **può** riparare il rubinetto senza il pezzo di ricambio.
2. Ilaria **sa** / **può** decorare il legno e il vetro: ha fatto un corso qualche anno fa.
3. Se la lavatrice è rotta, **sappiamo** / **possiamo** sostituirla con una nuova.
4. Mi spiace, non **so** / **posso** aiutarvi a montare la cassettiera: oggi sono impegnatissimo.
5. Quanti attrezzi! Ma li **puoi** / **sai** usare tutti?
6. Ho comprato un nuovo set di pennelli: così li **sappiamo** / **possiamo** usare per dipingere le pareti del soggiorno.

IL LESSICO DEGLI ARTIGIANI E DEGLI ATTREZZI

8. Abbina le seguenti parole alle immagini corrispondenti.

idraulico | imbianchino | elettricista | falegname | giardiniere

1. ....

2. ....

3. ....

4. ....

5. ....

9. Leggi gli annunci in bacheca e abbina le seguenti necessità all'artigiano più adatto.

a
Stanco del solito colore?
Ci penso io a rinnovare la tua casa!
Matteo 443/ 92342899

b
Per qualsiasi problema di acqua, io ho la soluzione! Anche interventi di urgenza.
Gigi 388 234342

c
Vuoi dare un tocco di colore al giardino o semplicemente tosare il prato? Chiamami!
Antonietta 345/324355

d
Sostituisco serrature interne ed esterne di porte e cancelli. Velocità e massima affidabilità.
Bruno 998 73472938

e
Faccio e riparo sedie, tavoli e librerie. Per qualsiasi lavoro con il legno, sono la persona giusta!
Cristiano 302 2342567

1. Questo giardino è troppo grande, da solo non riesco a tenerlo in ordine! ....
2. Le pareti di casa mia sono tutte rovinate... ci vorrebbe proprio una mano di vernice! ....
3. Ecco, ho perso un'altra volta le chiavi! E adesso come entro in casa?..........
4. Oh no! Perché non esce acqua dalla doccia?..........
5. Nei negozi non riesco a trovare delle mensole della misura giusta. Forse devo farmele fare su misura. ....

77

10. Ascolta la registrazione e indica cosa serve per fare questi lavoretti.

1. ☐ **a.** tosaerba ☐ **b.** forbici
2. ☐ **a.** trapano ☐ **b.** pennello
3. ☐ **a.** chiodi ☐ **b.** colla
4. ☐ **a.** colla ☐ **b.** pennello
5. ☐ **a.** cacciavite ☐ **b.** pinza

Esercizi

11. Cerchia l'opzione corretta.

1. Guarda cosa ha combinato mio marito! Per appendere una mensola ha **dipinto** / **bucato** tutta la parete!
2. Non riesco a capire come si **costruisce** / **monta** questo mobile. Passami il libretto delle istruzioni, per favore.
3. Dovremmo chiamare l'elettricista per **riparare** / **tagliare** questa presa elettrica.
4. Potresti aiutarmi ad **aggiustare** / **potare** le piante, per favore?
5. Il tecnico ha detto che il computer non si può **riparare** / **avvitare**, dobbiamo per forza sostituirlo con uno nuovo.
6. Questa stanza sembra un po' buia... dovresti **dipingere** / **aggiustare** le pareti di un colore più chiaro e luminoso.

11. Completa le seguenti mappe mentali.

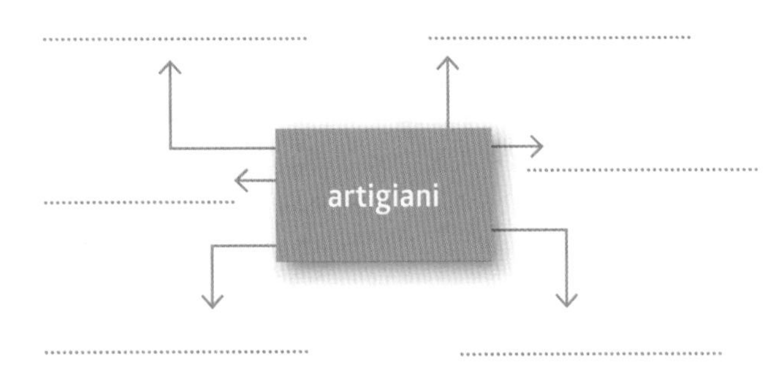

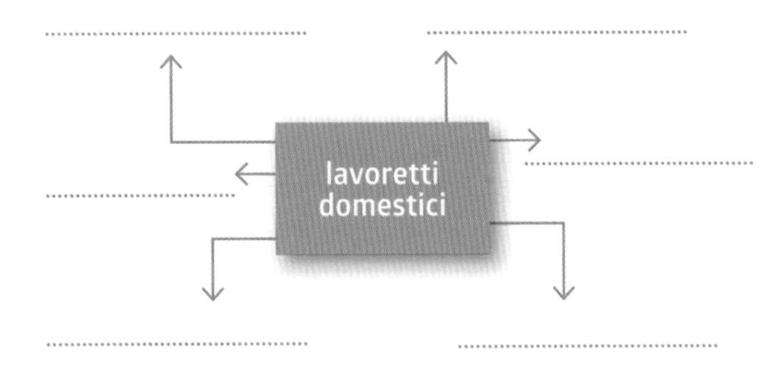

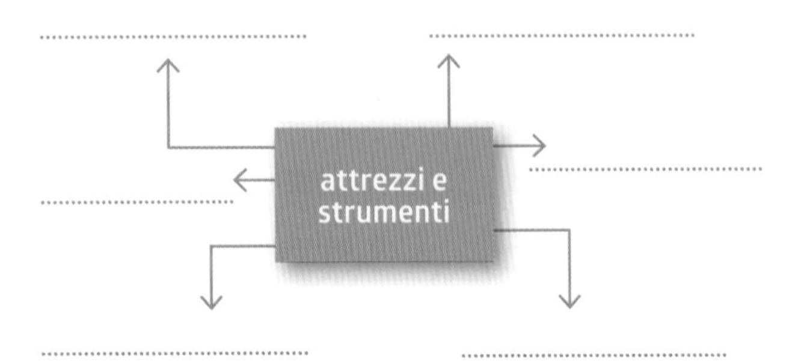

12. Per ciascun verbo, scrivi il nome corrispondente, come nell'esempio. Aiutati con il dizionario, se è necessario.

riparare → *riparazione*

1. tosare → ....
2. montare → ....
3. costruire → ....
4. bucare → ....
5. sostituire → ....
6. decorare → ....

13. Completa le frasi con i nomi al punto 13.

1. Una volta ho fatto un corso di .... del vetro, ma non è una cosa che fa per me: ci vuole troppa pazienza con pennelli e vernici!
2. Per la .... di questa casa gli operai hanno impiegato circa sei mesi.
3. La .... del prato è un lavoro molto faticoso, per questo non mi va mai di farlo.
4. Mi aiuti con il .... di questa libreria? Ho letto il libretto delle istruzioni e non dovrebbe essere difficile.
5. Non abbiamo bisogno di chiamare l'idraulico per la .... del rubinetto rotto: lo posso fare io.
6. Ma è facilissimo appendere un quadro! Basta fare un .... nel muro!

14. Abbina ciascun mestiere artigianale alla descrizione corrispondente. Aiutati con il dizionario se è necessario.

1. orafo ....
2. ceramista ....
3. vetraio ....
4. tessitore ....
5. calzolaio ....
6. cestaio ....

a. fa tappeti e arazzi.
b. fa gioielli e lavora l'oro.
c. produce e decora ceramiche e porcellane.
d. lavora e decora il vetro.
e. intreccia il vimini per creare dei cesti.
f. fa e ripara scarpe.

A. COMPRENSIONE SCRITTA

Leggi il testo e indica se le seguenti affermazioni sono vere o false.

Hobby e creatività

Siete in cerca di un hobby creativo? Ne esistono di ogni genere! Vediamone alcuni.

Tra gli hobby più apprezzati c'è il cucito: richiede attenzione, pazienza e naturalmente creatività. Con ago e filo, oltre ai vestiti, si possono realizzare borse, decorazioni e biancheria per la casa.

Molto di moda è anche il découpage, una tecnica decorativa che consiste nel ritagliare immagini o pezzi di carta da applicare su vari oggetti. Le applicazioni sono tantissime: incartare in modo originale i regali, rinnovare oggetti e soprammobili, decorare le pareti della propria casa... semplicemente con forbici e colla.

Un'altra idea è lo scrapbooking, che comprende una serie di tecniche per decorare la carta e con cui si possono realizzare album per foto, ma anche cornici, bigliettini e bomboniere. Si tratta di un'attività estremamente creativa perché si può applicare a moltissimi oggetti e perché prevede l'uso di materiali vari, come colla, timbri, bottoni, pennarelli...

Infine, il classico bricolage, che comprende varie attività manuali: fabbricare mobili e oggetti per la casa in legno o altri materiali, fare lavoretti di muratura e decorare le pareti con particolari tecniche di pittura.

Ma perché realizzare da soli degli oggetti, se nei negozi si trova di tutto? Le risposte sono varie: innanzitutto per dedicarsi a un'attività molto diversa dal lavoro quotidiano, spesso poco creativo e stimolante. Poi, la soddisfazione di creare qualcosa con le proprie mani, cosa che capita raramente a chi svolge un lavoro tra computer e scrivania. Infine, la gioia di possedere un pezzo unico, creato su misura per noi e secondo il nostro gusto.

	V	F
1. L'articolo consiglia alcune tecniche per rinnovare la propria casa.	☐	☐
2. Il cucito è un hobby che non richiede molta creatività.	☐	☐
3. Il découpage è una tecnica per creare regali.	☐	☐
4. Lo scrapbooking permette di usare molti materiali diversi.	☐	☐
5. Chi pratica un'attività manuale spesso lo fa per lavoro.	☐	☐

B. COMPRENSIONE ORALE

Ascolta la registrazione e cerchia l'opzione corretta.

78

1. Teresa **ha cominciato da poco a praticare un hobby / ha organizzato un mercatino**.
2. Al mercatino **si possono esporre le proprie creazioni / si espongono solo oggetti di découpage**.
3. Chi partecipa al mercatino lo fa per **hobby / lavoro**.
4. Al mercatino **si può partecipare a dei corsi / si possono comprare strumenti e materiali per il bricolage**.
5. I corsi del mercatino **interessano soprattutto ai giovani / sono frequentati da persone di tutte le fasce di età**.

C. PRODUZIONE SCRITTA

Ti piacerebbe dedicarti a un hobby creativo? Quale, e perché? Scrivi un breve testo per raccontarlo.

Esercizi

LE PERIFRASI VERBALI

1. Cerchia l'opzione corretta.

1. Che mal di testa! Forse è la stanchezza, ora **smetto di** / **provo a** riposarmi un po'.
2. Se ti senti troppo nervoso, forse dovresti **cominciare a** / **smettere di** bere tanto caffè.
3. Ho **cominciato a** / **provato a** fare attività fisica il mese scorso e mi sento già molto meglio.
4. Dopo che ho **smesso di** / **cercato di** bere alcolici, la mia digestione è migliorata e non ho più bruciore di stomaco.
5. Ho un forte mal di schiena. Ho **cominciato a** / **cercato di** curarlo in tutti i modi ma non riesco a guarire.
6. Se hai mal di gola, **prova a** / **smetti di** prendere queste pastiglie: sono ottime contro la tosse.
7. Per evitare lo stress, dovresti **cercare di** / **smettere di** gestire meglio il tuo tempo.
8. Devi avere un po' di pazienza: questo sciroppo contro la tosse **cerca di** / **comincia a** fare effetto dopo mezz'ora.

IL FUTURO SEMPLICE

2. Completa il quadro con il futuro semplice dei seguenti verbi. Attenzione, alcuni verbi sono irregolari.

	CURARE	LEGGERE	GUARIRE	CERCARE
io				
tu				
lui/lei Lei				
noi				
voi				
loro				

	ESSERE	AVERE	BERE	VENIRE
io				
tu				
lui/lei Lei				
noi				
voi				
loro				

3. Completa le frasi con il futuro semplice dei verbi tra parentesi. Attenzione, alcuni verbi sono irregolari.

1. Se la febbre non si abbassa, (io, dovere) .... prendere un antibiotico.
2. Camilla ha mal di gola da una settimana, se domani non (lei, stare) .... meglio, (lei, andare) .... dal medico.
3. Quando (tu, sapere) .... i risultati delle analisi che hai fatto ieri?
4. Da domani cambio vita: (io, fare) .... più attenzione a quello che mangio e (io, andare) .... regolarmente in palestra.
5. Prova a fare qualche attività rilassante prima di andare a letto: (tu, dormire) .... meglio.
6. Credi davvero che le malattie del futuro (essere) .... legate alla tecnologia?
7. Prova questo spray per la gola: (calmare) .... la tosse in un attimo.
8. Ho il naso chiuso e mi brucia la gola... (io, avere) .... preso il raffreddore?

79

4. Ascolta la registrazione e indica se nelle seguenti frasi il futuro si usa per esprimere incertezza o un'azione futura.

	INCERTEZZA	AZIONE FUTURA
1.		
2.		
3.		
4.		
5.		
6.		

IL PERIODO IPOTETICO DELLA REALTÀ

5. Nelle seguenti frasi, sottolinea in rosso la condizione e in blu la conseguenza.

1. Ti senti subito meglio, se fai un po' di sport tutti i giorni.
2. Basta navigare su Internet! Se continuate così, confonderete la realtà con il mondo virtuale!
3. Saremo sempre stressati, se continueremo a gestire male il nostro tempo.
4. Se esci vestito così con questo freddo, ti prendi un raffreddore!
5. Che brutta tosse! Se non ti decidi ad andare dal medico, ti ci porto io!

6. Completa le frasi indicando una condizione o una conseguenza.

1. Avrai problemi a dormire, se ....
2. Ti senti più rilassato, se ....
3. Prenderò un analgesico, se ....
4. Se non vai dal medico, ...
5. Se questo mal di schiena non passa, ...
6. Se mi prescrivono un farmaco ....

STARE PER + INFINITO

7. Trasforma le frasi sostituendo le espressioni sottolineate con la costruzione stare per **+ infinito.**

1. Tra pochi minuti andrò in farmacia. Ti serve qualcosa?
   → ....
2. A breve diventeremo tutti dipendenti dalla tecnologia.
   → ....
3. Tra poco tempo comincerò una cura contro il mal di schiena.
   → ....
4. Ancora un po' di pazienza. Il medico arriverà tra pochi minuti.
   → ....
5. Non ti preoccupare, l'influenza guarirà tra pochi giorni.
   → ....

IL LESSICO DELLA SALUTE

8. Scrivi il plurale dei seguenti nomi. Attenzione, i plurali presentano delle irregolarità.

1. orecchio → ....
2. braccio → ....
3. ginocchio → ....
4. dito → ....
5. osso → ....

80

9. Ascolta la registrazione e scegli l'opzione corretta.

1. Andrea:
   - ☐ **a.** si sente in forma.
   - ☐ **b.** ha difficoltà a dormire.
   - ☐ **c.** si sente abbastanza riposato.

2. Andrea dice che:
   - ☐ **a.** è scontento del suo lavoro.
   - ☐ **b.** le sue giornate sono frenetiche.
   - ☐ **c.** rimane sveglio la notte per finire tutte le cose che deve fare.

3. Andrea:
   - ☐ **a.** sta prendendo delle gocce contro l'insonnia.
   - ☐ **b.** sta facendo sport.
   - ☐ **c.** non è andato dal medico.

4. Paola:
   - ☐ **a.** aveva problemi a respirare.
   - ☐ **b.** non ha mai sofferto di stress.
   - ☐ **c.** soffriva d'insonnia.

5. Paola:
   - ☐ **a.** ha preso delle medicine contro lo stress.
   - ☐ **b.** ha eliminato tutte le cose che la stressavano.
   - ☐ **c.** ha ridotto lo stress anche grazie allo yoga.

10. Completa le frasi con le seguenti parole.

sintomi | pomata | farmacia | disturbi | visita | sciroppo

1. Il medico mi ha prescritto delle pastiglie per il mal di testa. Vado subito in .... a comprarle.
2. Questo .... ha un sapore disgustoso, ma è il rimedio più efficace che ho trovato contro il mal di gola.
3. Dolori muscolari e febbre sono tra i .... più comuni dell'influenza.
4. Ho mal di denti da più di una settimana, non posso più rimandare una .... dal dentista.
5. Per caso hai una .... contro le scottature? Mi sono scottata un dito mentre cucinavo.
6. In futuro, saranno sempre più frequenti i .... fisici e mentali legati all'uso eccessivo di dispositivi tecnologici.

Esercizi

11. Completa le seguenti mappe mentali.

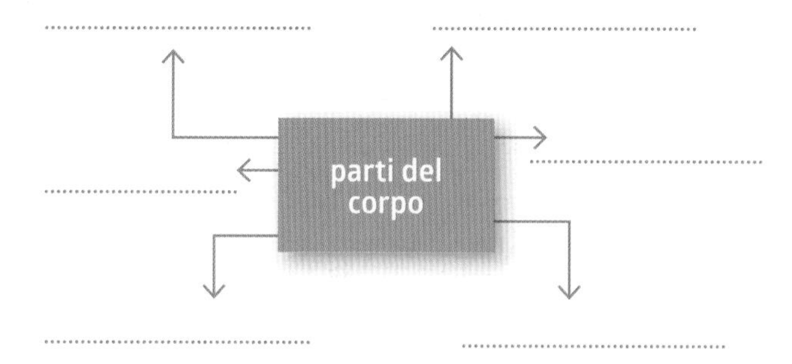

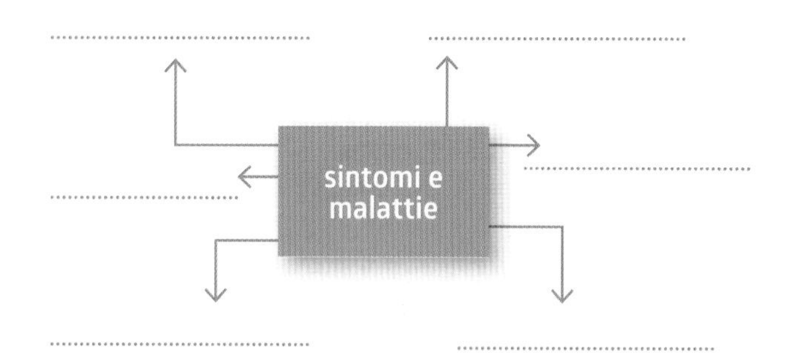

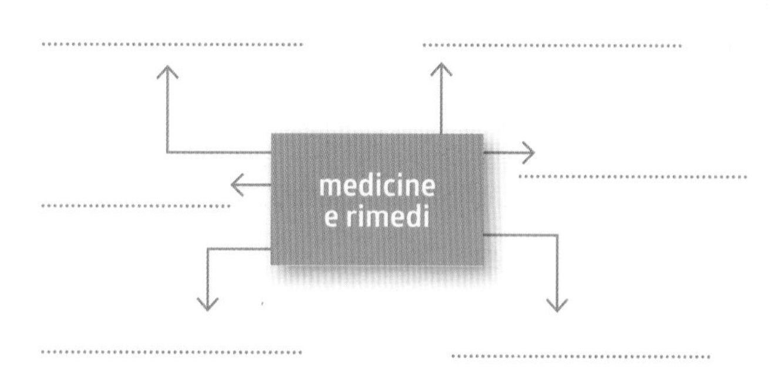

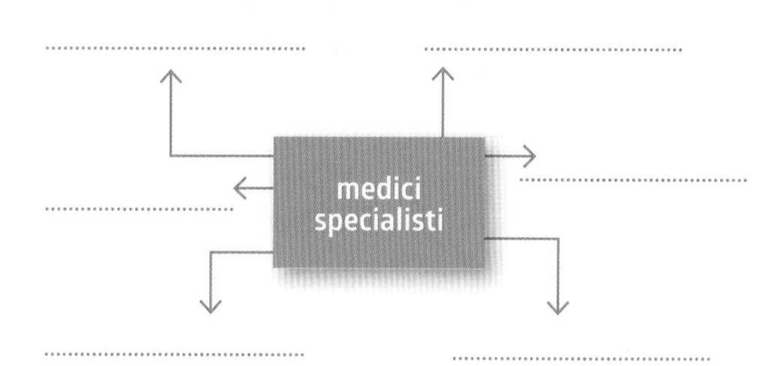

12. Cerchia l'opzione corretta.

1. Di solito Antonio prende medicine solo se gliele **cura** / **prescrive** il medico.
2. La terapia contro il mal di stomaco sta facendo effetto, ma non sono ancora completamente **guarito** / **ammalato**: ogni tanto ho ancora un po' di bruciore.
3. Il medico ha **visitato** / **curato** Matteo molto attentamente, ma non ha individuato la causa del suo mal di testa.
4. Bisogna tenere sotto controllo lo stress, perché può **causare** / **guarire** moltissimi danni alla salute.
5. Se continui a lavorare così tanto senza riposare, prima o poi ti **curerai** / **ammalerai**.
6. Per **curare** / **causare** la tosse mi hanno consigliato di bere latte caldo con il miele.

13. Completa le frasi con le seguenti parole ed espressioni.

visita specialistica	laboratorio di analisi
tessera sanitaria	assistenza sanitaria
certificato di malattia	pronto soccorso

1. Deve stare a riposo per almeno una settimana. Ora le scrivo un .... che può presentare al lavoro.
2. Per acquistare una medicina, occorrono la ricetta del medico e la ....
3. Se vuoi fare una .... , dovresti rivolgerti al medico di base: sarà lui a consigliarti lo specialista più adatto.
4. Bisogna andare al .... solo per le emergenze, per le situazioni meno gravi è meglio rivolgersi al proprio medico.
5. In Italia l'.................... è garantita a tutti i cittadini.
6. La segretaria del .... mi telefonerà quando saranno pronti i risultati dei miei esami del sangue.

A. COMPRENSIONE SCRITTA

Leggi il testo e cerchia l'opzione corretta.

I cosiddetti "rimedi della nonna" hanno il vantaggio di essere naturali e di non causare effetti indesiderati. Ma saranno davvero efficaci?

Dentifricio contro le punture d'insetto

Applicare il dentifricio sulle punture di zanzare o altri insetti può alleviare il prurito e la sensazione di bruciore, ma solo se il dentifricio contiene menta, un'erba naturalmente rinfrescante. Attenzione: questo rimedio non previene eventuali infezioni e non cura le punture peggiori, quelle delle api, ad esempio. In questi casi, infatti, è meglio usare un medicinale consigliato dal farmacista o dal medico.

Finocchio come digestivo

Oltre ad avere un buon sapore, una tisana al finocchio è ottima se dopo aver mangiato avete la sensazione di gonfiore e vi sentite troppo pieni. Il finocchio è tanto efficace che viene usato anche come base per la preparazione di alcuni farmaci di tipo naturale.

Farina sulle scottature

Classico rimedio della nonna contro le scottature, la farina non è affatto utile: anzi, alcuni studi scientifici dimostrano che potrebbe rallentare il processo di guarigione. In caso di scottature e ustioni, quindi, meglio ricorrere a una pomata o a un rimedio specifico.

Cioccolato per la tosse

No, non è solo un modo per viziare i nipotini ammalati: la scienza ha dimostrato che i semi di cacao hanno davvero un effetto calmante sulla tosse. E naturalmente, funzionano anche sugli adulti. Il cioccolato si conferma quindi un'alternativa naturale, e decisamente più piacevole, al classico sciroppo per la tosse.

1. Il dentifricio **è utile per alleviare il bruciore delle punture di insetto / evita le infezioni**.
2. Il dentifricio **è efficace / non è efficace** contro le punture di api.
3. Per aiutare la digestione, **è utile una tisana al finocchio / è meglio prendere un farmaco naturale**.
4. Applicare la farina sulle scottature **può farle guarire più lentamente / è un rimedio abbastanza efficace**.
5. Contro la tosse, **è meglio ricorrere a uno sciroppo / il cioccolato può essere d'aiuto**.

B. COMPRENSIONE ORALE

Ascolta la registrazione e indica quali delle seguenti affermazioni sono presenti nel testo.

81

1. L'omeopatia cerca di guarire il paziente favorendo le reazioni immunitarie. ☐
2. La fitoterapia fa uso di sostanze che si trovano in natura. ☐
3. L'agopuntura non è adatta a tutti perché si utilizzano aghi. ☐
4. A usare la medicina alternativa sono soprattutto le persone con un livello di istruzione alto. ☐
5. Si ricorre alle medicine alternative quando la medicina tradizionale non ha avuto buoni risultati. ☐

C. PRODUZIONE SCRITTA

Come preferisci curarti? Hai mai provato i rimedi della nonna o qualche tipo di medicina alternativa? Secondo te, sono efficaci? Scrivi un breve testo per esprimere la tua opinione.

Esercizi

I PRONOMI RELATIVI

1. Completa le frasi con che **o** cui **(preceduto da preposizione).**

1. I prodotti .... compra Mariella sono soprattutto per la casa.
2. Non ho una carta di credito .... fare acquisti su Internet.
3. Questo è un negozio .... puoi trovare davvero di tutto.
4. La quantità di prodotti .... compriamo online è in grande aumento.
5. Gli elettrodomestici sono prodotti .... tutti hanno bisogno.
6. Gli acquisti online sono quelli .... si dedicano principalmente gli uomini.

2. Trasforma le frasi usando i pronomi relativi, come nell'esempio.

Luigi mi ha mostrato i suoi acquisti. Luigi ha fatto gli acquisti ieri. → ***Luigi mi ha mostrato gli acquisti che ha fatto ieri.***

1. Questo è un negozio di elettronica. In questo negozio ho comprato il tablet.
   → ....
2. Mara compra tanti oggetti. Gli oggetti non le servono.
   → ....
3. Mio marito ha comprato una maglietta. La maglietta non mi piace per niente.
   → ....
4. Il Balon di Torino è un mercatino dell'usato. Al Balon si fanno ottimi affari.
   → ....
5. Conosco un negozio di scarpe. Il negozio ha dei buoni prezzi.
   → ....

BUONO, BENE, CATTIVO, MALE

3. Completa le frasi con buono/a, cattivo/a, bene **o** male.

1. Informati .... prima di comprare un computer nuovo.
2. Preferisco comprare nei negozi: ogni volta che faccio acquisti online mi trovo ....
3. È davvero .... questa nuova marca di caffè! Mi piace molto!
4. Di solito un prezzo troppo basso corrisponde a una .... qualità del prodotto.
5. A me questo maglione non sembra di lana. Controlla .... l'etichetta!
6. Non sempre i prodotti più .... sono quelli più pubblicizzati.

I COMPARATIVI E I SUPERLATIVI

4. Completa le frasi con migliore/i, peggiore/i, maggiore/i **o** minore/i, **inserendo anche l'articolo corrispondente quando si tratta di un superlativo relativo.**

1. Faccio sempre la spesa al mercato: la qualità della verdura è ....
2. .... vantaggio degli acquisti online è che gli oggetti arrivano direttamente a casa.
3. Queste scarpe sono troppo care! Meglio cercare online, magari le trovo a un prezzo ....
4. Stai cercando una lavatrice? Prova in questo negozio, ci sono .... elettrodomestici sul mercato.
5. Non comprerò mai più una borsa di finta pelle! È l'acquisto .... che ho mai fatto!
6. Guarda questa offerta: se si comprano dieci pacchetti di pasta lo sconto è ....

5. Sostituisci le espressioni sottolineate con altre forme del superlativo assoluto. Ci sono più possibilità.

1. Non mi sembra un grande affare: lo sconto è davvero <u>molto piccolo</u> (..........................).
2. Voglio vendere la mia vecchia bicicletta, è ancora in condizioni <u>molto buone</u> (..........................).
3. Questo è un tavolo di <u>grandissimo</u> (..........................) valore, trattalo con cura.
4. I saldi sono un periodo <u>ottimo</u> (..........................) per fare acquisti.
5. Questo vino è <u>molto buono</u> (..........................)! Hai scelto davvero bene!

6. Leggi le frasi, trova 4 errori e correggili.

1. Nel fare acquisti, Andrea dà la **massima** (..........................) importanza alla qualità.
2. Accidenti, questa casa è **massima** (..........................) !
3. Paolo e Aldo sono i miei fratelli **maggiori** (..........................).
4. La tua casa è **maggiore** (..........................) della mia.
5. Sto cercando un nuovo tavolo per il soggiorno, ne voglio uno **minore** (..........................).
6. Luigi ha comprato un televisore **minimo** (..........................) per la cucina.

LA COSTRUZIONE IMPERSONALE

7. Completa le frasi con la forma impersonale dei verbi tra parentesi.

1. Di solito, prima di fare un acquisto importante (informarsi) .... bene.
2. In questo forum (scambiarsi) .... opinioni sugli acquisti fatti.
3. Spesso nelle scelte di acquisto (farsi) .... influenzare dalla pubblicità.
4. Quando (abituarsi) .... a fare acquisti online, si scopre che in realtà è molto facile e comodo.
5. Quando (trovarsi) .... in un supermercato, è una buona idea confrontare i prezzi dei prodotti.

8. Cerchia l'opzione corretta.

1. Andiamo a fare spese? Ci sono i saldi e si **può** / **possono** fare degli ottimi affari.
2. Se si **vuole** / **vogliono** risparmiare, si può comprare un'auto usata.
3. Se ordiniamo qualcosa su questo sito, si **può** / **possono** pagare alla consegna.
4. Si **devono** / **deve** controllare bene le etichette degli abiti prima di comprarli.
5. Prima di fare un acquisto ci si **deve** / **devono** domandare se quell'oggetto ci serve davvero.
6. Queste scarpe non sono come le volevo... si **può** / **possono** restituire?

9. Cosa si può fare prima di comprare qualcosa? Scrivi delle brevi frasi usando il si **impersonale. Puoi prendere spunto dalle seguenti proposte.**

confrontare i prezzi | cercare su Internet | chiedere agli amici | informarsi | valutare la qualità e le caratteristiche | aspettare i saldi | domandarsi se serve davvero

1. ....
2. ....
3. ....
4. ....
5. ....
6. ....

L'IMPERATIVO

10. Completa le frasi con l'imperativo dei verbi tra parentesi.

1. Antonio, (guardare) .... quest'offerta di prodotti per la casa!
2. (Voi, provare) .... la nostra carta fedeltà, vi offre molti vantaggi.
3. Non (tu, comprare) .... quel maglione, non ti sta bene.
4. Non (voi, acquistare) .... prodotti che non vi servono solo perché sono molto pubblicizzati.
5. Se questa giacca le sembra troppo cara, (Lei, aspettare) .... i saldi, forse la metteranno in sconto.
6. Oggi non ho tempo di andare al supermercato. (Andare) .... tu a fare la spesa, per piacere.
7. (Tu, fare) .... una lista delle cose da comprare, così non dimentichi nulla!
8. (Tu, evitare) .... i prodotti sugli scaffali centrali dei supermercati: sono i più cari!

11. Trasforma le frasi sottolineate usando l'imperativo formale, come nell'esempio. In alcuni casi sono possibili più soluzioni.

Questa marca di biscotti è ottima, <u>provala anche tu.</u>
(Lei) → *La provi anche Lei.*

1. La qualità dei prodotti è importante, <u>valutatela.</u>
(Lei) → ....
2. Cosa c'è scritto sull'etichetta? <u>Leggila bene</u>.
(Voi) → ....
3. Questa pasta è di buona qualità, <u>non giudicarla dalla confezione</u>.
(Lei) → ....
4. Questo vino è troppo caro, <u>non lo prendere</u>.
(Voi) → ....
5. Attenzione ai prezzi, <u>confrontateli sempre</u>.
(Lei) → ....
6. Se la borsa non è di pelle, <u>non la comprare</u>.
(Voi) → ....
7. Qual è l'indirizzo del negozio? <u>Cercalo su Internet</u>, per piacere.
(Lei) → ....
8. Questa è un'ottima occasione, <u>non la perdere</u>!
(Voi) → ....

Esercizi

GLI AGGETTIVI DIVERSO, SIMILE, STESSO E UGUALE

12. Cerchia l'opzione corretta.

1. Anche se sono di due marche diverse, questi due divani sono **stessi / simili**: la forma e i materiali si assomigliano molto.
2. Matilde compra gli **stessi / uguali** biscotti da anni perché li trova di buona qualità.
3. Secondo questa ricerca, uomini e donne acquistano online per motivi **stessi / diversi**.
4. Queste due camicie si assomigliano, ma non sono **stesse / uguali**. Vedi l'etichetta? Questa è di cotone, mentre l'altra è sintetica.
5. Vuoi comprare quest'orologio? Ma non ne hai già uno **diverso / simile**?
6. Mi hanno dato un buono sconto per l'acquisto di due occhiali da sole della **stessa / diversa** marca.

I MATERIALI

13. Abbina i seguenti materiali alle immagini corrispondenti.

carta | plastica | tessuto | vetro | pelle | legno

1. ....
2. ....
3. ....
4. ....
5. ....
6. ....

FARE ACQUISTI

82

14. Ascolta la registrazione di una televendita e indica se le seguenti affermazioni sono vere o false.

	V	F
1. L'offerta speciale è valida per tre giorni.	☐	☐
2. Il materasso è rivestito in tessuto.	☐	☐
3. Il materasso non è disponibile nei negozi.	☐	☐
4. Le lenzuola sono disponibili in più colori.	☐	☐
5. Le lenzuola sono in offerta a un prezzo di 25 euro.	☐	☐
6. Se si telefona subito, si possono comprare i cuscini a un prezzo scontato.	☐	☐
7. La consegna è gratuita.	☐	☐
8. Se il prodotto non piace, si può restituire.	☐	☐

15. Completa le frasi con le seguenti espressioni.

spese di spedizione | in contanti | buone condizioni | segni di usura | consegna a mano | bonifico bancario

1. Non mi dispiace comprare oggetti usati, naturalmente se sono in ....
2. In questo negozio non si accettano carte di credito, dobbiamo pagare ....
3. Ho fatto un affare: ho pagato questi libri 25 euro, più le ....
4. Bello, questo tavolo! È usato, ma è tenuto benissimo, non ci sono ....
5. Per questo articolo non è prevista la ...., ma possiamo spedirlo in tutt'Italia.
6. Questo venditore accetta diversi metodi di pagamento: in contanti o con ....

16. Cerchia l'opzione corretta.

1. Oggi c'è un'offerta **speciale / gratuita**: potete acquistare tre pacchetti di caffè al prezzo di due.
2. Mi spiace, questo sconto è riservato ai clienti che hanno la carta **fiducia / fedeltà**.
3. La pubblicità può influenzare moltissimo le scelte **di vendita / d'acquisto** dei consumatori.
4. Compro sempre nello stesso posto perché ho un rapporto di **fiducia / qualità** con il negoziante.
5. Questa pubblicità è **ingannevole / persuasiva**: mostra un prodotto diverso da quello reale.

A. COMPRENSIONE SCRITTA

Leggi il testo e scegli l'opzione corretta.

Acquisti online

Secondo una recente inchiesta, l'81% degli italiani acquista qualcosa online almeno una volta al mese, mentre circa il 30% lo fa ogni settimana. Ormai fare acquisti online è un'abitudine molto diffusa, che presenta grandi vantaggi per clienti e aziende.

Vantaggi per le aziende

Uno dei vantaggi principali è l'assenza di una barriera tra azienda e cliente: attraverso l'acquisto online, l'azienda può raggiungere molti più clienti, anche quelli che vivono in posti molto lontani. Un altro vantaggio di questa nuova formula di acquisto è senza dubbio l'eliminazione del problema della logistica: le aziende possono ordinare la quantità esatta di prodotti richiesta dai clienti e non devono spendere denaro nell'affitto di magazzini in cui lasciare la merce in attesa.

Vantaggi per il cliente

Perché la gente sceglie di fare acquisti online? In generale le motivazioni principali che spingono le persone ad acquistare su Internet sono l'immediata disponibilità del prodotto che stanno cercando, la comodità di non doversi allontanare da casa, il risparmio di tempo e il prezzo vantaggioso. Altri clienti amano acquistare online perché trovano una maggiore varietà di prodotti o perché possono navigare in un sito chiaro, con molte informazioni e che rende piacevole e divertente l'esperienza d'acquisto.

Le richieste dei clienti

La maggior parte delle persone intervistate nel corso dell'inchiesta vorrebbe maggiori garanzie sui metodi di pagamento; un'altra esigenza è quella di avere a disposizione un servizio per sapere esattamente dove si trovano i prodotti comprati. Un'altra richiesta molto frequente riguarda la quantità e la qualità delle informazioni sul prodotto: i clienti chiedono di poter conoscere tutte le caratteristiche degli oggetti che desiderano acquistare, in modo da poter confrontare qualità e prezzi anche con altri negozi. Infine, per chi compra online è molto importante poter leggere le opinioni dei clienti: questo li rassicura sulla qualità del prodotto e sulla serietà del venditore.

1. Con la vendita online le aziende possono:
   - ☐ a. creare una barriera con i clienti.
   - ☐ b. raggiungere anche i clienti lontani.
   - ☐ c. aprire negozi in posti lontani.
2. La vendita online:
   - ☐ a. crea un problema alle aziende.
   - ☐ b. permette di vendere più merce.
   - ☐ c. riduce i costi per le aziende.
3. I clienti comprano online:
   - ☐ a. per risparmiare tempo e denaro.
   - ☐ b. perché trovano subito quello che cercano, anche se costa di più.
   - ☐ c. perché i prodotti sono di migliore qualità.
4. I clienti vogliono:
   - ☐ a. avere a disposizione più metodi di pagamento.
   - ☐ b. avere molte informazioni sui prodotti.
   - ☐ c. poter parlare direttamente con il venditore.

B. COMPRENSIONE ORALE

83 **Ascolta il dialogo tra due amiche e indica se le seguenti affermazioni sono vere o false.**

	V	F
1. Michela ha pagato le magliette 38 euro.	☐	☐
2. Chiara ha acquistato delle cuffie e un caricabatterie.	☐	☐
3. Il rivestimento in gomma delle cuffie è un vantaggio del prodotto.	☐	☐
4. Michela cerca un cellulare perché il suo si è rotto.	☐	☐
5. Chiara consiglia a Michela di guardare le offerte sul sito del negozio.	☐	☐
6. Chiara presta la tessera fedeltà a Michela.	☐	☐

C. PRODUZIONE SCRITTA

Tu preferisci comprare online o nei negozi? Perché? Scrivi un breve testo per esprimere la tua opinione.

Esercizi

L'AUSILIARE DEI VERBI POTERE, DOVERE E VOLERE

1. Completa le frasi con il passato prossimo dei verbi tra parentesi. Fai attenzione all'ausiliare.

1. Per andare in Australia, (voi, dovere) .... fare scalo a Singapore?
2. Pietro non (volere) .... partire con noi perché dice che si rilasserà di più stando a casa.
3. Sono andata a Parigi, ma purtroppo non (potere) .... visitare la città perché ero lì per lavoro.
4. Angela è partita ugualmente, anche se nessuno dei suoi amici (volere) .... andare con lei.
5. (Noi, dovere) .... andare all'ufficio oggetti smarriti: non trovavamo più la valigia!

I VERBI CON DUE AUSILIARI

2. Completa le frasi con il passato prossimo dei verbi tra parentesi. Fai attenzione all'ausiliare.

1. Maria voleva organizzare un viaggio in Brasile, poi (lei, cambiare) .... idea e ha preferito una meta più vicina.
2. Qualche anno fa questa spiaggia era tranquilla e solitaria, ma adesso (cambiare) .... : ci sono ombrelloni e turisti dappertutto!
3. Ancora non (tu, cominciare) .... a fare la valigia? Ma non devi partire domani?
4. Sbrigati, il tour guidato (cominciare) .... già da mezz'ora!
5. Voli cancellati, bagagli smarriti... che viaggio da incubo! Per fortuna (finire) .... !
6. Finalmente (io, finire) .... di preparare lo zaino, spero di non aver dimenticato niente!

I CONNETTIVI CAUSALI E TEMPORALI

3. Cerchia l'opzione corretta.

1. **Siccome** / **Mentre** avevo abbastanza tempo per le vacanze, ho trascorso un mese intero in viaggio.
2. **Poiché** / **Quando** visito un posto nuovo, non vado mai all'avventura: preferisco pianificare tutto.
3. Ho fatto tardi e il treno è partito proprio **perché** / **nel momento in cui** sono arrivato in stazione.
4. Di solito ci piace fare viaggi un po' avventurosi, ma **dato che** / **intanto** quest'anno siamo abbastanza stanchi, abbiamo preferito una vacanza rilassante.
5. Abbiamo viaggiato piuttosto scomodi **poiché** / **quando** per risparmiare abbiamo comprato un biglietto di seconda classe.
6. Tu recupera i bagagli, **perché** / **intanto** io vado a informarmi sull'orario degli autobus.

LE COSTRUZIONI AVERE BISOGNO DI E PENSARE DI

4. Completa le frasi con le costruzioni avere bisogno di **o** pensare di **e coniuga il verbo nel modo opportuno. Poi indica se le frasi esprimono una necessità (N) o un'intenzione (I).**

1. Mi sento molto stanco, ... un periodo di un periodo di riposo. ......
2. Mio figlio .... visitare l'Australia il mese prossimo. ......
3. Mi sono perso! .... consultare una cartina. ......
4. Se vai in campeggio, ... comprare un sacco a pelo nuovo, quello che hai è vecchissimo! ......
5. L'anno prossimo .... visitare la Puglia, mi hanno detto che è un posto meraviglioso. ......

METTERCI E VOLERCI

5. Completa i dialoghi con metterci **o** volerci **coniugati nel modo opportuno.**

1.
- Paolo mi ha detto che per andare da Roma a Firenze in treno .... quasi tre ore.
- Mah... a dire la verità in macchina io .... meno tempo.

2.
- Che viaggio disastroso! Per un percorso così breve cinque ore!
- Infatti io preferisco prendere l'aereo: .... molto meno !

3.
- Anna, ma quanto .... ad arrivare? Ti aspetto da mezz'ora!
- Mi spiace, sono bloccata nel traffico! Ora sono a Bari, quindi .... ancora un'ora e mezza.

GLI AVVERBI IN -MENTE

6. Trasforma i seguenti aggettivi in avverbi in -mente.

1. pericoloso → ....
2. veloce → ....
3. regolare → ....
4. breve → ....
5. libero → ....
6. abituale → ....
7. facile → ....
8. chiaro → ....

I NOMI E GLI AGGETTIVI ALTERATI

7. Completa le frasi alterando i nomi tra parentesi con il suffisso opportuno.

1. L'altra sera sono stata in un (ristorante) .... sul mare: piccolo, ma molto grazioso. E il cibo era buonissimo.
2. Parti con quella (valigia) .... enorme? Ma stiamo fuori solo per due giorni!
3. In vacanza ho dormito veramente male: in albergo avevo un (letto) .... così piccolo che non riuscivo ad allungare le gambe.
4. Non posso portare questo (libro) .... in viaggio, è troppo pesante!
5. Mi è piaciuta moltissimo la visita a San Gimignano: è un (paese) .... piccolo, ma ricco di fascino.

IL LESSICO DEI VIAGGI

8. Abbina le seguenti parole alle immagini corrispondenti.

zaino | sacco a pelo | valigia | bussola | mappa

1. ....

2. ....

3. ....

4. ....

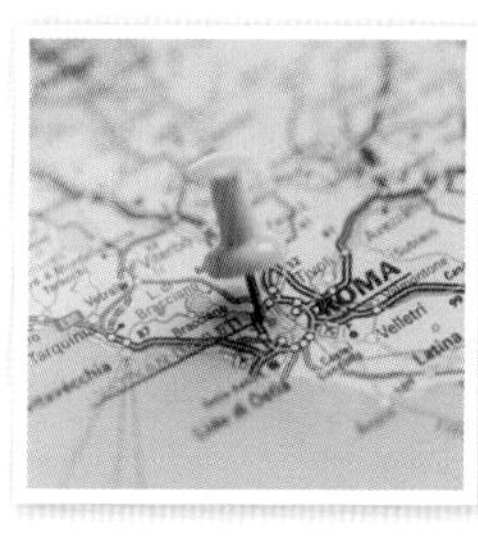

5. ....

9. Completa le frasi con le seguenti parole ed espressioni.

bassa stagione | tappa | esperienza | viaggi fai da te | bagaglio a mano | imprevisto

1. Basta ...., ci sono troppe cose da organizzare! L'anno prossimo mi rivolgerò ad un'agenzia, così penseranno loro a tutto.
2. Partirò con un .... perché starò fuori solo per pochi giorni e non mi servono molte cose.
3. Il viaggio è andato benissimo e non abbiamo avuto nessun ....
4. Perché non facciamo una ....anche in questo paesino? Sembra un posto piacevole per passarci una giornata.
5. Quest'anno provo a viaggiare da solo, è un'.......................... che non ho mai fatto e potrebbe essere interessante.
6. Se vuoi evitare la folla e risparmiare un po', prova a partire in ....

10. Per ciascun verbo, scrivi il nome corrispondente, come nell'esempio.

noleggiare → *noleggio*

1. scoprire → ....
2. partire → ....
3. arrivare → ....
4. viaggiare → ....
5. prenotare → ....
6. programmare → ....

84 **11. Ascolta la registrazione e indica l'aggettivo più adatto a descrivere questi viaggi.**

1.
- ☐ a. noioso
- ☐ b. disastroso

2.
- ☐ a. noioso
- ☐ b. rilassante

3.
- ☐ a. interessante
- ☐ b. stressante

4.
- ☐ a. stressante
- ☐ b. emozionante

12. **Completa il cruciverba con il contrario dei seguenti aggettivi. Aiutati con il dizionario se è necessario.**

DEFINIZIONI VERTICALI

1. sicuro
2. scomodo
3. noioso
4. rilassante

DEFINIZIONI ORIZZONTALI

1. spiacevole
2. economico
3. convenzionale

85

13. **Ascolta la registrazione e completa la seguente tabella con le preferenze degli intervistati.**

	TIPO DI VIAGGIO	TIPO DI ALLOGGIO	METE
Anna			
Silvio			
Lucia			

85

14. **Ascolta di nuovo la registrazione e indica se le seguenti affermazioni sono vere o false.**

	V	F
1. Anna visita solo i posti consigliati dalle guide.	☐	☐
2. Ad Anna piace conoscere persone nuove in vacanza.	☐	☐
3. Anna non ha ancora deciso dove andare in vacanza quest'anno.	☐	☐
4. Silvio trova stressante organizzare da solo un viaggio.	☐	☐
5. In vacanza, Silvio cerca comfort e relax.	☐	☐
6. Lucia si informa sempre presso le agenzie di viaggi.	☐	☐
7. Lucia cerca delle offerte per gli alloggi su Internet.	☐	☐
8. A Lucia piace conoscere culture molto diverse dalla sua.	☐	☐

A. COMPRENSIONE SCRITTA

Leggi il testo e indica se le seguenti affermazioni sono vere o false.

Couchsurfing: esperienza di turismo e condivisione

Vi piace viaggiare e avete spirito di adattamento? Allora il couchsurfing fa al caso vostro! Il couchsurfing permette di alloggiare in modo completamente gratuito presso qualcuno che mette a disposizione la sua casa. Viaggiatore e ospitante convivono, confrontano le proprie culture e spesso fanno amicizia. Si tratta, quindi, di un modo di viaggiare estremamente economico e offre un'ottima possibilità di conoscere persone di culture differenti. Tutto quello che bisogna fare è registrarsi al sito Internet e creare il proprio profilo personale in cui si indicano provenienza e interessi. Potete partecipare come viaggiatori oppure mettere a disposizione una stanza o, se la vostra casa è molto piccola, un divano. Grazie al profilo personale, si possono cercare persone con preferenze e gusti simili e organizzare tranquillamente il proprio viaggio. Inoltre, sul sito si possono leggere i feedback lasciati dagli altri utenti e le descrizioni dell'appartamento degli ospitanti con le diverse disponibilità, ad esempio la possibilità di ospitare persone in sedia a rotelle, bambini o animali domestici.

	V	F
1. Il couchsurfing permette di alloggiare a casa delle persone a prezzi molto bassi.	☐	☐
2. Con il couchsurfing è facile entrare in contatto con culture diverse.	☐	☐
3. Ci si può iscrivere al programma attraverso Internet.	☐	☐
4. Per ospitare qualcuno bisogna avere una casa molto grande.	☐	☐
5. Con il programma couchsurfing non si ospitano mai bambini e animali domestici.	☐	☐

B. COMPRENSIONE ORALE

Ascolta la registrazione e scegli l'opzione corretta. 86

1. Eleonora:
   - ☐ a. è sempre in viaggio.
   - ☐ b. ospita spesso dei viaggiatori con la formula couchsurfing.
   - ☐ c. viaggia spesso con il couchsurfing.

2. Eleonora dice che:
   - ☐ a. non ha fatto molte esperienze all'estero.
   - ☐ b. ha un po' di paura ad ospitare persone sconosciute.
   - ☐ c. le referenze sul sito sono utili per sapere qualcosa in anticipo sui viaggiatori.

3. Secondo Eleonora, si sceglie il couchsurfing:
   - ☐ a. soprattutto perché permette di conoscere culture e abitudini diverse.
   - ☐ b. principalmente perché è economico.
   - ☐ c. soprattutto perché i B&B sono diventati un po' costosi.

4. Gli ospiti di Eleonora:
   - ☐ a. spesso insistono per pagare.
   - ☐ b. condividono con lei la propria cultura e le proprie ricette.
   - ☐ c. la invitano nel loro Paese.

5. Il couchsurfing:
   - ☐ a. è diffuso negli Stati Uniti ma anche in alcuni stati europei.
   - ☐ b. ha molto successo in Italia.
   - ☐ c. per ora è diffuso solo negli Stati Uniti.

C. PRODUZIONE SCRITTA

Cosa ne pensi del couchsurfing? Conosci altri modi alternativi di viaggiare? Quali sono, secondo te, i possibili vantaggi e svantaggi? Scrivi un breve testo per esprimere la tua opinione.

Esercizi

IL CONDIZIONALE PRESENTE

1. Per ciascun verbo, scrivi la forma del condizionale semplice alla persona indicata. Attenzione, alcuni verbi sono irregolari.

1. tutelare → (2ª pers. sing.) ....
2. proteggere → (2ª pers. plur.) ....
3. favorire → (3ª pers. sing.) ....
4. dovere → (1ª pers. plur.) ....
5. investire → (1ª pers. sing.) ....
6. avere → (1ª pers. sing.) ....
7. vivere → (3ª pers. plur.) ....
8. essere → (2ª pers. plur.) ....

2. Completa le frasi con il condizionale semplice dei verbi tra parentesi.

1. L'Italia (dovere) .... tutelare di più il suo patrimonio artistico.
2. Investire nel patrimonio culturale (favorire) .... il turismo.
3. (Noi, dare) .... delle multe molto salate a chi danneggia le opere d'arte.
4. Un buon Governo (spendere) .... meglio il denaro pubblico.
5. Molti atti di vandalismo si (potere) .... evitare grazie alla videosorveglianza.
6. Gli investimenti pubblici (valorizzare) .... molto il nostro patrimonio ambientale.
7. La gente (essere) .... più responsabile, con leggi più severe.
8. Una società davvero civile (rispettare) .... i beni pubblici.

ORGANIZZARE UN DISCORSO

3. Cerchia l'opzione corretta.

Egregio Signor Sindaco,

Le scrivo per segnalare la grave situazione di degrado in cui si trova il parco comunale.

Inoltre / Innanzitutto il parco è poco illuminato: questo lo rende poco sicuro e **infine / inoltre** favorisce la presenza di vandali che danneggiano i beni pubblici. **In secondo luogo / Innanzitutto**, i viali del parco sono molto sporchi perché non vengono mai puliti. **Inoltre / Infine**, le panchine e le aree gioco sono in un cattivo stato di manutenzione.

La prego di voler provvedere a valorizzare e rendere più decorosa quest'area verde della nostra città.

Cordiali saluti,

Gabriele Brumatti

IL CONGIUNTIVO PRESENTE

4. Completa il quadro con le forme del congiuntivo presente.

	ESSERE	AVERE	TUTELARE
io			
tu			
lui/lei/Lei			
noi			
voi			
loro			

	PROTEGGERE	INVESTIRE	FAVORIRE
io			
tu			
lui/lei/Lei			
noi			
voi			
loro			

5. Completa le frasi con il congiuntivo presente dei verbi tra parentesi.

1. Credo che (essere) .... giusto educare i bambini al rispetto dei beni pubblici.
2. Penso che tutti noi (avere) .... il dovere di mantenere la città pulita e decorosa.
3. Pensiamo che le istituzioni (dovere) .... fare di più per valorizzare il patrimonio culturale.
4. A me questo murales piace: credo che (abbellire) .... questa zona della città.
5. Credo che il Comune (investire) .... troppo poco nella lotta al vandalismo.

ESPRIMERE UN'OPINIONE

6. Cerchia l'opzione corretta.

1. **Secondo me / Credo che** imbrattare i muri sia una cosa davvero incivile.
2. **A nostro avviso / Pensiamo che** le multe non bastano a combattere il vandalismo.
3. **Dal mio punto di vista / Credo che** una società è veramente civile solo se è rispettosa e solidale.
4. **Penso che / Secondo me** sia maleducato ascoltare la musica a tutto volume e disturbare gli altri.
5. **Credo che / Secondo me** l'arte di strada è un buon modo per riqualificare un quartiere.

7. Trasforma le frasi, come nell'esempio.

Penso che sia giusto multare i vandali → *Secondo me è giusto multare i vandali.*

A mio avviso questa non è arte! → *Credo che questa non sia arte!*

1. Non credo che lo Stato promuova abbastanza i beni culturali.
   → Dal mio punto di vista, ...
   ....
2. Secondo noi, questa legge sulla tutela ambientale non serve a molto.
   → Crediamo ....
   ....
3. Pensiamo che si debbano promuovere le iniziative di solidarietà.
   → Secondo noi ....
   ....
4. A vostro avviso, il denaro pubblico è speso bene?
   → Pensate ....
   ....
5. Penso che le misure di sicurezza siano insufficienti.
   → Secondo me ....
   ....

PATRIMONIO CULTURALE E CIVISMO

8. Completa le frasi con le seguenti espressioni.

traffico illegale | beni a rischio | servizi culturali | denaro pubblico | scavi clandestini

1. In Italia esiste un programma specifico per tutelare i ...., cioè quei monumenti, edifici e parchi naturali che sono messi in pericolo dalle condizioni ambientali o dall'uomo.
2. I cittadini vorrebbero maggiore chiarezza su come si amministra e si spende il ....
3. Gli .... allo scopo di trovare oggetti antichi e preziosi nelle aree archeologiche sono uno dei reati più comuni contro i beni culturali.
4. In Italia esiste un nucleo di polizia specializzato nel combattere il .... di opere d'arte.
5. Lo Stato ha appena investito una somma di denaro per promuovere i .... delle maggiori città d'arte italiane.

9. Abbina le seguenti parole alle immagini corrispondenti.

monumento | area archeologica | statua | patrimonio ambientale | galleria d'arte

1. ....

2. ....

3. ....

4. ....

5. ....

10. Cerchia l'opzione corretta.

1. **Tutelare** / **Investire** il patrimonio culturale e paesaggistico è un dovere di tutti noi.
2. Occorre **multare** / **promuovere** gli incivili che danneggiano il patrimonio culturale.
3. Lo Stato sta puntando sulla valorizzazione dei beni culturali per **proteggere** / **favorire** il turismo.
4. Questo monumento si trova in pessime condizioni. Secondo te, cosa si potrebbe fare per **contraffarlo**/ **valorizzarlo**?
5. Dopo i recenti atti vandalici, il Comune ha deciso di **promuovere** / **videosorvegliare** l'area con delle telecamere.

Esercizi

11. Completa il cruciverba con il nome che corrisponde ai verbi dati, come nell'esempio.

VERTICALI
1. investire
2. salvaguardare
3. contraffare
4. promuovere
5. valorizzare

ORIZZONTALI
1. tutelare
2. multare
3. vandalizzare

1 T U T E L A

12. Ascolta la registrazione e indica se le seguenti affermazioni sono vere o false. 87

	V	F
1. L'associazione *Quartiere Nostro* è nata per ripulire le strade del quartiere.	▢	▢
2. Tra i volontari di *Quartiere Nostro* ci sono molti ragazzi delle scuole.	▢	▢
3. I volontari di *Quartiere Nostro* stanno riqualificando il parco pubblico.	▢	▢
4. Quartiere nostro si occupa anche di assistenza sanitaria.	▢	▢
5. Il centro sociale si rivolge soprattutto agli immigrati.	▢	▢

13. Completa le frasi con le seguenti parole.

rispettoso | decoroso | solidale | civile | irresponsabile | maleducato

1. Il Comune ha ripulito i muri e le strade: ora la città ha un aspetto molto più ....
2. Danneggiare l'ambiente è un comportamento incivile e ....
3. Bisogna insegnare ai ragazzi ad avere un comportamento .... dei beni pubblici.
4. In questa città si vive bene: c'è ordine e pulizia e la gente è ....
5. Abbassa un po' il volume della musica! È .... dare fastidio agli altri.
6. Fare volontariato è un comportamento .... che dimostra grande senso civico.

14. Abbina ciascun verbo al significato corrispondente.

1. imbrattare
2. danneggiare
3. assistere
4. abbellire
5. riqualificare
6. multare

a. dare aiuto e sostegno.
b. far pagare una cifra di denaro per aver fatto qualcosa di illegale.
c. danneggiare qualcosa sporcandola.
d. rendere nuovamente piacevole e bella una cosa danneggiata.
e. rovinare, fare un danno.
f. decorare, rendere più bello.

A. COMPRENSIONE SCRITTA

Leggi il testo e indica se le seguenti affermazioni sono vere o false.

Il Fondo Ambiente Italiano

Il FAI, Fondo Ambiente Italiano, è una fondazione che fin dal 1975 opera per tutelare e valorizzare il patrimonio artistico e naturalistico del territorio italiano.

Valorizzazione

Grazie al contributo di istituzioni, aziende e privati cittadini, il FAI si prende cura di siti di interesse culturale e paesaggistico: restaura e riqualifica ville, parchi e castelli e li riapre al pubblico, offrendo spesso un servizio di visite guidate o organizzando altre iniziative culturali per avvicinare i cittadini a questi luoghi e aiutarli a comprenderli e amarli. Per il FAI, infatti, è fondamentale che questi siano luoghi "da vivere" e di cui poter godere. Per fare questo, il FAI si serve di molte e diverse figure professionali: giardinieri, architetti, guide, storici dell'arte... oltre, naturalmente, ai preziosissimi volontari.

Educazione e sensibilizzazione

Un altro obiettivo del FAI è quello di diffondere la cultura del rispetto e della tutela dei beni culturali e paesaggistici. Da più di quindici anni, infatti, propone un programma di sensibilizzazione nelle scuole che prevede anche visite scolastiche, laboratori didattici e concorsi nazionali. Il FAI, inoltre, si rivolge anche agli adulti, con incontri culturali e corsi d'arte.

Turismo culturale

Il FAI promuove un turismo di qualità, con una ricca offerta di viaggi culturali, in Italia e all'estero. I viaggi hanno tutti percorsi originali e prevedono visite esclusive a luoghi generalmente chiusi al pubblico, con la guida di docenti esperti in Storia dell'Arte.

	V	F
1. Il FAI si occupa solo di beni naturalistici.	▢	▢
2. Il FAI opera anche grazie all'aiuto dei cittadini.	▢	▢
3. Il FAI restaura beni culturali e organizza servizi culturali.	▢	▢
4. A collaborare con il FAI sono solo professionisti specializzati.	▢	▢
5. Il FAI organizza attività culturali per gli adulti e per le scuole.	▢	▢
6. Un viaggio FAI offre la possibilità di visitare i luoghi con una guida esperta.	▢	▢

B. COMPRENSIONE ORALE

Ascolta la registrazione e cerchia l'opzione corretta.

88

1. Secondo il primo intervistato, le nuove leggi **proteggeranno di più / non si occupano abbastanza** del patrimonio paesaggistico.
2. Il primo intervistato crede che **il Governo non faccia abbastanza per l'ambiente / i cittadini ora siano più responsabili verso l'ambiente**.
3. La seconda intervistata pensa che lo Stato **non investa abbastanza nei beni culturali / dovrebbe soprattutto educare i cittadini**.
4. Secondo il terzo intervistato, **i monumenti più famosi sono in pessime condizioni / lo Stato investe sempre sugli stessi beni culturali**.
5. Il terzo intervistato crede che si dovrebbe **valorizzare la diversità del patrimonio culturale italiano / investire di più su siti archeologici e monumenti**.

C. PRODUZIONE SCRITTA

Qual è lo stato del patrimonio culturale e paesaggistico del tuo Paese? Chi si occupa di tutelarlo e valorizzarlo? Hai delle proposte per migliorare e valorizzare le condizioni dei beni culturali del tuo Paese? Scrivi un breve testo per esprimere la tua opinione.

Grammatica

GLI AGGETTIVI

Gli aggettivi indicano le caratteristiche del nome a cui si riferiscono, con cui concordano nel genere e nel numero.

SINGOLARE		PLURALE	
maschile	**femminile**	**maschile**	**femminile**
alt**o** piccol**o**	alt**a** piccol**a**	alt**i** piccol**i**	alt**e** piccol**e**
grand**e** elegant**e**		grand**i** elegant**i**	
belg**a** vietnamit**a**		belg**i** vietnamit**i**	belgh**e** vietnamit**e**

Quando l'aggettivo si riferisce a nomi maschili e femminili insieme, si usa la forma maschile: *Claudia e Sergio sono molto simpatici.*

L'AGGETTIVO *BELLO*

Quando precede il nome prende le forme dell'articolo determinativo: **bel** vestito, **bell'**oggetto, **bei** vestiti, **begli** oggetti.

MASCHILE SINGOLARE	MASCHILE PLURALE
be**l** maglione	be**i** jeans
bel**lo** zaino	be**gli** stivali / occhiali
bel**l'**ombrello	
FEMMINILE SINGOLARE	**FEMMINILE PLURALE**
bel**la** felpa	bel**le** cinture
bel**l'**agenda	bel**le** agende

LA POSIZIONE DEGLI AGGETTIVI

Generalmente, l'aggettivo segue il nome, ma alcuni aggettivi si usano sia prima sia dopo il nome; in questo caso possono avere significati differenti:

un ***vecchio amico*** (che conosco da tanto tempo)
un ***amico vecchio*** (vecchio di età)
un ***grande libro*** (di alta qualità)
un ***libro grande*** (di grandi dimensioni)

GLI AGGETTIVI POSSESSIVI

MASCHILE		FEMMINILE	
singolare	**plurale**	**singolare**	**plurale**
il mio	i miei	la mia	le mie
il tuo	i tuoi	la tua	le tue
il suo	i suoi	la sua	le sue
il nostro	i nostri	la nostra	le nostre
il vostro	i vostri	la vostra	le vostre
il loro	i loro	la loro	le loro

Quando l'aggettivo possessivo indica relazioni di parentela, al singolare non si usa mai l'articolo, tranne nella forma **loro**:
mio zio, ***i*** *miei zii*
suo cognato, ***i*** *suoi cognati*
la loro zia, ***le*** *loro zie*

LE PREPOSIZIONI SEMPLICI E ARTICOLATE

	il	**lo**	**la**	**l'**	**i**	**gli**	**le**
a	al	allo	alla	all'	ai	agli	alle
da	dal	dallo	dalla	dell'	dai	dagli	delle
su	sul	sullo	sulla	sull'	sui	sugli	sulle
di	del	dello	della	dell'	dei	degli	delle
in	nel	nello	nella	nell'	nei	negli	nelle

GLI ARTICOLI PARTITIVI

Gli articoli partitivi si formano con la preposizione **di** + **l'articolo determinativo** e indicano una parte indeterminata, una quantità imprecisata.

CON NOME SINGOLARE NON NUMERABILE	CON NOME PLURALE NUMERABILE
del pane **dello z**ucchero/ **sp**umante/**y**ogurt **dell'a**ranciata/olio **della m**ortadella	**dei t**ortellini **degli s**paghetti/**g**nocchi **delle m**ele/**a**ngurie

I PRONOMI DIRETTI

Usiamo i pronomi diretti **lo**, **la**, **li**, **le** per riferirci a persone o cose che sono chiaramente identificate. Questi pronomi concordano in genere e numero con il sostantivo che sostituiscono nella funzione di complemento diretto.

*Compro il vino e **lo** porto alla festa.*
Vado da Mara e Carla e le aiuto a cucinare.
*I dolci? **Li** adoro!*

	SINGOLARE	PLURALE
MASCHILE	lo	li
FEMMINILE	la	le

 Nella lingua parlata usiamo spesso i pronomi diretti per dare enfasi:
***Lo** preparo io, il tiramisù!*
***Le** compri tu, le olive?*

Usiamo il pronome **lo** anche per sostituire una frase.

- *Che cosa si mangia di tipico in Finlandia?*
- ***Non lo so.***
  (= Non so cosa si mangia di tipico in Finlandia.)

IL PRONOME *NE*

Usiamo il pronome **ne** per indicare una certa quantità o una parte di qualcosa che è chiaramente identificato.

*Ci sono sei uova, **ne** uso quattro per la frittata, ok?*
- *Bevi l'acqua?*
- *Sì, **ne** bevo molta.*

I PRONOMI CON GLI INFINITI

Quando c'è un verbo + infinito il pronome può:

► precedere il verbo coniugato:
***Mi** puoi aiutare?*
***Li** sai sistemare?*

► seguire l'infinito:
*Puoi aiutar**mi**?*
*Sai sistemar**li**?*

 Quando il pronome segue l'infinito, l'infinito perde la -**e**- finale.
*Puoi aiutar~~e~~**mi** a spostare la scrivania?*

L'ACCORDO DEL PARTICIPIO PASSATO CON I PRONOMI DIRETTI E CON IL PRONOME *NE*

Con i pronomi diretti **lo**, **la**, **li**, **le** e **ne** il participio passato concorda con l'oggetto in genere e numero. Le forme singolari **lo** e **la** si apostrofano, le forme plurali **li** e **le** invece no.

- *Hai comprato le viti?*
- *Sì, **le** ho comprat**e**.*

- *Hai comprato le viti?*
- ***Ne ho** comprat**e** solo dieci, quelle che mi servono per sistemare l'armadio.*

I PRONOMI CON L'IMPERATIVO FORMALE

Al singolare (Lei), il pronome va prima del verbo:
*Se l'articolo non è in saldo, non **lo** prenda.* (negativo)
*Questo è un ottimo prodotto, **lo** provi subito!* (affermativo)

Al plurale (Voi):
► se è affermativo, collochiamo il pronome attaccato alla fine del verbo:
*Questo televisore è in saldo, comprate**lo** subito.*

► se è negativo, possiamo collocare il pronome prima del verbo oppure attaccato al verbo:
*Riguardo all'acquisto nei mercati dell'usato, non preferite**li** / **li** preferite ai negozi tradizionali.*

CE L'HO, CE LI HO, CE LE HO

La costruzione **ce** + **avere** + pronome diretto **lo**, **la**, **li**, **le** si usa per esprimere possesso.

*Il mio computer è un Mac, **ce l'ho** da tanti anni.*
*La bicicletta, **ce l'ho** pieghevole, è comodissima.*
*I trucchi **ce li ho** sempre in borsa.*
*Sì, uso matite colorate. **Ce le ho** sulla scrivania.*

Grammatica

I PRONOMI RELATIVI

CHE
Lo usiamo come soggetto e oggetto diretto ed è invariabile in genere e numero.

*Aumentano i consumatori **che** fanno acquisti online.* (soggetto)
*Gli elettrodomestici **che** vedi in vetrina sono in offerta.* (oggetto diretto)

CUI
Lo usiamo come oggetto indiretto, è preceduto da una preposizione ed è invariabile in genere e numero.

*Si preferisce comprare da un negoziante **di cui** si ha fiducia.*
*Questo è il computer **con cui** lavoro ogni giorno.*

GLI INDEFINITI

Danno un'informazione generica e non precisa. Si possono usare con un nome (come aggettivi) per indicarne la quantità, con un aggettivo o un verbo per indicarne l'intensità (come avverbi) e per sostituire un nome (come pronomi).

*In questa zona ci sono **troppi turisti**.*
*Questo quartiere è **molto tranquillo**.*
*Ieri **ho dormito molto**.*
*Alla festa sono venuti **tutti**.*

Come aggettivi concordano in genere e numero con il nome che accompagnano:

*L'albergo offre poch**i** serviz**i**.*
*In centro c'è molt**a** confusion**e**.*

Come pronomi concordano in genere e numero con il nome che sostituiscono:

*Alle festa sono venuti **tutti** (gli invitati).*

Come avverbi di quantità sono invariabili:

*Il ristorante è molt**o** car**o**.*
*Questa rivista è molt**o** interessant**e**.*

Nessun, nessuno e **nessuna** si usano sempre al singolare.

AGGETTIVO	PRONOME	AVVERBIO
ogni		
qualche		
alcuni, alcune	alcuni, alcune	
nessun, nessuno, nessun', nessuna	nessuno, nessuna	
tanto, tanta, tanti, tante (molto/a/i/e)	tanti, tante (molti, molte)	tanto (molto)
tutto, tutta, tutti, tutte	tutti, tutte	
troppo, troppa, troppi, troppe	troppi, troppe	troppo

GLI INDICATORI DI TEMPO

Indicano quando si svolge l'azione nel tempo.

Prima

Prima *andavo in bicicletta, ora in monopattino.*

Dopo

Prima *ho fatto un tirocinio,* ***poi*** *ho trovato un lavoro a tempo determinato.* ***Dopo*** *ho partecipato a un concorso e* ***ora*** *lavoro a tempo indeterminato.*

Poi

Ho studiato a Firenze, ***poi*** *mi sono trasferita a Roma.*

Sempre

Aiutavo ***sempre*** *i miei compagni durante le verifiche.*

Ogni giorno / tutti i giorni

Andavo a correre ***tutti i giorni****.*

Ora / adesso

Prima *usavamo il pennino con l'inchiostro,* ***adesso*** *usiamo la penna biro.*

I CONNETTIVI TEMPORALI

Usiamo i connettivi **mentre**, **quando**, **intanto**, **nel momento in cui** per localizzare un fatto nel tempo:

Mentre *ero in aeroporto mi hanno avvisato che l'aereo era in ritardo.*

Quando *ci siamo resi conto che le nostre valigie non c'erano, siamo dovuti andare all'ufficio oggetti smarriti.*

Io ho fatto la denuncia e ***intanto*** *mio marito ha telefonato all'albergo di Ischia per avvisare del ritardo.*

Nel momento in cui *siamo arrivati in albergo a Capri, abbiamo riavuto la mia valigia.*

AZIONI ANTERIORI E POSTERIORI

Prima di + infinito

Prima di finire *l'università, ho trovato un buon lavoro.*
(= Ho trovato un buon lavoro e poi ho finito l'università.)

Dopo + infinito passato

Dopo aver finito *l'università, ho fatto un lungo viaggio.*
(= Ho finito l'università e poi ho fatto un lungo viaggio.)

LE ESPRESSIONI DI LUOGO

Le usiamo per localizzare oggetti e persone nello spazio.

Il bagno è ***a destra*** *e la camera è* ***a sinistra.***

La cucina è ***in fondo al*** *corridoio.*

Il bagno è ***fra / tra*** *lo studio e la camera.*

Il comodino ***è accanto al / a fianco del / al lato del*** *letto.*

Di fronte alla *libreria c'è una poltrona.*

ESSERE E *ESSERCI*

Per dire dove si trova un oggetto o una persona possiamo usare i verbi **essere** ed **esserci**. Se la prima informazione è il luogo, l'ubicazione, usiamo **esserci**; se invece la prima informazione è l'oggetto o la persona, usiamo **essere**.

Il bagno ***è*** *a sinistra.*

A sinistra ***c'è*** *il bagno.*

La camera e il bagno ***sono*** *al primo piano.*

Al primo piano ***ci sono*** *la camera e il bagno.*

⚠ **c'è** + singolare, **ci sono** + plurale

Grammatica

I COMPARATIVI

Usiamo la struttura comparativa per paragonare due termini.

Il **comparativo di maggioranza** si esprime con:
nome + essere + **più** + aggettivo + **di** + nome

*La casa di Linda è **più** grande **della** casa di Giulia.*

Il **comparativo di minoranza** si esprime con:
nome + essere + **meno** + aggettivo + **di** + nome

*La casa di Giulia è **meno** grande **della** casa di Linda.*

Il secondo termine di paragone è introdotto da **che** quando il nome è preceduto da una preposizione e quando si paragonano due aggettivi.

*Nello stile classico moderno la monocromia è **più** frequente **che** nello stile vintage.*

*La poltrona è **più** comoda **che** bella.*

Il **comparativo di uguaglianza** si esprime con:
nome + essere + aggettivo + **come / quanto** + nome

*Il desiderio di "salto indietro nel tempo" è fondamentale **quanto** il principio di riciclo.*

*Nello stile classico moderno, l'ordine è importante **come** la concretezza.*

IL COMPARATIVO E IL SUPERLATIVO DI *BUONO, BENE, GRANDE, PICCOLO*

Gli aggettivi **buono**, **grande**, **piccolo** e l'avverbio **bene** hanno forme irregolari al comparativo e al superlativo.

	COMPARATIVO	SUPERLATIVO RELATIVO	SUPERLATIVO ASSOLUTO
buono	più buono / migliore	il migliore	buonissimo / ottimo
grande	più grande / maggiore	il maggiore	grandissimo / massimo
piccolo	più piccolo / minore	il minore	piccolissimo / minimo
bene	meglio	il migliore	benissimo

IL COMPARATIVO

*La mia poltrona è **migliore** della tua.*

*La percentuale di uomini che acquista computer è **maggiore/minore** di quella delle donne.*

*Con la radio nuova sento **meglio** che con quella vecchia.*

SUPERLATIVO RELATIVO

Esprime la qualità al massimo grado di un elemento, relativamente ad altri elementi.

*Questa è l'offerta **migliore** di tutte.*

*Gli acquisti **maggiori** avvengono il fine settimana.*

*Il fratello **minore** di Alberto si chiama Gabriele.*

SUPERLATIVO ASSOLUTO

Esprime la qualità al massimo grado di un elemento, senza paragonarlo con altri.

*Questo smartphone è **ottimo**.*

*Quel negozio ha la mia **massima** fiducia.*

I CONNETTIVI CAUSALI

Usiamo i connettivi **perché, siccome, poiché, dato che** e **visto che** per indicare una causa, un motivo.

*Non mi hanno fatto salire sull'aereo **perché** / **poiché** avevo il passaporto scaduto.*

***Visto che** / **Dato che** volevo un ricordo del viaggio originale, sono andato nei negozietti di artisti locali.*

*Abbiamo mangiato in una trattoria, **dato che** / **visto che** volevamo provare i piatti tipici.*

Quando utilizziamo **siccome**, la frase che contiene la causa precede quella con la conseguenza.

***Siccome** a me piace conoscere persone che vivono nei luoghi che visito, uso sempre il couchsurfing.*

AVVERBI IN *–MENTE*

Aggiungendo il suffisso **-mente** a un aggettivo si ottengono degli avverbi.

Gli aggettivi in -**o/a** formano l'avverbio dal femminile singolare + il suffisso **-mente**.
ovvio → *ovvia* + mente → ovvia**mente**
libero → *libera* + mente →libera**mente**

Gli aggettivi in **-e**, formano l'avverbio dalla forma unica.
breve + mente → breve**mente**

Gli aggettivi che terminano in **-le** o **-re** perdono la **-e** finale.
facile + mente → facil**mente**
particolare + mente → particolar**mente**

I NOMI INVARIABILI

Alcuni nomi hanno una sola forma per il singolare e il plurale.

Nomi con accento sulla vocale finale:
la città → *le città*
il caffè → *i caffè*

Nomi che terminano con consonante:
il bar → *i bar*
l'autobu*s* → gli autobu*s*

Abbreviazioni di nomi:
la bici → ***le** bici (bicicletta* → *biciclette)*
la moto → ***le** moto (motocicletta* → *motociclette)*

Tutti gli elementi che accompagnano questi nomi (articoli, aggettivi, ecc.) seguono le normali regole dell'accordo:

***La** città è tranquill**a**.*	[femminile singolare]
***Le** città sono pulit**e**.*	[femminile plurale]
***Il** bar all'angolo è economic**o**.*	[maschile singolare]
***I** bar del centro sono car**i**.*	[maschile plurale]

I NOMI E GLI AGGETTIVI IN *-CA* E *-GA*, *-CO* E *-GO*

ban**ca**	→	ban**che**
botte**ga**	→	botte**ghe**
par**co**	→	par**chi**
turisti**co**	→	turisti**ci**
alber**go**	→	alber**ghi**
psicolo**go**	→	psicolo**gi**

Per il plurale dei nomi maschili in -**co** e -**go** devi fare attenzione alla posizione dell'accento: se l'accento è sulla penultima sillaba, il plurale sarà in -**chi** e -**ghi**. Se l'accento è sulla terzultima sillaba, il plurale sarà in -**ci** e -**gi**.

medi**co**	→	medi**ci**
alber**go**	→	alber**ghi**

Esistono eccezioni alla regola.

ami**co**	→	ami**ci**
dialo**go**	→	dialo**ghi**

Grammatica

I NOMI COLLETTIVI

Indicano un insieme di persone o cose. Si usano con il verbo alla 3ª persona singolare.

***La maggioranza / La maggior parte** degli italiani dà molta importanza alla convivialità a tavola.*

I NOMI E GLI AGGETTIVI ALTERATI

È possibile aggiungere dei suffissi ai nomi e agli aggettivi per alterarne il significato su tre livelli: quantità, qualità, giudizio del parlante.

-ino: diminutivo
*ristorante → ristorant**ino***
*bella → bel**lina***

-one: accrescitivo
*paese → paes**one***
*passeggiata → passeggiat**ona***

ESPRIMERE EMOZIONI

Mi sento a mio agio / a disagio
Mi sento ridicolo/a
Sono nervoso/a *quando / se parlo in pubblico.*
Sono soddisfatto/a
Sto male / bene
Mi vergogno

***Ho paura di** non ricordare cosa devo dire.*
***Faccio fatica a** parlare con persone che non conosco.*

ORGANIZZARE UN DISCORSO

Per iniziare un discorso:
innanzitutto**, **in primo luogo**, **prima di tutto**, **per prima cosa**, **per cominciare

Per aggiungere informazioni:
ma anche**, **poi**, **anche**, **e**, **inoltre

Per concludere un discorso:
per concludere**, **infine**, **in conclusione

*Per tutelare il patrimonio culturale, **innanzitutto** si dovrebbe organizzare un piano di restauro, **poi** ci vorrebbe più controllo sulle opere e **inoltre** è necessario valorizzare i beni. **Infine** bisognerebbe potenziare l'educazione civica a scuola.*

ESPRIMERE OBBLIGO E NECESSITÀ

Per esprimere la necessità e l'obbligo in modo impersonale usiamo diverse costruzioni con l'infinito:

si deve / devono
bisogna / occorre + infinito
è necessario / doveroso / indispensabile

***Si deve** ridurre la velocità nei centri residenziali.*
***Bisogna** essere più solidali.*
***È doveroso** aiutare le persone in difficoltà.*

***Si deve** punire il vandalismo.*
***Si devono** punire i vandali.*

ESPRIMERE UN'OPINIONE

***Secondo me**, i murales sono opere d'arte.*
***A mio avviso**, occorre denunciare i vandali.*
***Dal mio punto di vista**, il senso civico è indispensabile.*
***Penso che** i graffiti siano atti incivili.*
***Credo che** occorra promuovere la solidarietà tra concittadini.*

Quando usiamo l'indicativo affermiamo qualcosa, quando usiamo il congiuntivo non affermiamo. Per questo le opinioni espresse con ***secondo me***, ***a mio avviso***, ***dal mio punto di vista*** sono più "forti".

VERBI CON PREPOSIZIONI

provare a **smettere di** **cercare di** **cominciare a** **riuscire a**	+ infinito

Provate a *fare ogni giorno una lista delle cose che dovete fare.*

Smetti di *guardare sempre il cellulare.*

Cercate di *dedicare almeno due ore a voi stessi!*

Cominciano a *capire che non è possibile fare tutto.*

Non ***riesco a*** *portare la valigia: è troppo pesante!*

PENSARE DI + INFINITO

Usiamo questa costruzione per esprimere un'intenzione.

Pensiamo di fare *un giro per l'Italia quest'estate.*

AVERE BISOGNO DI + SOSTANTIVO / INFINITO

Usiamo questa costruzione per esprimere necessità.

Ho bisogno di andare in ferie perché sono molto stanco.

Per andare negli Stati Uniti ***hai bisogno di*** *un visto.*

METTERCI E *VOLERCI*

Volerci significa essere necessario:

- *Quanto (tempo)* ***ci vuole*** *per arrivare?*
- ***Ci vorranno*** *dieci minuti.*

Uno dei significati di **metterci** è impiegare un tempo determinato:

Il treno ***ci mette*** *un'ora ad arrivare a Venezia.*

L'USO DEI VERBI *POTERE* E *SAPERE*

Il verbo **sapere**, quando è seguito dall'infinito, indica la capacità di compiere l'azione espressa dall'infinito:

Sai *riparare la bicicletta?*

Anche il verbo **potere**, quando è seguito dall'infinito, indica la capacità di compiere l'azione espressa dall'infinito poiché le circostanze esterne lo permettono.

So *riparare la bicicletta ma oggi non* ***posso*** *perché non ho i pezzi di ricambio.*

Verbi

IL PRESENTE INDICATIVO DI ALCUNI VERBI IRREGOLARI

ANDARE	BERE	DARE
vado	bevo	do
vai	bevi	dai
va	beve	dà
andiamo	beviamo	diamo
andate	bevete	date
vanno	bevono	danno

DIRE	FARE	STARE
dico	faccio	sto
dici	fai	stai
dice	fa	sta
diciamo	facciamo	stiamo
dite	fate	state
dicono	fanno	stanno

PIACERE	USCIRE	VENIRE
piaccio	esco	vengo
piaci	esci	vieni
piace	esce	viene
piacciamo	usciamo	veniamo
piacete	uscite	venite
piacciono	escono	vengono

ALCUNI VERBI CON IRREGOLARITÀ ORTOGRAFICHE

RIMANERE	NAVIGARE	GIOCARE
rimango	navigo	gioco
rimani	navighi	giochi
rimane	naviga	gioca
rimaniamo	navighiamo	giochiamo
rimanete	navigate	giocate
rimangono	navigano	giocano

MANGIARE	COMINCIARE	LASCIARE
mangio	comincio	lascio
mangi	cominci	lasci
mangia	comincia	lascia
mangiamo	cominciamo	lasciamo
mangiate	cominciate	lasciate
mangiano	cominciano	lasciano

IL PRESENTE INDICATIVO DEI VERBI MODALI

VOLERE	POTERE	DOVERE
voglio	posso	devo
vuoi	puoi	devi
vuole	può	deve
vogliamo	possiamo	dobbiamo
volete	potete	dovete
vogliono	possono	devono

IL PASSATO PROSSIMO

AUSILIARE	+	PARTICIPIO PASSATO
ho hai ha abbiamo avete hanno	+	parl**ato** ricev**uto** dorm**ito**
sono sei è siamo siete sono	+	and**ato/a** and**ati/e**

Tutti i verbi transitivi prendono l'ausiliare **avere**.
I verbi che prendono l'ausiliare **essere** sono:

- i verbi riflessivi (lavarsi, vestirsi, ecc.)
- i verbi che esprimono cambio di stato (nascere, diventare, ecc.)
- i verbi che indicano stato in luogo (essere, stare, rimanere, ecc.)
- alcuni verbi di movimento (andare, venire, entrare, ecc.)

 Alcuni verbi di movimento richiedono l'ausiliare **avere**: camminare, viaggiare, nuotare, passeggiare, ecc.

 I verbi modali **potere**, **dovere** e **volere** richiedono l'ausiliare del verbo all'infinito che li segue:
Sono *dovuto andare in una nuova casa.*
Ho dovuto rinunciare a molte cose.

IL PARTICIPIO PASSATO

PARTICIPI PASSATI REGOLARI	
st**are**	st**ato**
av**ere**	av**uto**
part**ire**	parti**to**

ALCUNI PARTICIPI PASSATI IRREGOLARI	
aprire	aperto
bere	bevuto
chiudere	chiuso
dire	detto
essere	stato
fare	fatto
leggere	letto
mettere	messo
morire	morto
nascere	nato
perdere	perso/perduto
prendere	preso
rimanere	rimasto
scoprire	scoperto
scrivere	scritto
svolgere	svolto
vedere	visto
venire	venuto
vincere	vinto
vivere	vissuto

L'IMPERFETTO INDICATIVO

Usiamo l'imperfetto per:

▶ descrivere persone, cose, luoghi, stati d'animo e situazioni nel passato:
Mia nonna era molto brava a scuola.
La mia aula era grande ma era poco luminosa.

Quando vivevo a Tokio ero molto felice!
Nel 1861 il 98% degli italiani parlava dialetto in famiglia.

▶ azioni che si ripetono o durano nel passato:
Prima ***compravo*** *sempre la verdura al supermercato, ora coltivo un orto.*

Mentre ***frequentavo*** *l'università, lavoravo in un call center.*

L'IMPERFETTO INDICATIVO DEI VERBI AUSILIARI

ESSERE	AVERE
ero eri era eravamo eravate erano	avevo avevi aveva avevamo avevate avevano

L'IMPERFETTO INDICATIVO DEI VERBI REGOLARI

PARLARE	VIVERE	DORMIRE
parl**avo** parl**avi** parl**ava** parl**avamo** parl**avate** parl**avano**	viv**evo** viv**evi** viv**eva** viv**evamo** viv**evate** viv**evano**	dorm**ivo** dorm**ivi** dorm**iva** dorm**ivamo** dorm**ivate** dorm**ivano**

L'IMPERFETTO INDICATIVO DI ALCUNI VERBI IRREGOLARI

FARE	BERE	DIRE
facevo facevi faceva facevamo facevate facevano	bevevo bevevi beveva bevevamo bevevate bevevano	dicevo dicevi diceva dicevamo dicevate dicevano

L'USO DELL'IMPERFETTO E DEL PASSATO PROSSIMO

Il passato prossimo si usa per raccontare un fatto passato terminato.

Caterina ***ha finito gli studi*** *nel 1964.*
Dopo cinque anni di studi, ***mi sono laureata*** *al Politecnico di Milano.*

L'imperfetto si usa per raccontare un fatto che ha una durata indeterminata.

Quando ***vivevo*** *in città* ***ero*** *molto stressata.*

Se presentiamo un fatto come non ancora terminato in un momento specifico del passato, usiamo l'imperfetto.

Quando ***ero*** *a Bruxelles,* ***pensavo*** *all'Italia.*

Se presentiamo un fatto come fatto completo, terminato, usiamo il passato prossimo.

Quando ***ero*** *a Bruxelles,* ***ho conosciuto*** *il mio fidanzato.*

Quando ci riferiamo alla durata totale di un processo, usiamo il passato prossimo.

Sono stato *a Bruxelles dal 2012 al 2014.*
Ho lavorato *tutta la sera.*

Quando descriviamo fatti che si ripetono nel passato usiamo l'imperfetto.

Mia nonna Caterina ***andava*** *sempre a scuola a piedi.*

L'IMPERATIVO AFFERMATIVO DEI VERBI AUSILIARI

ESSERE	AVERE
-	-
sii	abbi
sia	abbia
siamo	abbiamo
siate	abbiate
siano	abbiano

L'IMPERATIVO AFFERMATIVO DEI VERBI REGOLARI

PARLARE	VIVERE	DORMIRE
-	-	-
parl**a**	viv**i**	dorm**i**
parl**i**	viv**a**	dorm**a**
parl**iamo**	viv**iamo**	dorm**iamo**
parl**ate**	viv**ete**	dorm**ite**
parl**ino**	viv**ano**	dorm**ano**

L'IMPERATIVO NEGATIVO

PARLARE	VIVERE	DORMIRE
-	-	-
non parlare	non vivere	non dormire
non parli	non viva	non dorma
non parliamo	non viviamo	non dormiamo
non parlate	non vivete	non dormite
non parlino	non vivano	non dormano

ALCUNE FORME IRREGOLARI DELL'IMPERATIVO

- **fare** → (tu) fai/fa'; (Lei) faccia
- **stare** → (tu) stai/sta'; (Lei) stia
- **dare** → (tu) dai/da'; (Lei) dia
- **dire** → (tu) di'; (Lei) dica
- **andare** → (tu) vai/va'; (Lei) vada
- **bere** → (tu) bevi; (Lei) beva
- **tenere** → (tu) tieni; (Lei) tenga
- **venire** → (tu) vai/va'; (Lei) venga
- **scegliere** → (tu) scegli; (Lei) scelga
- **uscire** → (tu) esci; (Lei) esca

L'IMPERATIVO CON I PRONOMI

Al singolare (Lei), il pronome va prima del verbo:
*Se l'articolo non è in saldo, non **lo** prenda.*
(negativo)
*Questo è un ottimo prodotto, **lo** provi subito!*
(affermativo)

Al plurale (Voi):
se è affermativo, collochiamo il pronome attaccato alla fine del verbo:
*Questo televisore è in saldo, comprate**lo** subito.*

se è negativo, possiamo collocare il pronome prima del verbo oppure attaccato al verbo:
*Riguardo all'acquisto nei mercati dell'usato, non preferite**li** / **li** preferite ai negozi tradizionali.*

IL FUTURO SEMPLICE DEI VERBI AUSILIARI

ESSERE	AVERE
sarò	avrò
sarai	avrai
sarà	avrà
saremo	avremo
sarete	avrete
saranno	avranno

Alcuni verbi si coniugano come **avere**:
- **andare** → andrò
- **vivere** → vivrò
- **dovere** → dovrò
- **sapere** → saprò
- **potere** → potrò

Alcuni verbi si coniugano come **essere**:
- **dare** → darò
- **fare** → farò
- **stare** → starò

IL FUTURO SEMPLICE DEI VERBI REGOLARI

PARLARE	PRENDERE	DORMIRE
parl**erò**	prend**erò**	dorm**irò**
parl**erai**	prend**erai**	dorm**irai**
parl**erà**	prend**erà**	dorm**irà**
parl**eremo**	prend**eremo**	dorm**iremo**
parl**erete**	prend**erete**	dorm**irete**
parl**eranno**	prend**eranno**	dorm**iranno**

IL FUTURO SEMPLICE DEI VERBI IN *-CARE*, *-GARE*, *-CIARE* E *GIARE*

CERCARE	PAGARE
cercherò	pagherò
cercherai	pagherai
cercherà	pagherà
cercheremo	pagheremo
cercherete	pagherete
cercheranno	pagheranno

BACIARE	MANGIARE
bacerò	mangerò
bacerai	mangerai
bacerà	mangerà
baceremo	mangeremo
bacerete	mangerete
baceranno	mangeranno

USI DEL FUTURO

Usiamo il futuro per:

▶ parlare di azioni ed eventi futuri

*Il mese prossimo **controllerò** il tempo dedicato ai social.*
*Nel 2050 la nostra memoria **sarà** poco sviluppata.*

▶ fare un'ipotesi
● *Non mi sento bene. Che cosa **avrò**?*
○ ***Sarà** il cambio di stagione...*

⚠ Nella lingua parlata, spesso al posto del futuro si usa l'indicativo presente.
*Il mese prossimo **ho** una visita medica.*
*Il 18 ottobre **ho** un appuntamento dal dentista.*

Verbi

IL CONDIZIONALE PRESENTE DEI VERBI AUSILIARI

ESSERE	AVERE
sarei saresti sarebbe saremmo sareste sarebbero	avrei avresti avrebbe avremmo avreste avrebbero

IL CONDIZIONALE PRESENTE DEI VERBI REGOLARI

PARLARE	METTERE	DORMIRE
parl**erei** parl**eresti** parl**erebbe** parl**eremmo** parl**ereste** parl**erebbero**	mett**erei** mett**eresti** mett**erebbe** mett**eremmo** mett**ereste** mett**erebbero**	dorm**irei** dorm**iresti** dorm**irebbe** dorm**iremmo** dorm**ireste** dorm**irebbero**

IL CONDIZIONALE PRESENTE DI ALCUNI VERBI IRREGOLARI

DOVERE	POTERE	VOLERE
dovrei dovresti dovrebbe dovremmo dovreste dovrebbero	potrei potresti potrebbe potremmo potreste potrebbero	vorrei vorresti vorrebbe vorremmo vorreste vorrebbero

FARE	DIRE	DARE
farei faresti farerebbe faremmo fareste farebbero	direi diresti direbbe diremmo direste direbbero	darei daresti darebbe daremmo dareste darebbero

Come **potere** e **dovere**, si coniugano anche i verbi **andare**, **sapere**, **vivere** e **vedere**.

- **andare** → andrei
- **sapere** → saprei
- **vivere** → vivrei
- **vedere** → vedrei

USI DEL CONDIZIONALE

Il condizionale ha un senso ipotetico, per questo lo usiamo per:

► fare richieste gentili:
Potresti *aiutarmi a potare le piante? (tu)*
Potrebbe *dirmi quando può venire a riparare il televisore?* (Lei)

► dare consigli:
● *Il nostro giardino è un disastro...*
○ ***Dovreste*** *chiamare Mario, è un ottimo giardiniere!*

► esprimere desideri:
Vorrei *vivere in una casa senza guasti!*

► fare dichiarazioni ipotetiche sul presente e sul futuro, in questo modo rappresentiamo una realtà ipotetica:
Lo Stato ***dovrebbe*** *tutelare seriamente il patrimonio.*

Multerei *chi non rispetta la convivenza civile.*

IL CONGIUNTIVO PRESENTE DEI VERBI AUSILIARI

ESSERE	AVERE
sia	abbia
sia	abbia
sia	abbia
siamo	abbiamo
siate	abbiate
siano	abbiano

IL CONGIUNTIVO PRESENTE DEI VERBI REGOLARI

PARLARE	PRENDERE
parl**i**	prend**a**
parl**i**	prend**a**
parl**i**	prend**a**
parl**iamo**	prend**iamo**
parl**iate**	prend**iate**
parl**ino**	prend**ano**

DORMIRE	FINIRE
dorm**a**	finisc**a**
dorm**a**	finisc**a**
dorm**a**	finisc**a**
dorm**iamo**	fin**iamo**
dorm**iate**	fin**iate**
dorm**ano**	fin**iscano**

IL PERIODO IPOTETICO DELLA REALTÀ

CONDIZIONE **se** + presente / futuro	CONSEGUENZA → presente / futuro
*Se **segui** questi consigli,*	*ti **sentirai** meglio.*
*Se **prendo** la compressa,*	*mi **addormento**.*
*Se **farai** sport,*	***sarai** meno stressato.*

LA COSTRUZIONE IMPERSONALE

VERBI RIFLESSIVI

La costruzione impersonale è composta da: **ci** + **si** + verbo alla 3ª persona singolare.
***Ci si diverte** a fare la pasta con questa macchina.*

SI IMPERSONALE + VERBI MODALI

Se non c'è un oggetto diretto, oppure l'oggetto diretto è al singolare, la costruzione è:
si + verbo modale alla 3ª persona singolare + infinito.
***Si può andare** la domenica al centro commerciale.*
*Se **si vuole comprare** un oggetto cult, questa lampada è imprescindibile!*

Se l'oggetto diretto è plurale, coniughiamo il verbo modale alla 3ª persona plurale:
***Si possono acquistare** i prodotti anche online.*

Se c'è un verbo riflessivo, la costruzione è:
ci + **si** + verbo modale alla 3ª persona singolare + infinito.
***Ci si deve abituare** a fare gli acquisti online.*

L'INFINITO PASSATO

INFINITO PRESENTE	+	PARTICIPIO PASSATO
avere	+	parl**ato**
essere	+	and**ato/a /i /e**

⚠ Di solito, **avere** perde la vocale finale:
aver(e) parlato

ESSERE E *ESSERCI*

Per dire dove si trova un oggetto o una persona possiamo usare i verbi **essere** ed **esserci**. Se la prima informazione è il luogo, usiamo **esserci**; se invece la prima informazione è l'oggetto o la persona, usiamo **essere**.

*A sinistra **c'è** il bagno.*
*Il bagno **è** a sinistra.*

STARE + GERUNDIO

Il verbo **stare** + gerundio indica un'azione nel suo svolgimento. Il gerundio si forma in questo modo:

- guard**are** → guard**ando**
- legg**ere** → legg**endo**
- apr**ire** → apr**endo**

⚠ fare → facendo
dire → dicendo

STARE PER + INFINITO

Usiamo la costruzione **stare per** + infinito per indicare un'azione molto vicina nel futuro.
*Ho il naso chiuso, **sta per venirmi** il raffreddore.*
*Fai presto, il treno **sta per** partire.*

Cartina politica

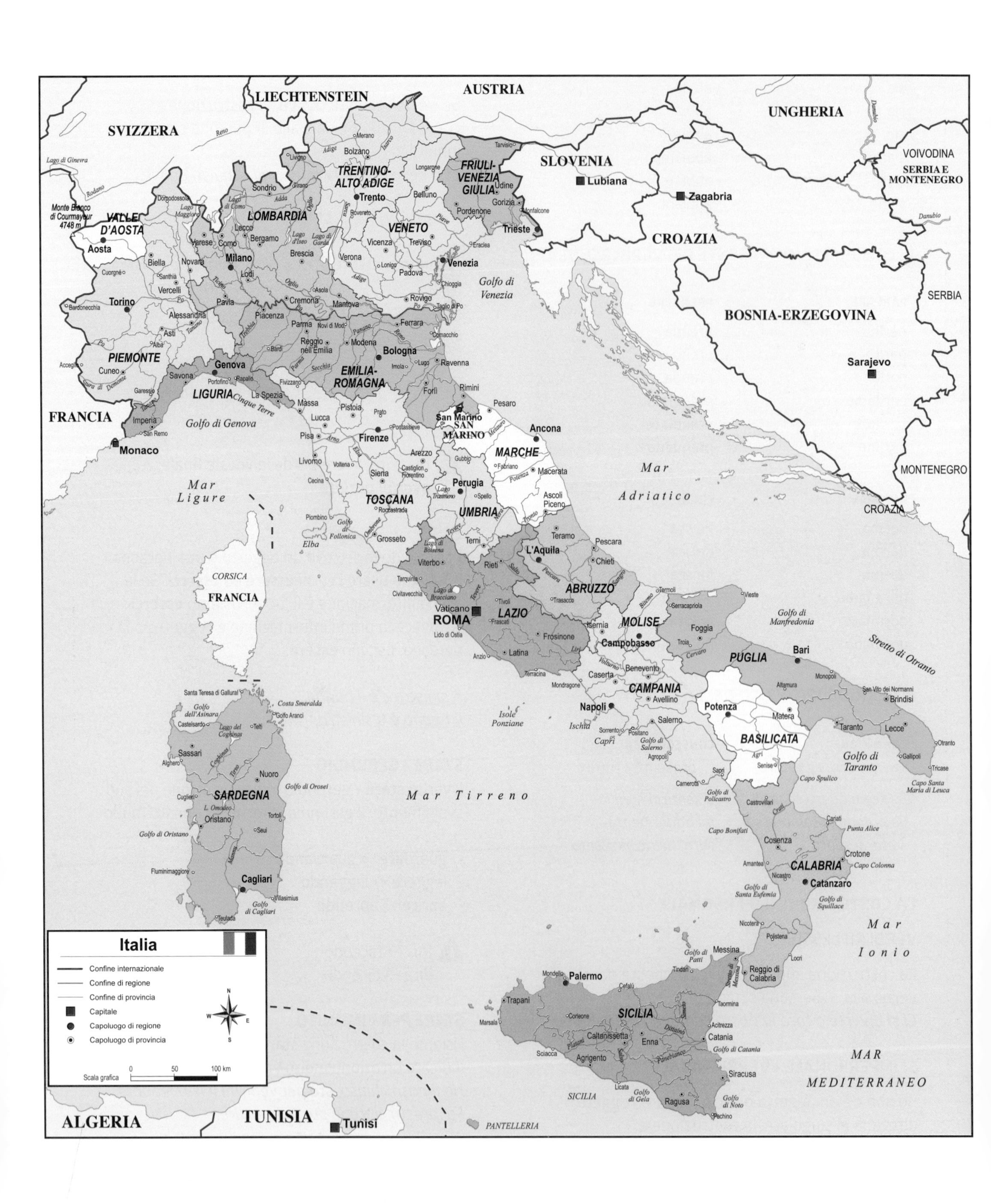

Cartina fisica

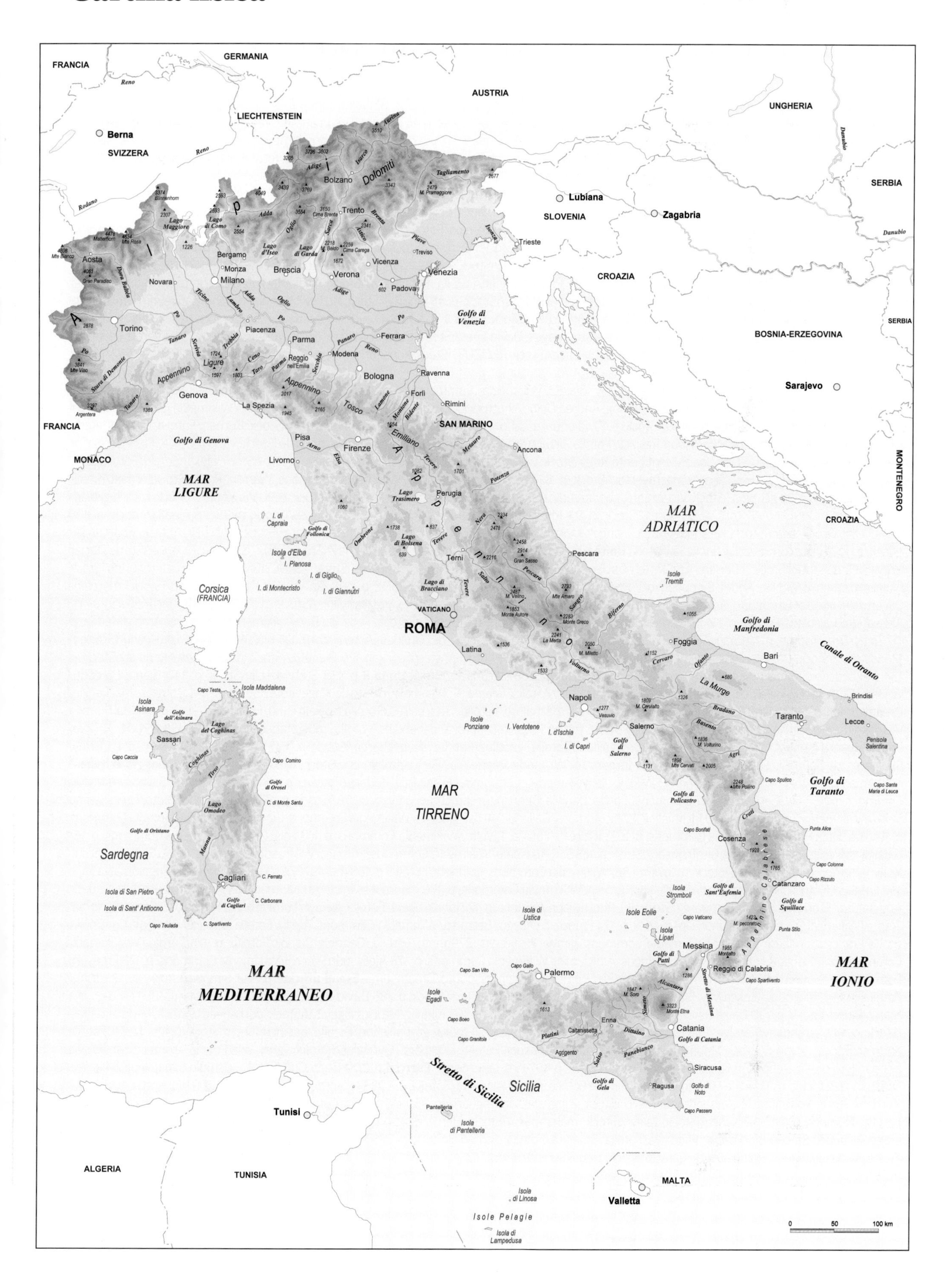

Al dente 2

Corso d'italiano · Libro dello studente + Esercizi · Livello A2

Autori
Marilisa Birello
Albert Vilagrasa
(unità 0, 2, 1, 7)

Simone Bonafaccia
(unità 6 e 8)

Franca Bosc
(unità 3, 4 e 5)

Giada Licastro
(unità 8)

Marcello Belotti
(*Suoni*)

Fidelia Sollazzo
(*Schede video*)

Fabio D'Angelo
(*Viaggio in Italia*)

Gian Michele Pedicini
(*Esami ufficiali*)

Andrea Bernardoni
(*Esercizi*)

Coordinamento editoriale
Sara Zucconi e Ludovica Colussi

Revisione didattica
Maddalena Bertacchini ed Elena Tea con Agustín Garmendia, Sara Zucconi e Ludovica Colussi

Redazione
Sara Zucconi, Fidelia Sollazzo, Nicola Fatighenti e Ludovica Colussi

Correzione
Fabio D'Angelo e Francesca Desiderio

Impaginazione e progetto grafico
Guillermo Bejarano
Laurianne Lopez
Pedro Ponciano
Ornella Ambrosio

Illustrazioni
Ernesto Rodríguez Pérez
David Revilla
Pedro Ponciano

Documentazione
Cristina Nasti

Registrazioni
Coordinamento: Sara Zucconi
Studio di registrazione: Blind records

Voci
Ludovica Colussi, Fabio Ferrante, Steven Forti, Edmondo Pezzopane, Giulia Tellarini, Carlotta Ros, Sara Zucconi.

Ringraziamenti
Vogliamo ringraziare tutte quelle persone che hanno contribuito alla realizzazione di questo manuale, in particolar modo Maria Vittoria Ambrosini, Oscar García e Luis Luján.

ISBN: 978-84-16657-75-9

Stampato in UE

Ristampa: giugno 2020

www.cdl-edizioni.com

Se vuoi consolidare le tue competenze linguistico-comunicative, grammaticali e lessicali ti consigliamo:

Grammatica

Acqua in bocca

Letture graduate livello A2

Arte e cucina

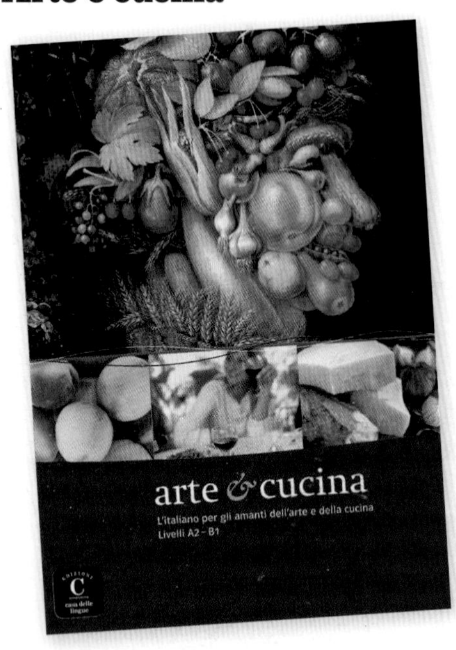